Onder de oppervlakte

www.boekerij.nl

Sam Hayes

Onder de oppervlakte

ISBN 978-90-225-5985-7
NUR 330

Oorspronkelijke titel: *Tell Tale* (Headline)
Vertaling: Ineke van Bronswijk
Omslagontwerp: Johannes Wiebel, punchdesign, München
Omslagbeeld: Pojoslaw / Shutterstock
Zetwerk: CeevanWee, Amsterdam

© 2009 by Sam Hayes
© 2011 voor de Nederlandse taal: De Boekerij bv, Amsterdam

Voor Ben, mijn zoon, mijn vriend
Met al mijn liefs

Proloog

Het is hoogtij – een duizelingwekkende watermassa bijna honderd meter in de diepte. Ze grijpt de staalkabels beet en verliest bijna haar evenwicht als haar wijde rok tussen haar knikkende knieën vandaan wordt geblazen. Ze weet dat er nu elk moment agenten naar haar toe kunnen komen rennen die zullen proberen haar naar beneden te praten, zoals ze al met tientallen mensen voor haar hebben gedaan. Voor die tijd moet ze weg zijn, maar pas nadat ze haar hebben zien springen. De bestuurder van een langsrijdende auto toetert en zwaait alsof hij haar wil aanmoedigen.

Het duurt drie seconden om dood te gaan.

Ze kijkt omlaag naar het water. Haar mond is droog en haar keel gaat op slot als ze probeert te slikken. Ze denkt aan wat hij heeft gezegd: voeten eerst... tenen als een ballerina op spitzen... armen tegen het lichaam... een schuine hoek. Een lok haar raakt los uit haar paardenstaart en zwiept in haar gezicht.

'Zoek de belletjes,' fluistert ze. Haar laatste woorden.

Onder water is het inktzwart, had hij glimlachend gezegd. Volg de belletjes naar de oppervlakte. Dan zwem je voor je leven, besloot hij lachend, als je het tenminste echt doet. Maar dat waagt niemand, voegde hij eraan toe. Niet zonder een uitrusting.

Ze maakt haar rok wat losser – het is niet echt een rok, het zijn stroken van een speciale stof. Eronder plakt haar wetsuit aan haar trillende lichaam. Ze schuift de neusklem over naar neusgaten, die wijd open zijn gesperd van angst, en verandert haar greep op de brug. De koude kabels snijden in haar handen als ze haar positie inneemt. De rivier is even ver weg als een andere planeet, een ander leven.

Ze kijkt naar het voetgangerspad op de brug. Op een meter of vijftien bij haar vandaan staat een verstijfde vrouw, met een hand tegen haar mond gedrukt om een gil te smoren. Achter haar komt een te dikke brugwachter waggelend aangerend. Laaghangende onweerswolken pakken zich dreigend samen, en een paar zeemeeuwen laat zich meevoeren door de wind. Een witte bestelwagen gaat langzamer rijden en trekt dan weer op; een rood autootje komt helemaal tot stilstand. Al die dingen ziet ze terwijl ze een klein stapje doet, de leegte in.

Het duurt drie seconden om dood te gaan, de rest van haar leven.

Langzaam, langzaam, ze heeft nog tijd om na te denken. Haar blote tenen zijn pijnlijk gestrekt en ze verstrengelt haar handen boven haar hoofd. De wind suist langs haar heen, een wind die zuivert, uitwist, geneest, redt. Haar gezicht vertrekt bij de gedachte aan wat komen gaat – niet het moment waarop ze het water raakt, maar wat er daarna zal gebeuren.

Haar zandkleurige rok bolt op en wappert, maar sluit zich dan anderhalve seconde voordat haar tenen het water raken als een strak windsel om haar heen. Ze probeert naar achteren te hellen, maar de weerstand is te groot. Centimeter voor centimeter gaat haar lichaam een andere wereld binnen. Haar voeten, haar enkels, haar knieën en dijen worden verzwolgen door het steenharde water. Haar lichaam, haar borst, haar schouders en nek verdwijnen in de stroom. Dan, als ze instinctief haar ogen dichtdoet, gaat ze kopjeonder. Alles is stil. Alles is zwart. Alles gaat in slow motion.

Pas na een hele tijd kan ze haar zware ledematen bewegen. Het verbaast haar dat ze nog aan haar lichaam vastzitten. Haar rok zit in de weg, en als ze eraan trekt, golft de stof als een bevrijde kwal mee met de stroom. Dan ziet ze alleen nog de wilde slierten van haar haren en een zilveren spoor dat in de duisternis omhoog borrelt.

Volg de belletjes, denkt ze versuft, maar ze weet niet wat boven en wat onder is.

Met haar handen als peddels werkt ze zich naar de oppervlakte. Haar borst brandt en ze kan haar benen bijna niet bewegen. Ze spant zich in tot het uiterste, snakt naar een sprankje licht, snakt naar een glimp van het hiernamaals.

1

Nina Kennedy schopte haar pumps uit en masseerde haar pijnlijke voeten. 'Haal eens een paar paracetamolletjes voor me, schat.' Ze deed haar ogen dicht.

'Alsjeblieft, mam.' Josie gaf haar de pillen en een glas water. 'Gaat het?'

Nina grijnsde ondanks de pijn. 'Kan niet beter.' Ze wreef over haar voorhoofd. Het was een lange dag geweest, een uithoudingsproef, maar ze had van elke minuut genoten. 'Mijn voeten doen pijn en mijn hoofd voelt alsof het in tweeën is gespleten, maar het was het allemaal waard.' Nina omhelsde haar dochter. 'De presentatie ging erin als koek.'

'Dus... je hebt het contract gekregen?' Josie knipperde herhaaldelijk met haar ogen, een tic waar ze al jaren last van had, en durfde nauwelijks adem te halen. Ze streek haar lange haar naar achteren, de omlijsting van een smal gezicht dat ergens tussen kind en vrouw was blijven steken.

'Nou, en of. Chameleon fx gaat de make-up en grime doen voor de volgende drie films van Charterhouse Productions.'

Josie zweeg terwijl ze het nieuws tot zich liet doordringen, bijtend op haar lip. 'In Pinewood?' Ze moest het zeker weten.

Nina knikte en slikte de pillen. 'We beginnen met *Grave*. Je mag met me mee naar de set zolang je nog schoolvakantie hebt.' Ze trok haar armen uit de mouwen van haar jasje en gooide het over een stoel. Haar dochter was idolaat van toneel. Het was een gezonde hobby voor een tiener, een manier om haar angsten en gevoelens uit te drukken. Beter dan roken of drugs, vond Nina.

Josie zei geen woord. Ze zette grote ogen op en blies haar wangen bol, rende toen de kamer uit. Een paar seconden later hoorde Nina haar opgewonden stem; ze belde haar vriendinnen om hun het nieuws te vertellen. Haar moeder ging beroemdheden schminken.

Nina ging naar de keuken om de boodschappen uit te pakken die ze onderweg naar huis had gehaald. Ze schonk zichzelf een glas wijn in en ging aan de keukentafel zitten, grijnzend van oor tot oor.

Mick wist nog van niets. Ze zou het hem vertellen zodra hij binnenkwam. Het was het grootste contract dat ze ooit had binnengesleept. Meestal deed ze theaterproducties, fotoshoots en reclames, soms televisiewerk. Een paar keer had ze speelfilms gedaan, maar alleen als assistente en dat was lang geleden. Nina droomde ervan om naam te maken in een business met moordende concurrentie. Het was een kans om haar talent te etaleren – ze kon personages maken van acteurs, fantasie werkelijkheid laten worden. Het draaide allemaal om metamorfoses, en daar was Nina steengoed in.

'Het betekent dat ik waanzinnig vroeg op moet. Ik moet om zeven uur op de set zijn.' Het was een uur later en Nina had het eten klaar. Ze had bonensalade gemaakt en lamsvlees met couscous. Mick had de deur van zijn atelier achter zich dichtgetrokken, naar huis gelokt omdat hij trek had. 'We redden ons toch wel?'

'Natuurlijk redden we ons,' antwoordde Mick. Hij keek zijn vrouw strak aan, dolblij met haar nieuws. 'Maak je over ons maar geen zorgen.' Met een liefhebbende blik op zijn dochter schepte hij haar wat bonen op. 'Wat vind jij ervan, poes? Denk je dat we het zullen overleven?'

Josie haalde haar schouders op en gebaarde dat haar vader haar niet nóg meer moest opscheppen. Ze had er een hekel aan als hij haar 'poes' noemde. En hij schepte haar altijd te veel op, alsof hij haar wilde vetmesten. Het kon Josie niet schelen op welke onmogelijke tijden haar moeder werkte, zolang zij maar naar de studio mocht komen. Ze had al actrice willen worden sinds de allereerste keer dat haar moeder haar op een zaterdag naar toneelles had gebracht, toen ze vijf was. Ze was nooit zo gelukkig als wanneer ze deed alsof ze iemand anders was.

'Je hebt het dubbel en dwars verdiend,' zei Mick, en zijn hand sloot zich stevig rond Nina's pols. 'Ik ben trots op je. Zo trots.' Hij boog zich naar voren en drukte een kus in haar hals. Alles liep zoals ze hadden gehoopt.

Later, toen Josie naar haar kamer was gegaan, zaten Nina en Mick buiten in de schemering. Tussen hen in stond een flakkerende kaars. Het was een warme avond en de lucht geurde naar jasmijn, met een vleugje zout en klei van de riviermond, die bij laagtij gedeeltelijk droogviel. Nina haalde diep adem, slaakte een zucht van pure tevredenheid en lachte zacht. 'Het is ons gelukt.' Ze verheugde zich erop om Laura de volgende ochtend te bellen, wetend hoe blij haar vriendin zou zijn.

'Wat is ons gelukt?' Mick was afwezig; hij werd al weken in beslag genomen door zijn werk. Hij staarde naar een vliegtuig dat in de richting van de zee vloog, maar aan de grijns op zijn gezicht kon Nina zien dat hij precies wist wat ze bedoelde. Hij wilde het haar alleen horen zeggen.

'Dit allemaal.' Nina leunde achterover en keek naar hun huis, een gerieflijke, half vrijstaande villa uit de jaren dertig die ze helemaal hadden laten renoveren. Het was geen paleis, maar wel bijna. 'We hebben ons eigen huis.'

'Vergeet de hypotheek niet.' Mick rolde met zijn ogen.

'We hebben een beeldschone dochter.'

'Helemaal waar.' Mick was een liefhebbende vader, in tegenstelling tot de vaders van veel van Josies vriendinnen, die hun kinderen alleen tijdens het avondeten zagen, op een verjaarsfeestje of als er een standje uitgedeeld moest worden.

'En ik heb een geweldige, adembenemend knappe en getalenteerde man,' besloot Nina. Ze probeerde haar glimlach te verbergen, want ze wist wat er komen ging.

'Wat dat betreft ben ik het roerend met je eens.' Mick zette zijn wijnglas neer en stak zijn armen naar haar uit. 'Kom eens hier.'

Nina wist dat protesteren zinloos was. Mick kon met haar doen wat hij wilde.

'Bovendien moeten we jouw goede nieuws niet vergeten. Dat is net zo belangrijk als het mijne.' Nina dronk haar glas leeg, ze ging staan en liet zich schrijlings op zijn schoot zakken. 'Eindelijk zit het ons allemaal mee. Ik ben zo gelukkig, Mick.' Ze keek in de peilloze diepten van zijn ogen. Ze was verliefder dan ooit, alsof ze diep vanbinnen een geheime reserve aan liefde had, speciaal voor hem.

'Het heeft mij meegezeten vanaf het moment dat ik jou leerde kennen.' Mick schoof zijn vingers in haar dikke haar en trok haar hoofd naar zich toe. Ze kusten elkaar. Hij verbrak de kus maar hield zijn lippen vlak bij de hare. 'Ik wil je iets laten zien.'

'O ja? Wat dan?' Nina maakte zich van hem los en ging staan. Opwinding golfde door haar heen. Dat was zo bijzonder van Mick, het levenslustige gevoel dat hij haar gaf. Sommige van haar vriendinnen hadden geklaagd dat hun huwelijk al na een paar jaar in het slop was geraakt. Ontrouw, verveling, botsende karakters en werkdruk waren funest voor het huwelijksgeluk. Maar niet bij het echtpaar Kennedy.

Nina voelde zich bijna schuldig als ze bekende dat haar man hartstochtelijk en spontaan was en dat hij haar nog steeds aanbad. Ze had het Laura een keer verteld, 's avonds bij een tweede fles wijn. Het was niet Nina's bedoeling om op te scheppen, maar ze kon het gewoon niet voor zich houden, zo sprankelend en spannend maakte Mick hun leven.

'Ik wilde het je pas laten zien als het af was, maar ik kan niet langer wachten,' zei hij ernstig.

'Je maakt me nieuwsgierig, Mr. Kennedy.'

Mick nam haar bij de hand en voerde haar mee naar zijn atelier aan het eind van de tuin. Hij had het houten huisje laten bouwen toen ze vijf jaar geleden het huis kochten. Het was zo ongeveer zijn tweede thuis geworden.

Halverwege het grasveld bleven ze staan en opeens werd alles donker. 'Hé, wat gebeurt er?' Nina rook nicotine toen hij zijn handen voor haar ogen legde. Even schrok ze, maar het volgende moment lachte ze al weer.

'Kom mee naar mijn donkere grot,' gromde hij speels. 'Ik heb stoute plannen.'

Nina giechelde terwijl ze geblinddoekt verder liep. Er brak een twijgje onder haar voet en ze rook de zoete geur van de theerozen die ze onlangs had geplant toen ze langs het bloembed liepen. 'Mick Kennedy, je bent door en door slecht, maar ik hou van je.' Dit was het volmaakte einde van een bijzondere dag. Ze hoorde zijn ademhaling toen hij de sleutel uit zijn zak haalde en de deur openmaakte. Het atelier met zijn kostbare inhoud zat altijd op slot.

Eenmaal binnen rook Nina Micks aftershave en de verf die hij gebruikte. Zijn hand lag nog steeds voor haar ogen terwijl hij de deur weer dichttrok en het licht aandeed. Ze vond de spanning haast ondraaglijk. 'Wat is het, Mick? Kom op, vertel het me.'

Hij haalde zijn hand weg en ze knipperde tegen het licht.

'Nou, wat vind je ervan?' Hij liep naar een groot doek en spreidde zijn handen.

De adem stokte in haar keel en haar hart begon te bonzen. Het duurde even voordat ze iets kon uitbrengen. 'Het is fantastisch... schitterend!' Ze kreeg tranen in haar ogen terwijl ze naar een levensgroot naakt van haarzelf keek. 'Ik vind het echt heel erg mooi. Maar waarom heb je míj geschilderd?'

'Dan kan ik naar je kijken als ik aan het werk ben. Ik wil je helemaal kunnen zien,' zei hij glimlachend, blij dat ze enthousiast was. 'Nu ik een deal heb met de Marley Gallery in Londen moet ik keihard werken om aan de vraag te kunnen voldoen,' vervolgde hij met een zucht, die Nina aan de werkdruk toeschreef. 'Nu kun je me tot in de kleine uurtjes gezelschap houden.'

'Het is zo... levensecht,' zei Nina blozend. Ze deed een paar stappen naar het doek toe en haar blik gleed over de contouren van de lichaamsdelen, over haar lange lokken, die naar verborgen plekjes van haar lichaam leken te wijzen. Het portret neigde naar het abstracte, zoals bijna al Micks werk, en toch had hij verrassend helder een lang vergeten kant van haar naar voren gehaald: een vrouw, een jonge vrouw, het kind in haar.

'Had je niet genoeg verf om me kleren aan te trekken?' Ze draaide zich naar Mick opzij en sloeg haar armen om zijn nek, denkend aan hun kus van daarnet.

'Zo zie ik je. Vrij, mooi, naakt. Net zo kwetsbaar als toen je werd geboren.'

'Je hebt me tenminste een sjaal gegeven.' Nina wees op de lange reep paars met rode chiffon waarmee hij haar ene pols losjes aan de andere had gebonden. 'Zo'n sjaal zou ik best willen hebben. Zeg, ben ik niet te mager?' vroeg ze, opeens verlegen.

'Ik heb je geschilderd zoals je bent,' zei Mick, die doppen van verftubes schroefde. Hij kon slecht tegen kritiek.

'Ik meen het. Ik ben wat ronder.' Nina bestudeerde de lagen verf die haar lichaam vormden. Soms gebruikte Mick een paletmes, soms een marterpenseel met niet meer dan een paar haren.

'Laat maar zien.' Micks blauwzwarte ogen glinsterden.

Even dacht Nina dat hij boos was over haar commentaar. Toen trok ze haar wenkbrauwen op en maakte ze de bovenste knoopjes van haar blouse los. 'Je zult me van top tot teen moeten bekijken om zeker te weten dat je het goed hebt gedaan.'

Mick grijnsde, pakte met zijn ene hand haar beide polsen beet en kleedde haar uit met de andere.

Niemand hoorde de geluiden die ze maakten, niemand voelde hun hartstocht voor elkaar toen ze voor het schilderij gingen liggen. Niemand wist hoe gelukkig ze waren.

Het was helemaal donker toen Nina nog wankel op haar benen terugliep door de tuin. In het voorbijgaan blies ze de kaars op het terras uit. Mick, die vaak 's nachts werkte, bleef achter in het helder verlichte atelier.

In de badkamer bestudeerde Nina zichzelf in de spiegel en ze knikte langzaam. De gelijkenis was treffend. Liggend in bed staarde ze naar het plafond en met een glimlach op haar gezicht viel ze in slaap.

2

Ik kijk naar het enorme hek terwijl de motor stationair draait. Het smeedijzer is zwart geschilderd en rond de palen groeit gras. Aan een kant hangt een kastje met toetsen. De toegangscode is meegestuurd met mijn aanstelling. Ik toets vier zevens en een zes in.

De hekken piepen en gaan in het midden uiteen. Ik trek op en rijd naar binnen. In mijn spiegeltje zie ik dat het hek zich achter me sluit. Ik probeer de zenuwen waar ik al een paar dagen last van heb weg te slikken.

Ik rijd over een met bomen omzoomde oprijlaan. De takken van de oude eiken strekken zich als armen naar elkaar uit en vormen een gevlekt baldakijn. Ik kijk strak voor me uit.

De oprijlaan komt uit op een voorplein. Een victoriaans herenhuis staat tussen de stallen en een lelijk modern bijgebouw. DEPEN-DANCE staat erop.

Ik parkeer mijn auto en loop met mijn koffer over het knerpende grind naar de hoofdingang. Eerder die dag heeft het geregend; de bloemen in de talloze bloembakken bij de ingang verspreiden een zoetige geur. Ik haal heel diep adem en ga naar binnen.

'Hallo. Ik ben Frankie Gerrard,' kondig ik zo opgewekt mogelijk aan. 'Francesca,' verduidelijk ik als de receptioniste me niet-begrijpend aankijkt.

'O ja, natuurlijk.' Ze glimlacht naar me, komt achter haar bureau vandaan en legt een hand rond mijn elleboog. 'Welkom op Roecliffe. Kom, dan laat ik u uw kamer zien.'

'Bedankt,' zeg ik.

Ze vertelt me hoe ze heet, maar dat ben ik meteen weer vergeten.

'Dat is de eetzaal,' zegt ze onder het langslopen. 'En dat daar is de bibliotheek. Ziet u alle bekers die onze meisjes hebben gewonnen?

We zijn een heel sportieve school,' voegt ze er trots aan toe.

'Indrukwekkend,' zeg ik terwijl ik opzij kijk. De hakken van mijn schoenen tikken op de tegelvloer. Ik draag bijna nooit hoge hakken.

We lopen door een lange gang en gaan een paar trappen op naar de bovenste verdieping van het honderdvijftig jaar oude gebouw. Dan weer een kort, krakend trapje af en we zijn er.

'Dit is uw kamer.' De receptioniste maakt een deur open en we gaan naar binnen. Ze geeft me een oude sleutel met een rood lint eraan, en een kaartje met mijn naam erop. 'Voor het geval u de sleutel kwijtraakt,' legt ze uit. 'De badkamer is aan het eind van de gang. Laat het me maar weten als u iets nodig hebt.'

'Het is allemaal even mooi,' zeg ik glimlachend. Ik zet mijn koffertje neer en het valt op z'n kant alsof het zich al thuis voelt.

'U hebt alle tijd om uit te pakken. Om drie uur is er een personeelsbijeenkomst. Dan kunt u met de anderen kennismaken.' Ze kijkt me aan alsof ze me niet helemaal vertrouwt. 'U bent niet de enige nieuwkomer dit jaar. Er is een nieuwe gymleraar en een docent Frans uit Parijs.' Ze probeert me op mijn gemak te stellen.

'Bedankt. Tot straks dan maar.' Ik houd de deur voor haar open en glimlach geforceerd.

Ik doe de deur op slot als ze weg is en ga op het eenpersoonsbed zitten. Het is van ijzer en de matras zakt door. De sprei is verschoten. 'Daar ben ik dan,' zeg ik om te testen hoe mijn stem klinkt in deze onbekende kamer. Ik doe mijn ogen dicht en luister naar de stilte van mijn nieuwe leven.

3

Het belangrijkste wat mijn vader me ooit heeft verteld, is dat mijn naam 'vogel' betekent. Dat komt uit het Latijn, zei hij, en mijn moeder had de naam gekozen voordat ze doodging. Daarna heb ik jarenlang gedacht dat ik op een dag wakker zou worden met vleugels en weg zou kunnen vliegen.

'Ava,' zei hij. 'Mijn spichtige vogeltje.'

Als ik mijn armen om zijn nek sloeg, rook ik de geur van uitlaatgassen en sigarettenrook. Die geur is me altijd bijgebleven. Het ronken van zijn grote auto als hij wegreed gonsde door mijn hoofd, zodat ik het gevoel kreeg dat hij dichtbij was. Maar hij was niet dichtbij. Hij was onbereikbaar.

'Tot volgende week, Ava. Volgende week kom ik je weer opzoeken.'

Maar dat deed hij niet.

Tot op die dag was hij me twee maanden lang elke zondag komen bezoeken. Sinds de dag dat hij me had verteld dat hij het niet meer aankon. Toen was ik acht.

'Maar ík kan het toch aan,' had ik gepleit. 'Ik kan het heel goed aan.' Het was niet genoeg om mijn vader te overtuigen. Hij belde iemand – ik heb nooit geweten wie – en die persoon kwam naar ons armoedige huis en nam me mee.

'Niet moeilijk doen, Ava,' zei hij toen ik me vastgreep aan de deurpost en boos naar hem keek. 'Zondag kom ik je opzoeken.'

'Deze zondag?' vroeg ik, en hij knikte. 'En de zondag daarna?' Hij knikte weer. 'En de zondag dáárna?' Ik vroeg het wel duizend keer, totdat mijn vader mijn vingers losmaakte en me naar buiten duwde. Ik sleepte mijn koffer achter me aan, stapte zwijgend in de wachtende auto en werd naar het kindertehuis gebracht.

Op zondag zat ik dus altijd op de stenen vensterbank naast de ingang van het tehuis op hem te wachten. Dat was mijn speciale plekje. Dan dacht ik altijd aan hoe het vroeger was – mijn vader en ik op de groezelige bank, voetbal op tv, de stank van opgedroogd bier op zijn overhemd. Ik keek naar het rijzen en dalen van zijn borst als hij dronken in slaap viel, luisterde naar zijn rochelende ademhaling. Als het ritme stokte, stompte ik hem totdat hij zich bewoog.

Soms, heel soms, werkte hij in ons kleine tuintje. Dan stond ik knipperend tegen het zonlicht naar hem te kijken, terwijl hij aan het spitten was en ik het vuil onder mijn nagels weghaalde. Ik snapte niet waarom hij zich zo inspande. De aardappels lagen altijd weg te rotten in de aarde.

Elk jaar zei papa dat hij onze eigen groente zou gaan kweken. 'Wat zullen we smullen, jij en ik. Met Kerstmis eten we onze eigen piepers.' Maar het kwam er nooit van. William Fergus Atwood hakte alleen wat hoog opgeschoten onkruid weg of hij spitte een klein hoekje aarde om, en dan greep hij weer naar de fles.

Af en toe ging ik naar school. Daar vond ik het leuk, maar ik kon vaak niet gaan omdat ik geen schone kleren had. Zelfs geen T-shirt. Onder mijn bed en in de hoeken van mijn kamertje lagen stapels kleren, alsof de wind ze erheen had geblazen. Kleren die ooit kleurig waren geweest, met streepjes en ruitjes, zaten onder de vlekken doordat ik ze wekenlang had gedragen. Ik liep rond in een hemd en een onderbroek.

Ik hing rond in huis en maakte mijn vader gek doordat ik met dingen speelde die niet van mij waren. Ik hield mandflessen ondersteboven en keek naar de belletjes in de wijn. Ik maakte zijn vislijn in de war, knoeide met zijn tabak en kieperde cornflakes op tafel. Ik haalde eieren uit hun doosje en maakte een nest voor denkbeeldige kippen die nooit zouden broeden.

Van tijd tot tijd kwam er een dame van de gemeente om op te ruimen, eten te koken en schoon te maken, terwijl mijn vader lag te snurken. Ze liep langzaam rond door ons huisje alsof ze bang was om in de bedompte kamertjes te kijken. Met haar vingertoppen raapte ze spullen op en ze mompelde onder het werk. Als ze was geweest, ging het een tijdje wat beter. Dan was ik blij. Ik kon schone kleren aantrekken en naar school gaan. Ik leerde lezen en ik hield van tekenen.

Er waren ook dagen waarop ik wel schone kleren had en toch niet naar school kon. Dan lag mijn vader te ronken voor de deur. Als hij de avond daarvoor naar huis was gelopen van de pub, lukte het hem nog net om de voordeur open te maken, maar verder kwam hij niet. De volgende ochtend was hij nog steeds dronken en blokkeerde hij als een zoutzak de deur.

'Pa, sta op!' riep ik dan. 'Ga naar bed!' Ik trok aan zijn haar, probeerde hem weg te rollen, sjorde aan zijn kleren en porde hem net zo lang met mijn voet totdat hij zich grommend een eindje oprichtte en ver genoeg opzijschoof om de deur op een kier van vijftien centimeter open te kunnen doen. Meer had ik niet nodig om naar buiten te kunnen glippen. Dan sloot ik me aan bij de stoet kinderen op weg naar school.

Als mijn vader niet in beweging te krijgen was en ik niet naar buiten kon, plantte ik mijn ellebogen op de vensterbank en keek ik met mijn kin op mijn handen naar de kinderen met hun lunchtrommeltjes die lachend onderweg waren naar school. Ik had geprobeerd het raam open te krijgen, maar dat zat vast met lagen verf. De achterdeur was zo kromgetrokken door het vocht dat alleen mijn vader hem open kon krijgen, met twee vuisten en een trap van zijn voet. Op die dronken dagen, zoals ik ze noemde, was ik een gevangene.

Net als nu, dacht ik terwijl ik met mijn vingers op de brede stenen vensterbank trommelde, wachtend totdat ik mijn vaders auto zou zien verschijnen na de bocht in de oprijlaan – heel wat deftiger dan het tuinpad van ons rijtjeshuis. Er kwamen maar weinig auto's naar Kindertehuis Roecliffe. Het was alsof we door de rest van de wereld waren vergeten. Soms kwam een bestelwagen zakken aardappelen en wortelen brengen, of de klusjesman kwam werk doen in het verwarmingshok. De andere kinderen zeiden dat hij niet alleen daarvoor kwam, maar ik wist niet wat ze bedoelden. En ze zeiden dat er heel soms een bus kwam voor een schoolreisje. Ik wilde niet lang genoeg in het tehuis blijven om erachter te komen of dat waar was.

Als er een auto tussen de bomen langs de oprijlaan vandaan kwam, deed het nieuws als een lopend vuurtje de ronde en rende iedereen naar de ramen om te zien wie het was. Ik verroerde me niet, want als het mijn vader was, wilde ik naar hem kunnen zwaaien zodra ik hem zag.

Mijn voorhoofd rustte tegen het koele glas. Soms stelde ik me voor dat ik mijn hoofd dwars door de ruit zou duwen. In gedachten zag ik het bloed dat over mijn gezicht stroomde, langs mijn neus en rond mijn mond. Ik dacht aan de paniek van de verzorgers als ze mijn gezicht schoonmaakten met een washandje en op me mopperden omdat ik zo dom was geweest. Ik drukte zo hard als ik durfde tegen de ruit, maar toen verstijfde ik van schrik. Opeens lag er een hand op mijn schouder.

'Heb jij niets beters te doen?'

Ik draaide me om en zag een man die ik niet kende. Hij had een gerimpeld, vlekkerig gezicht, een lichaam als een boomstam en armen als dikke takken. Het bloed trok weg uit mijn hoofd en mijn hart bonsde van angst. Ik wilde naar huis. Ik wilde naar mijn vader.

Ik schudde mijn hoofd en probeerde antwoord te geven, maar ik kon geen woord uitbrengen. Ik woonde nog niet zo heel lang in het tehuis, maar ik had de griezelverhalen en stomme leugens die de kinderen elkaar vertelden gehoord. Ik wilde er niet aan denken. Mijn lippen waren op elkaar geperst om een gil te smoren.

'Kom dan maar met me mee,' gromde hij.

Ik gluurde opzij en zag een rare uitstulping op de keel van de man, alsof hij een tros rotte druiven had doorgeslikt die onderhuids was blijven steken.

Hij legde een hand rond mijn arm en trok me van de vensterbank. 'Dat zit daar maar te niksen,' mompelde hij. Hij liep door de lange gang en sleepte mij als een straathond achter zich aan.

De verhalen fladderden door mijn hoofd als de bladzijden van een opengeslagen boek in de wind. Soms vervaagden de herinneringen aan de dingen die de andere kinderen elkaar in het donker vertelden door smerige pillen en diepe slaap. Misschien had ik het me allemaal verbeeld. Maar de dingen die er gebeurden waren op de een of andere manier met ons leven verweven alsof ze heel normaal waren – even normaal als het bevel om schone lakens van de waslijn te halen, of de vloer te vegen, of vuur te maken in de haard.

Met angst en beven volgde ik de vreemde man door de donkere gangen van het tehuis. Nieuwe deuren doemden op, van kamers die ik niet kende. Ik verzamelde moed en vroeg: 'Waar gaan we heen?' Maar de man negeerde me.

Mijn ogen puilden uit en mijn mond was opengesperd, zonder de gil die erbij hoorde. Mijn voeten sleepten over de vloer, maar de man merkte niet eens dat ik tegenstribbelde. Voor een deur bleven we staan. De vreselijke man klopte en we gingen naar binnen.

In de kamer brandde heel fel licht, alsof ik tegen de zon in keek. Ik zag niets, behalve het donkere silhouet van een andere man die achter een bureau zat. Ik legde mijn onderarm voor mijn ogen, deels uit angst, deels vanwege het felle licht. Ik bad dat het allemaal weg zou gaan.

'Die niet,' zei de man achter het bureau met een stem waar ik kippenvel van kreeg. 'Die heeft een vader. Haal een ander.'

4

'Miss Gerrard,' zegt de man lijzig. 'Ik ben Mr. Palmer, de rector.' Zijn huid is bleek en vochtig, strijkt slap langs de mijne als hij me een hand geeft. De ene schouder van zijn donkere pak is bestoven met roos.

'Zeg maar Frankie,' zeg ik tegen hem.

'Bent u al gesetteld? Wat vindt u van Roecliffe? Miss Sylvia heeft me van uw komst verteld.'

Ik doe mijn mond open om iets te zeggen.

'Ze is er pas een uur, Mr. Palmer, laat haar toch met rust.' De receptioniste komt tussenbeide, geeft me een kop thee aan en voert me mee. 'Kom, dan stel ik je voor aan Sylvia. Mr. Palmer weet alles van de school en hij denkt dat iedereen zijn verhalen wil horen. Geloof me, hij zaagt je de oren van je hoofd,' voegt ze er met een veelzeggende grijns aan toe.

Ik loop achter haar aan tussen tientallen personeelsleden door. Ik voel me slecht op mijn gemak.

'Hallo, Bernice,' zegt Sylvia hartelijk, en ze kust de receptioniste op beide wangen. 'Heb je een leuke zomer gehad?'

Sylvia, het hoofd van de huishoudelijke dienst, heeft me twee dagen geleden bij wijze van sollicitatiegesprek het hemd van het lijf gevraagd. Het ging allemaal zo gehaast. Ik had de advertentie voor de baan op de website van de school gezien. Er waren nog meer banen beschikbaar, maar allemaal voor docenten en ik heb geen lesbevoegdheid. De laatste paar dagen leefde ik als een wervelwind.

Ik heb al mijn moed bijeen moeten rapen voordat ik durfde te bellen. Het hoofd van de huishoudelijke dienst bekende dat ze zat te springen om hulp. Het meisje dat de baan zou krijgen had op het laatste moment zonder reden afgebeld, en het nieuwe schooljaar zou over een paar dagen beginnen. Toen Sylvia hoorde dat ik ervaring had met tieners, nam ze me direct aan.

Ik neem slokjes thee en luister naar Sylvia en Bernice, die elkaar over hun vakantie vertellen. Sylvia ziet er totaal niet uit als iemand die een huishoudelijke dienst bestiert. Ik heb nu al het gevoel dat ik haar aardig zal vinden.

'Hallo,' begroet ik haar als ze me eindelijk aankijkt. 'Ik kom me melden.'

'Frankie, wat fijn dat je er bent. Ik ben zo blij dat je de baan hebt aangenomen. Ben je tevreden met je kamer?' Ze gaat op haar tenen staan en drukt een kusje op mijn wang. 'Als je iets nodig hebt geef je maar een gil. Ik wil je niet kwijtraken, zoals je voorgangsters.'

Ik vraag me af wat ze daarmee bedoelt, maar dat zeg ik natuurlijk niet. 'Ik ben heel eh... blij dat ik er ben. Ik heb een mooie kamer met een prachtig uitzicht op de tuin.'

'Wacht maar tot het herfst is. Dan zijn de bomen op hun mooist.'

'Daar kan ik me iets bij voorstellen,' zeg ik. 'Wanneer komen de leerlingen?' Ik stel me de meisjes voor, verdrietig als hun ouders weggaan, maar ook enthousiast en popelend om hun vakantieverhalen uit te wisselen.

'Tussen zeven en negen. Bereid je maar vast voor op een vloedgolf van hormonen!' zegt Sylvia lachend.

'Is het echt zo erg?' Ik lach veel te luid en sla een hand voor mijn mond.

'Wat valt er te lachen?' Een man met zandkleurig haar stoot Sylvia aan. 'Zeg, stel je me nog voor?'

'Frankie, dit is Adam. Hij is onze historicus.'

'Klopt. Ik leef in het verleden,' zegt hij vriendelijk. Ik meen een accent te bespeuren. Zuid-Afrikaans?

'Dat lijkt me niet gezond.' Ik weet dat het niet grappig is, maar ik moet toch iets zeggen.

'Frankie is mijn nieuwe assistente,' vervolgt Sylvia. 'Zij zat te springen om een baan, en ik zat te springen om hulp doordat het vorige meisje het opeens liet afweten. Waar kwam je ook alweer vandaan, Frankie?'

'Uit het zuiden,' zeg ik vaag, en ik probeer Adams belangstellende blik te ontwijken. Hij is groot en staat losjes tegenover me, alsof hij op een onzichtbaar muurtje leunt. De kop en schotel zien er in zijn handen belachelijk uit. Hij draagt een gestreept overhemd over een zwarte spijkerbroek en zijn rommelige haar omlijst een gebruind gezicht. Hij lijkt meer op een surfer dan op een leraar.

'Aha,' zegt hij langzaam, 'uit het zuiden. Net als ik dus. Maar jij leeft heel erg in het heden met al die meiden om voor te zorgen.' Hij neemt een slok thee, maar blijft me aankijken. 'Keiharde muziek, internet, computergames, make-up, jongens en tranen. Ik wens je veel succes.' Zijn ogen zijn haast onvoorstelbaar blauw. Pas als ik mijn ogen neersla, zie ik dat hij een laptop onder zijn arm heeft.

'Wat zijn het voor meisjes?' vraag ik om te voorkomen dat er een pijnlijke stilte valt.

Adam kijkt naar mijn wang. Zijn mond gaat een paar keer open en dicht voordat hij antwoord geeft. Ik voel dat ik bloos. 'Leuke meiden... over het algemeen. Soms zijn ze een beetje verwend en veeleisend.' Hij kijkt me nog steeds aan.

'Misschien hebben ze problemen thuis.' Ik wil het liefst door de grond zakken, zo opgelaten voel ik me.

'Ze zijn elitair, zul je bedoelen. Hé, je bent gewond.' Adam fronst zijn wenkbrauwen, en ik doe een stap naar achteren omdat ik het gevoel heb dat hij me gaat aanraken.

De rector tikt met een lepeltje tegen zijn kopje.

'Gewoon een schrammetje,' fluister ik omdat Adam naar me blijft kijken.

Ik draai mijn rug naar hem toe en luister naar wat de rector te zeggen heeft. In een paar woorden heet hij ons welkom, hij herinnert ons aan onze verantwoordelijkheid voor de leerlingen van Roecliffe Hall en besluit zijn praatje met een kort gebed. Iedereen buigt zijn hoofd, maar ik houd het mijne hoog geheven. Tranen prikken in mijn ogen. Ik heb ervaren dat bidden geen zin heeft.

De meisjes komen om een uur of zeven, in een wervelwind van rumoer en koffers. Door het kleine glas-in-loodraam van mijn kamer kijk ik naar het komen en gaan van de dure auto's die de meisjes af-leveren. Er zijn meisjes die alleen achteloos zwaaien als hun bagage wordt uitgeladen. Dat maakt me verdrietig.

Sylvia en ik brengen de meisjes naar hun slaapzalen en we maken de nieuwe meisjes wegwijs.

'Sylvia, kan ik even snel iemand bellen?'

'Ren voor je leven!' zegt ze met een grijns.

Het rumoer van al die meisjes neemt af wanneer ik naar het eind van de gang loop, waar ik eerder een munttelefoon heb gezien. Ik beschik niet over een mobieltje. Onder de kap van perspex zijn na-men, nummers en tekeningen op de muur gekalkt, met nagellak, correctievloeistof of een puntig voorwerp.

Ik vis een muntstuk van vijftig uit mijn zak, doe het in de sleuf en blijf minutenlang naar de kiestoon luisteren voordat ik weer op-hang. De munt komt terug. Met de hoorn op de haak, en zonder geld, toets ik nogmaals het nummer in. Dat kan geen kwaad.

'Alles in orde, Miss Gerrard?' De rector vertraagt zijn pas wan-neer hij nadert. In het halfdonker ziet zijn gezicht eruit alsof het uit verweerd hout is gesneden.

Ik stop de munt terug in mijn zak. 'Ja, hoor, dank u,' antwoord ik, maar hij is niet blijven staan om op antwoord te wachten. Er gaat een rilling langs mijn rug als ik hem weg zie lopen door de gang.

De volgende ochtend bij het ontbijt komt Adam naast me zitten aan de lange tafel. Alle andere plaatsen zijn bezet. Hij begroet mij en de docenten om me heen met een hoofdknikje en klapt dan zijn laptop open. Terwijl hij zit te tikken, steekt hij happen toast met jam in zijn mond. Hij vraagt een vrouw die ik niet ken of ze de theepot door kan geven.

'Hoe was je eerste nacht?' Hij kijkt op van het scherm, maar tikt gewoon door. Het lijkt hem geen moeite te kosten om drie dingen tegelijk te doen.

'Ik ben maar vier keer uit mijn bed geweest. Drie meisjes in tra-nen, één moest overgeven.' Ik neem een grote slok koffie. Geen van de andere personeelsleden heeft meer dan goeiemorgen tegen me gezegd.

Een stuk toast blijft halverwege Adams mond in de lucht steken. Hij legt het terug op zijn bord en tikt driftig verder. Ik kan het scherm niet zien. Door de gebrandschilderde ruit schijnen kleurige zonnestralen, waar zijn haar in oplicht.

'Pech,' zegt hij, alsof hij zich nu pas herinnert dat we een gesprek voeren.

'Het valt wel mee,' zeg ik schouderophalend. Ik had toch niet kunnen slapen, ook als de meisjes me niet wakker hadden gemaakt.

Adam draait zich naar me opzij en klapt zijn laptop dicht. 'Hoe ziet je eerste dag op Roecliffe eruit?' Ik kan het accent nog steeds niet plaatsen. Hij pakt zijn thee en slaat zijn handen om de beker heen.

In stilte hoop ik dat de bel zal gaan, want dan moet hij weg. 'Ik moet zorgen dat de meisjes hun koffers hebben uitgepakt. De slaapzalen controleren op vuile kleren, make-up, snoeppapiertjes, tissues en alle andere dingen die je in de kamer van een tienermeisje kunt vinden. Ik moet voor hasjhond spelen, zorgen dat ze allemaal komen lunchen – ik heb een lijstje van de meisjes met anorexia – en dan heb ik vanmiddag een bespreking met de rest van de huishoudelijke staf over de verdeling van het wasgoed en...'

'Oké, oké,' zegt hij lachend. 'Zo te horen heb je vaker met dit bijltje gehakt. Waar heb je hiervoor gewerkt?' Hij wacht op mijn antwoord.

Het is alsof het lawaai in de eetzaal opeens verstomt, alsof iedereen wil horen wat ik zeg.

'Frankie, is er iets?' Adam fronst zijn wenkbrauwen.

Ik schud mijn hoofd. Het rumoer is terug. 'Ik ben gewoon een beetje moe, dat is alles.' Ik wil niet rot tegen hem doen. Ik wil gewoon dat hij weggaat, dat hij zijn lessen gaat geven en mij mijn eigen dingen laat doen.

Adam zwaait zijn benen over de bank en zet de beker op zijn bord. Kennelijk heeft hij de hint begrepen. 'Nou, tot kijk.' Hij kijkt me vreemd aan voordat hij wegloopt.

Een paar seconden later gaat de bel. Ik blijf heel stil zitten terwijl tientallen voeten om me heen op de houten vloer roffelen, verstijfd tot in mijn ziel. De stormloop van leerlingen en docenten, de gereguleerde chaos waarmee de dag begint, het geroezemoes van meisjesstemmen, dat alles voert me mee naar het verleden. Naar een plaats waar ik nooit meer terug had willen komen.

5

Nina veegde zorgvuldig een lijntje kohl onder Josies oog uit.

'Genoeg,' zei Josie. 'Anders kom ik te laat.'

'Alleen nog iets boven je oog.' Nina tuurde over haar bril heen en borstelde een beetje glimmend poeder onder de wenkbrauwen van haar dochter. 'Wat ben je toch mooi,' zei ze en ze drukte een kus op Josies voorhoofd.

'Ik ben niet mooi.' Josie meende het. Ze had er een hekel aan als mensen haar complimenteerden met haar uiterlijk.

'Heel veel plezier vanavond, maar denk erom...'

'Geen alcohol, drugs of seks. Ik weet het.'

'Ik wilde gaan zeggen dat je die mooie make-up van mij er niet af moet vegen op de wc, maar die andere dingen ook niet, jongedame. Hoe laat brengt Natalies moeder je thuis?'

'Twaalf uur?'

'Half elf. Dat hadden we al afgesproken, dat weet je best. Ik vroeg het alleen voor de zekerheid, want ik wil niet dat je Laura laat wachten.'

'Mama...' Josie verschikte de riem om haar heupen en zwaaide een tas over haar schouder. Ze gaf haar moeder een kus.

'Josie...' Nina grijnsde. 'Schiet op, anders kom je nog te laat op het concert.'

Josie rende haar kamer uit, maar was binnen een seconde terug. Ze bewoog de muis van haar computer. Vanuit de deuropening ving Nina een glimp op van iets op het scherm, maar Josie klikte het meteen weg.

'Wat was dat?'

'Gewoon, een computerspelletje.' Josie gaf haar moeder met een blik te verstaan dat ze niet door moest vragen, omdat ze anders hun gezellige uurtje samen, als twee meiden onder elkaar, zou verpesten. Nina begreep de stille waarschuwing en wierp nog een laatste blik op de computer voordat ze wegliep.

Buiten werd ongeduldig getoeterd.

'Papa wacht op je.'

Josie aarzelde.

'Ga nou maar! Hij zit te wachten.' Nina liep met Josie mee naar de deur. 'Veel plezier bij het concert.' Ze drukte een vluchtige kus op Josies hoofd en bleef staan kijken toen de twee belangrijkste mensen in haar leven wegreden.

Mick was als een storm Nina's leven binnengewaaid. Door de ongebruikelijke zomerstorm was de riviermond gesloten voor scheepvaart; vrachtverkeer mocht geen gebruik maken van de bruggen. Warme regen sloeg tegen de zijkant van de wagen van de crew en de wind beukte er zo hard tegenaan dat de hele wagen ervan schudde. Ze moesten schreeuwen om zich verstaanbaar te maken.

'Ik ben bijna klaar.' In de wagen ging Nina met een make-upsponsje over de wangen van de verslaggever. Ze was nerveus. Ze had hem vaak op tv gezien en nu smeerde ze foundation over zijn gezicht.

'Schei toch uit,' zei de man driftig. Hij klonk heel anders dan de gladde jongen die ze altijd op tv zag. 'Het spoelt eraf zodra ik naar buiten ga. Welke idioot gaat er in dit weer nou naar buiten, laat staan naar zee?'

'De idioot die je zo gaat interviewen,' zei de regieassistente. 'Nina, we hebben nog één minuut.'

Nina knikte. Ze werkte heel snel. Dit was haar eerste echte baan na haar studie. Ze had tijdens haar studie stage gelopen bij een nieuwszender en daar naar een baan gesolliciteerd toen ze klaar was. Ze werd slecht betaald, maar ze leerde interessante mensen kennen en ze deed werk waar ze van hield en waar ze goed in was. Het was een uitdaging om iemands uiterlijk te veranderen.

'Klaar.' Nina draaide de dop weer op het flesje. 'O, wacht.' Ze veegde met een kwast over het voorhoofd van de ongeduldige verslaggever. 'Ziezo.'

De deur van de wagen schoof open en een windvlaag veroorzaakte een minitornado. Buiten werd de verslaggever opgewacht door een filmploeg. Ze zouden een kort interview opnemen met een man die eerder die dag een hond uit de golven had gered. Vervolgens had een reddingsboot de man moeten redden. Nina vond dat de man ook wel een beetje make-up kon gebruiken: zijn wangen waren knalrood.

Ze liep met de ploeg mee naar de muur van de haven en werd bijna omver geblazen. Haar windjack bolde op als een zeil en ze drukte het koffertje met make-up dicht tegen zich aan. Onder deze omstandigheden zou het zinloos zijn om make-up bij te werken. Ze keek toe terwijl het team aan het werk ging.

Het is duidelijk komkommertijd, dacht ze. De wind blies in haar nek en haar lippen smaakten zoutig. De hele ploeg had overduidelijk de pest in dat ze in dit hondenweer hun werk moesten doen. 'Ik ben hier!' schreeuwde Nina, maar niemand hoorde haar. Ze haastte zich naar een houten keet om te schuilen.

'O!' riep ze uit toen er plotseling tientallen vellen papier uit de keet haar kant op waaiden. Een van de vellen bleef plakken aan haar been alsof het haar omhelsde. 'O, nee,' kreunde ze toen ze omlaag keek. Haar zwarte broek zat onder de grijze en blauwe verf.

'Prachtig!' zei een diepe stem. 'De kleuren zijn precies goed.'

Nina keek op en knipperde tegen de regen. In tegenstelling tot haar eigen stem, werd deze niet door de wind meegevoerd naar zee. Een man met een verfkwast in zijn hand was uit het hokje gekomen. Argwanend nam ze hem op.

'De verf op je been. Echt schitterend.'

'O ja?' Nina trok het papier van haar been; er zat een scheur in. 'O, het spijt me,' zei ze, maar hij reageerde niet. Hij was op zijn hurken gaan zitten en bestudeerde Nina's broek.

'Zie je hoe het ultramarijn zich met het chroomgroen heeft gemengd? Hoe de kleuren in elkaar overlopen en uitwaaieren?' De man keek haar aan en ging weer staan. 'Dat probeer ik nou al de hele dag te bereiken. En nu kom jij toevallig langs en opeens verschijnt het beeld dat ik had op jouw been.'

'Ik loop niet toevallig langs.' Nina's haar wapperde voor haar gezicht, zodat alles er nogal onwerkelijk uitzag. 'Ik zocht een plek om te schuilen terwijl de crew aan het filmen is. Ik moet in de buurt blijven.' Ze wees naar de televisiewagen en hield haar koffertje omhoog. Daardoor scheurde het papier nog verder en de ene helft werd weggeblazen. 'O nee!'

'Het geeft niet. Dit is veel beter.' Hij bukte zich weer en streek met een vinger gefascineerd over Nina's broek. 'Hier doe ik zo veel inspiratie uit op.'

'Het is echt niet erg. Het gaat er wel uit in de was.' Ze staarde omlaag naar het hoofd van de man. Zijn haar was niet grijs, eerder antraciet, een bijzondere kleur die paste bij het weer.

'Nee, nee, je moet je broek niet wassen. Ik weet wat.' Hij ging staan en hield zijn gezicht dicht bij dat van Nina. 'Ik koop je broek. Ik wil je broek kopen.'

Nina lachte, wankelend op haar benen in een windvlaag. Door het grijze weer leken haar tanden nog witter. 'Je kunt mijn broek niet kopen. Je bent niet goed wijs.' Ze schudde haar hoofd en wilde teruglopen naar de filmploeg.

'Wacht. Ik geef je er honderd pond voor. Alsjeblieft.'

Nina draaide zich om. Ze zag zijn ogen donkerder worden, als samenpakkende donderwolken, tot ze dezelfde kleur hadden als zijn haar. Hij meende het.

'Hé, laat dat geld maar zitten,' zei ze met een wegwuivend gebaar. 'Als mijn broek echt zo belangrijk voor je is, geef me dan je adres, dan stuur ik hem op. Het is toch een oude broek.' Onwillekeurig glimlachte ze. 'Ik heb nog nooit meegemaakt dat iemand mijn broek wilde kopen, en om zo'n malle reden.'

De man grijnsde en schreef met verf zijn naam en adres op de overgebleven helft van het papier. Hij gaf hem aan Nina, en ze hield hem in de wind om de verf te laten drogen.

'Ik weet al wat je gaat zeggen,' zei hij toen ze het adres bestudeerde. 'Ja, ik woon in een woonwagenkamp.'

Nina probeerde de woorden te ontcijferen. 'Ingleston Park. Nooit van gehoord.'

'Dan heb je mazzel. Het is een vreselijk oord aan de rand van de stad. Er wonen alleen mensen die in dit leven en in al hun vorige incarnaties aan lager wal zijn geraakt,' vertelde hij lachend. 'Nee, hoor, het gaat best. Het is gewoon een hutje in het bos.'

'Dat klinkt best leuk,' zei Nina, denkend aan de ene kamer waar ze zelf woonde, boven een snackbar. 'Ik durf te wedden dat jij niet wakker wordt van de stank van frituurvet.'

'Nina!' riep de regieassistente.

'Ze hebben me nodig,' zei ze. 'Ik stuur je mijn broek,' riep ze over haar schouder toen ze terugrende naar de filmploeg. Ze zwaaide naar hem en verdween in de wagen.

De kunstenaar bleef de televisiewagen nakijken totdat die uit het zicht was verdwenen.

'Ze viel als een blok in slaap.' Nina nestelde zich op de bank.

'Ze hebben een leuke avond gehad. Alleen maak ik me zorgen als ze 's avonds uitgaat. Er kan haar van alles overkomen.' Mick liet zich naast zijn vrouw op de bank zakken. 'En ik weet nu al dat ik door het lint ga als ze een vriendje krijgt. De gedachte dat een puisterige tiener met zijn vingers aan mijn meisje zit...' Hij trok een gezicht en schudde zijn hoofd.

'Maak je niet druk,' zei Nina lachend. 'Ze is verstandig. Ze laat zich heus niet door de eerste de beste verleiden.'

'Dat kan allemaal wel waar zijn, maar je moet me toch vastbinden.'

Het had altijd heel ver weg geleken dat Josie een jonge volwassene zou worden, dat ze naar feestjes zou gaan, vriendjes of zelfs een relatie zou hebben. 'Ik weet nog steeds niet of het verstandig is dat ze een internetaansluiting op haar kamer heeft,' zei Nina zorgelijk. 'Heb jij een update van de oudercontrole geïnstalleerd?'

'Natuurlijk. Dat heb ik je toch verteld? Ze heeft geen toegang tot gevaarlijke sites.'

'Dat is het niet. Ik vertrouw haar. Ik maak me zorgen over andere mensen. Chatrooms, al die sociale media, overal worden foto's en video's gepost. Ze kan zomaar het slachtoffer worden.'

'Het is heel onschuldig allemaal,' suste Mick. 'Alles is onder controle. Ze is verstandig, dat zei je net zelf al. Ik heb gevraagd wat ze doet op internet. Meestal speelt ze een of ander spel, in een virtuele wereld waarin je kunt doen alsof je iemand anders bent. Al die kinderen doen eraan mee. Het is niets bijzonders.'

Nina draaide langzaam haar hoofd opzij. 'O, dus dat sloot ze daarstraks af. Ik had het gevoel dat ze niet wilde dat ik het zou zien.'

'Natuurlijk wil ze niet dat jij het ziet. Ze is vijftien. Wie is er hier nou paranoïde?' Mick wreef met een vermoeid gebaar over zijn gezicht. 'Maak je toch geen zorgen, Nina. Het is niet eens de echte wereld.'

Ze knikte peinzend. 'Maar die wereld komt binnen in haar slaapkamer en in haar hoofd.' Juist waar ze kwetsbaar is, dacht ze. 'Dat kan schadelijk zijn.'

'Tieners doen nu eenmaal geheimzinnig. Dat hoort bij de leeftijd.'

Als Josie niet zo laat thuis was gekomen, zouden hij en Nina nu al in bed liggen. Mick gaapte en nam Nina's hand in de zijne. 'Een internetgame is iets heel anders dan een echt vriendje.'

'Je hebt gelijk. Ik moet het gewoon af en toe horen. Meisjes staan aan zo veel bedreigingen bloot. Je leest elke dag over pedofielen en steekpartijen en...'

'Sst.' Mick legde een vinger tegen haar lippen, gevolgd door zijn mond. Hij nam haar mee naar boven en ze bedreven langzaam en stilletjes de liefde – vertrouwde lichamen die naar elkaar hunkerden.

Later lag Nina met alleen een laken over haar benen naar de stilte te luisteren. In de kamer naast de hunne hoorde ze Josie mompelen in haar slaap. Ook zij sliep rusteloos en ze droomde van dingen die ze allang was vergeten.

De regen zwiepte in een hoek van vijfenveertig graden over de tuin. Boven de riviermond in het westen hingen paarsgrijze wolken. Het was tot nu toe een regenachtige zomer geweest en Nina wist dat het de hele dag zou blijven regenen. Tuinieren kon ze wel schudden. Mopperend liep ze de trap op.

Mick was al vroeg naar zijn atelier gegaan, want aan het eind van de week moest hij nieuw werk leveren. Een gerenommeerde galerie in Londen had hem onlangs gecontracteerd. Mick had er niet veel over kwijt gewild, alsof hij bang was dat het geluk hem in de steek zou laten als hij erover opschepte. Als hij niet aan zijn verplichting voldeed, zei hij, stonden andere kunstenaars in de rij om zijn plaats in te nemen.

Nina klopte op de deur van Josies slaapkamer. 'Schat, heb je zin om te gaan winkelen? Volgens mij heb je een nieuwe spijkerbroek nodig.' Er kwam geen antwoord en Nina ging naar binnen.

De gordijnen waren nog dicht en het rook in de kamer naar een zoet parfum en ongewassen kleren. Josie zat achter haar bureau en draaide zich geschrokken om. 'Mam,' zei ze, en snel klikte ze de beelden op haar scherm weg. 'Ik had je niet gehoord.' Haar gezicht was rood, en even meende Nina te zien dat ze had gehuild.

'Je bent nog niet eens aangekleed, Jo. Het leek me gezellig om samen de stad in te gaan.' Nina pakte een handvol van haar dochters ongekamde haar en draaide er een knot van.

'Blijf van me af, mam.' Josie trok haar hoofd weg. 'Moeten we nou echt de stad in?'

'Heb je soms iets beters te doen?' Nina deed de gordijnen open en zette het raam op een kier. Regendruppels tikten op de vensterbank.

'Ik wil gewoon alleen zijn.'

'Als het aan jou lag, zou je de hele dag achter je computer zitten.' Nina schoof haar armen onder Josies oksels en hees haar overeind. Josie ging met tegenzin staan en duwde haar moeder weg. 'Hup, douchen, jongedame, en daarna gaan we winkelen.' Ze bukte zich om een armvol vuile kleren op te rapen.

Josie wreef over haar lichaam alsof ze de aanraking van haar moeder wilde uitwissen. 'Waarom moet ik altijd doen wat andere mensen zeggen?'

Nina bleef in de deuropening staan en draaide zich om. 'Josie, dwing me nou niet om bevelen te gaan geven. Zo slecht heb je het niet getroffen. Doe eens een beetje je best, oké?'

'Ik ben het gewoon spuugzat om...' Josie brak haar zin af, en Nina meende tranen in haar ogen te zien. 'Het spijt me, mam.' Ze liet haar hoofd hangen.

'Wat doe je toch al die tijd op de computer?'

Josie zuchtte. 'Gewoon een spelletje, mam. Al mijn vrienden spelen het.' Ze keek naar de vloer en wriemelde met haar tenen. 'Maak je toch niet altijd zorgen.'

'Laat het me dan eens zien.' Nina liet de kleren naast de deur vallen en ging aan Josies bureau zitten. 'Laat zien dat het onschuldig is.'

Josie haalde haar schouders op en logde mokkend in. Even later dansten er in een driedimensionale animatie malle figuurtjes over het scherm. 'Kijk, dat ben ik. Je verzint iemand die op jezelf lijkt. Dat figuurtje ben jij en toch ook niet. Snap je?'

Nina gaf geen antwoord. Het leek haar helemaal niet onschuldig om op internet te doen alsof je iemand anders was. Met gefronste wenkbrauwen keek ze toe toen Josie zich over haar schouder boog en de muis bewoog.

'Dit is het huis waarin ik woon. Kijk, ik heb een hondje. Mijn vrienden kunnen bij me op bezoek komen, of ik kan naar hun huis gaan. Ik kan een baan nemen, geld verdienen, kleren en spullen kopen. Je chat met mensen door hier een tekst te tikken en die verschijnt dan in een venster op het scherm. Het is cool.' Josie praatte opeens heel geanimeerd, alsof dit spel veel leuker was dan de echte wereld.

Nina slikte. 'Weet je zeker dat iedereen die bij je op bezoek komt en met je praat iemand is die je kent?'

'Natuurlijk,' zei Josie. 'Alleen vrienden die op mijn lijst staan mogen bij me komen en alleen wanneer ik het zeg. Het is echt veilig, mam.' Ze drukte een kus op Nina's wang. 'Ik ben niet gek.'

'Dat figuurtje lijkt helemaal niet op jou. Ze heeft knalrood haar!' Nina lachte om niet al te zorgelijk over te komen. Ze wilde geen zeurende moeder zijn.

'Daarom vind ik het ook zo leuk. Niets hoeft op jezelf te lijken. Je begint een nieuw leven. In Afterlife kun je zijn wie je maar wilt.'

'Waarin?' Nina keek haar dochter indringend aan, zoekend naar tekenen van oneerlijkheid.

'In Afterlife. Zo heet het spel.' Josie logde uit.

Die middag stroopten ze winkels af, kochten ze dingen die ze niet nodig hadden, bestelden ze milkshakes en donuts, probeerden ze verschillende kleuren lippenstift, pasten ze schoenen en bestoven ze zichzelf met parfum. Tussendoor dacht Nina nog een paar keer aan Afterlife en de mogelijkheid om iedereen te zijn die je maar wilde.

6

Ik kwam Adam die eerste middag niet nog een keer tegen. Vanuit het raam zag ik hem over het voorplein teruglopen naar school, met lange, vastberaden passen. De onderkant van zijn broekspijpen was kletsnat. Kennelijk had hij door nat gras gelopen.

Ik deed een stap naar achteren en streek met mijn vingers over de brede stenen vensterbank.

Het was maar goed dat we elkaar niet zagen. Als hij weer had geprobeerd een vriendelijk gesprek aan te knopen, zou ik hem hebben afgekapt. Ik wil geen antwoord geven op vragen.

Bovendien had ik het zo druk dat er weinig tijd overbleef om babbeltjes te maken. Meisjes van alle leeftijden eisten mijn aandacht op, één meisje meer dan de andere.

'Het is een kutstreek en het kan ze geen ruk schelen.' Lexi, een veertienjarige blondine, stond naast me, terwijl ik in de linnenkamer de inventarislijst naliep. 'Ze hebben een pesthekel aan me. Waarom zouden ze me anders dumpen?'

Ik legde het klembord op een stapel handdoeken. 'Dat is niet waar,' zei ik, hoewel ik haar situatie helemaal niet kende. 'Je ouders houden van je. En sla niet zulke grove taal uit.'

'Mijn moeder is dood,' ging ze verder. 'En mijn vader is een eikel.' Dit werd allemaal gezegd met een accent dat in het huishouden van de koningin niet verkeerd zou klinken.

'Maar je zei "ze".' Ik ging door met het tellen van handdoeken.

'De eikel en zijn gleuf. Zij is een bitch.'

In stilte vroeg ik me af hoe ik haar duidelijk kon maken dat ze tot de happy few behoorde. Maar ze had me net verteld dat haar moeder dood was, dus niet alles zat haar mee.

'Zodra ik weer op school ben, gaan zij zonder mij op vakantie. Zij liggen lekker op een strand terwijl ik op deze kutschool zit.' Lexi gaf een harde schop tegen een stapel lakens, maar die viel niet om. Dat maakte haar nog kwader.

'Hoor eens, Lexi, is het wel eens bij je opgekomen dat je vader het misschien moeilijk heeft nu je moeder er niet meer is?' Nu al schudde ze haar hoofd. 'Of dat hij graag wil dat jij van je nieuwe stiefmoeder gaat houden, zodat jullie weer een gezin kunnen zijn?'

'Waarom sturen ze me dan naar een kostschool?' wierp ze tegen. Er schitterden tranen in haar boze ogen, maar ze weigerde eraan toe te geven.

'Omdat ze willen dat je een goede opleiding krijgt, dat je nieuwe vriendinnen maakt, dat je zelfstandig wordt.' Ik wilde Lexi's hand pakken, maar ze weerde me af. 'Ik weet zeker dat je vader een goede reden heeft om je naar deze school te sturen. Probeer hem gewoon een beetje te vertrouwen.'

Lexi kon zich niet langer groot houden; ze viel tegen me aan. Haar tranen drupten op mijn schouder. We gingen tussen het schone linnengoed op de vloer zitten, en een uur lang vertelde ze me over de dood van haar moeder, dat ze zich in de steek gelaten voelde, een ongewenst kind. Ik streelde haar haren en luisterde zonder iets te zeggen.

Ze was zo van streek, snikte en snotterde nog steeds, dat ze het niet hoorde toen ik zei: 'We hebben veel met elkaar gemeen, Lexi.' En ik kneep stevig in haar hand.

Een keer per week is er op Roecliffe een formeel diner. Personeelsleden en leerlingen, stijf in hun blazers, zitten schouder aan schouder aan de lange eiken tafels die als een enorme visgraat staan opgesteld. In het midden is een pad vrijgehouden en dat voert naar een gigantische maar lege haard. Sylvia heeft me verteld dat er één keer per jaar een groot vuur brandt, tijdens de kerstlunch.

'Al die suffe veiligheidsregelen. Vaker mag het niet,' had ze geklaagd.

Geleidelijk, terwijl we kleren opvouwden, bedden opmaakten en elke dag weer de rommel in de slaapzalen opruimden, leerde ik Sylvia een beetje kennen. Ik begreep dat ze voor zowat alle meisjes op Roecliffe een tweede moeder was. Ik gaf oppervlakkige antwoorden als ze me dingen vroeg, en rechtstreekse vragen ging ik uit de weg door een laken uit te kloppen of onder een bed te duiken om een sok te pakken. Ik ben niet gekomen om met iemand bevriend te raken.

Mijn eten staat onaangeroerd voor me. 'Jammer,' zeg ik, starend naar de lege haard. Ik stel me vonken voor die van grote houtblokken vliegen, rook die de hele zaal vult met dennengeur, een oranje gloed die omhoog straalt naar de schoorsteen, gloeiende kooltjes die koude tenen warmen. Gezelligheid.

'Wat zei je?' Er gaat iemand naast me zitten die zijn servet uitklopt. Ik kijk opzij en zie Adam. Zijn hemdsmouwen zijn opgestroopt. Hij heeft donzige blonde haartjes op zijn onderarmen. 'Wat is jammer?'

Nerveus lach ik het weg. 'Vroeg je om de peper?'

'Nee, dank je.' Adam kijkt me met gefronste wenkbrauwen aan terwijl hij zijn mes en vork pakt. 'Toen ik ging zitten, zei je "jammer". Je bedoelde toch niet dat het jammer was dat ik naast je kwam zitten?'

'Nee, hoor,' zeg ik. Dit kan ik hem best vertellen. 'Het is jammer dat er geen vuur brandt in de haard.' Hoe onschuldig die bekentenis ook is, mijn hart lijkt even stil te staan.

'Maar het is warm. De zomer is nog niet afgelopen.' Adam richt zijn aandacht op zijn bord en neemt een hap kip, kennelijk teleurgesteld over mijn antwoord. 'We hebben helemaal geen vuur nodig.'

'Dat weet ik wel. Ik bedoelde alleen...' Ik steek een hap eten in mijn mond. 'Laat maar.'

Adam haalt zijn schouders op. Hij weet niet wat ik denk. Hij ziet niet wat ik zie: een knappend haardvuur op een winteravond, oren gespitst op voetstappen, een rommelende buik, van angst of omdat we appeltaart hebben gekregen.

'Weet je al of je het leuk vindt om hier te werken?' Adam legt zijn bestek op de rand van zijn bord en plant zijn ellebogen op tafel. Zijn schouder strijkt langs de mijne.

'Sylvia heeft me verteld dat er vorig jaar drie assistentes zijn weggelopen.' Ik steek een grote hap eten in mijn mond en hoop dat hij verder geen vragen zal stellen.

'Ik vroeg of jíj denkt dat je het hier leuk zult vinden,' zegt hij lachend. 'Dat die anderen het hier niet leuk vonden wist ik al.'

'O ja?' Ik glimlach geforceerd terug. Ik heb zo'n volle mond dat ik bijna geen adem meer kan halen, laat staan spreken. Ik maak een verontschuldigend gebaar.

Adam buigt zich weer over zijn bord. 'Stik er niet in,' zegt hij peinzend. Gedurende de rest van de maaltijd laat hij me met rust.

7

Nina was in de keuken bezig met het avondeten en wierp af en toe een blik op Josie, die zich op de bank bij de openslaande deuren had genesteld. Er was een roze handdoek om haar hoofd gewikkeld en ze droeg een ochtendjas met hartjes. Twee uur eerder had ze gevraagd of ze Nina's laptop mocht lenen omdat haar eigen computer zo traag was. Nina probeerde haar nieuwsgierigheid niet te laten blijken, probeerde niet te zien dat er een regenboog van emoties over Josies gezicht gleed terwijl ze driftig zat te tikken. Vermoedelijk speelde ze Afterlife. Josie had zich over het toetsenbord gebogen, zodat het scherm niet zichtbaar was.

Ze vroeg zich af wat er in haar dochter omging. Op haar gezicht las ze een mengeling van angst en begeerte. Nina zei niets, maar toen Josie de laptop dichtklapte, opstond en naar de badkamer op de eerste verdieping ging, zag Nina haar kans schoon. Het was per slot van rekening haar computer.

Waarschijnlijk had Josie het programma afgesloten, maar toen ze de laptop openklapte, zag ze tot haar verbazing dat de pagina nog geopend was. Zoals ze al vermoedde, herkende ze Afterlife. Nina begon te lezen.

-*moet zo weg,* had Josie in een venster getikt. Een emoticon liet duidelijk zien dat Josies figuurtje iemand anders omhelsde. Nina hield haar adem in.

-*blijf nog ff* De figuurtjes gaven elkaar een virtuele kus.

-*5 min max* Nina stelde zich voor dat Josies vingers trilden terwijl ze typte.

-*wat heb je aan?*

-*duh dat zie je toch*

Ze herinnerde zich dat ze Josie had horen giechelen. Nina keek naar de deur. Ze wist dat Josie wachtte totdat de repetities voor een nieuwe productie van het jeugdtheater zouden beginnen, maar ze had niet verwacht dat haar dochter op deze manier haar tijd doorbracht.

-*doe ze uit*, had het andere figuurtje gezegd. Nina zag dat hij Griff heette.

-*je weet dat dat niet mag. spelregels*

Gelukkig is ze verstandig, dacht Nina. Ze had gezien dat Josie een hand voor haar mond sloeg. Waarschijnlijk toen ze dit tikte. Ze dacht terug aan alle keren dat Josie en Nat over de computer in Josies kamer gebogen hadden gezeten en hoe vaak ze hen had horen giechelen. Ze rilde.

-*ok alleen je string en bh*

-*mooi niet!*

Nina wist nog dat Josie het wel eens over deze jongen had gehad. Griff zat een klas hoger dan zij en alle meisjes dweepten met hem. Josie had gezegd dat hij nooit geïnteresseerd zou zijn in een meisje als zij. Opeens voelde Nina een groot verdriet voor haar, dat haar sociale leven was teruggebracht tot vieze praatjes op een computer.

-*ik doe mn kleren niet uit*, had Josie geschreven, tot Nina's opluchting. Ze wist dat haar dochter ongelofelijk preuts was, zelfs als zij erbij was.

-*kom je morgen bowlen?* had Josie gevraagd. Een poging, dacht Nina, om hem mee uit te vragen.

-*geen zin*, antwoordde Griff. Ze kon Josies teleurstelling bijna voelen. Als het figuurtje een bikini aan had gedaan, had Griff misschien ja gezegd. Nina zag dat Griffs figuurtje grijs was geworden en was verdwenen. Hij had uitgelogd. Waarschijnlijk was Josie daarom zo snel verdwenen.

Nina klapte de computer dicht en liep snel naar de badkamer. 'Gaat het, schatje? Ik heb een snack gemaakt voor als je trek hebt,' zei ze door de dichte deur.

'Hoeft niet,' bromde Josie humeurig. 'Ik ga naar Nat.' Nina kon zich voorstellen dat ze haar vriendin wilde vertellen wat er net was gebeurd.

'Ik kan je een lift geven, als je wilt.' Nina hield haar adem in. In de auto konden ze misschien praten.

'Nee,' zei Josie snel. 'Ik loop wel.'

'Haar stemming wisselt voortdurend,' zei Nina tegen Laura. 'Met Josie weet je nooit waar je aan toe bent.' Haar vriendin trok een gezicht, hetzelfde gezicht dat Nina zou hebben getrokken als ze geen mond vol pasta had gehad. Ze slikte de hap door. 'Het begon al toen ze een jaar of drie was, eerlijk waar. Altijd nukkig en dwars. Alsof ze toen al in de puberteit was.' De vrouwen lachten, blij dat ze elkaar hadden.

Een keer per maand gingen ze samen uit eten om te praten, te vergelijken en elkaar te steunen bij het grootbrengen van recalcitrante tieners. Laura had twee kinderen, een jongen van zestien, James, die nog niet zo lang geleden zijn GCSE-examen had gedaan, en Natalie, Josies beste vriendin.

'Bij ons is het allemaal zo voorspelbaar,' zei Laura. 'Ik kan het gesprek dat ik met James had terwijl hij zijn ontbijt naar binnen schrokte woordelijk herhalen.'

'Laat maar.' Nina probeerde niet te lachen. 'Jullie hebben tenminste een gesprek. Josie ontbijt bijna nooit. Ze stapt in haar uniform op exact dezelfde plek waar ze het de dag ervoor heeft uitgetrokken en weigert haar haar te borstelen omdat ze het graag rommelig wil hebben. Toch zit ze uren voor de spiegel om de perfecte eyeliner te oefenen. Meestal weet ik alleen dat ze naar school is gegaan doordat het hele huis schudt als zij de voordeur dichtslaat.'

'Wacht maar af,' zei Laura. 'Als ze straks allemaal het huis uit zijn, klagen wij over een leeg nest. Dan missen we de sombere stiltes.'

'Ach, ze komen vaak genoeg thuis. Als hun geld op is, of als ze geen schone kleren meer hebben of geen bonen uit blik meer kunnen zien.' Nina schonk hun allebei een nieuw glas wijn in; ze zouden een taxi nemen naar huis. 'Zeg, even serieus, hoe gaat het tussen Tom en jou?'

De laatste keer dat ze elkaar hadden gesproken, had Laura verteld dat haar huwelijk op de klippen dreigde te lopen. Laura had gezegd dat het voelde alsof hun huwelijk kanker had. 'Ik denk niet dat we het nog lang met elkaar uithouden,' had ze bekend.

'We houden het maar net vol,' zei Laura triest. Ze nam een paar grote slokken wijn. 'Vorige week hadden we de eerste sessie bij de relatietherapeut.' Opnieuw trok ze een gezicht. 'Mijn dierbare echtgenoot is halverwege weggestormd. De therapeut vond dat hij hulp moest zoeken omdat hij zijn boosheid niet kan beheersen, en toen ging hij door het lint. Ik had al gezegd dat hij volgens mij een ander heeft, dus dat was de druppel.'

Laura hield haar gezicht altijd dapper in de plooi, maar nu lukte dat niet meer. Haar mondhoeken wezen omlaag en de twinkeling in haar ogen doofde. 'Ik denk dat de therapeut gelijk heeft. Alles wijst erop dat hij een ander heeft.'

'O, Laura,' zei Nina. Ze schoof haar hand over tafel, maar Laura negeerde het gebaar. Met tranen in haar ogen vluchtte ze naar het toilet. Nina ging achter haar aan en ze trof haar vriendin snikkend boven de wastafel aan. Zachtjes draaide ze haar om, en ze plukte tissues uit een doos waarmee ze haar ogen afveegde. Toen sloeg ze haar armen om Laura heen en bleef ze haar stevig vasthouden. Woorden waren overbodig. Na tien minuten zaten ze weer aan hun tafeltje, Laura zo beheerst alsof ze een sollicitatiegesprek voerde.

'Hé,' zei ze opgewekt, 'hoe gaat het met je werk?'

Nina ging erin mee. 'Ik sta aan het begin van een waanzinnig drukke tijd. Ik heb je toch verteld dat ik een contract met Charterhouse heb binnengesleept?' Laura knikte. 'Het eerste project is een horrorfilm, *Grave*. Ik ben nu met de voorbereidingen bezig, en ik doe af en toe nog theaterwerk. Als de opnamen beginnen, moet ik mensen in dienst nemen.' Ze nam een slokje wijn. Ze voelde zich schuldig dat het met haar zo goed ging, terwijl het leven van haar vriendin in duigen dreigde te vallen.

'Geweldig!' zei Laura en ze kneep over tafel in Nina's hand.

Ze kenden elkaar al sinds Natalie en Josie op de crèche zaten, waren samen op vakantie geweest, hadden op elkaars kinderen gepast, en Nina had Mick zelfs uitgeleend toen Tom voor een knieoperatie in het ziekenhuis lag en Laura's wasmachine en haar auto het tegelijkertijd hadden begeven. Mick was een paar keer bij Laura thuis geweest en had zich opgeworpen als reparateur. De gezinnen waren bevriend, en de twee vrouwen hadden een zeer hechte band.

'En hoe is het met die vreselijke baas van je?' Nina wist dat Laura haar werk bij een bank leuk vond, ondanks de klachten over haar baas. 'Geef het maar toe, je zou je stierlijk vervelen als hij er niet meer was.'

'Jammer genoeg is hij nog niet met pensioen, en hij is nog steeds even vreselijk. Afgelopen maandag begon er een nieuwe assistente op de afdeling. Het was de bedoeling dat ik tijd zou krijgen om te kunnen lunchen en af en toe een dag vrij te nemen.' Laura schudde haar hoofd. 'Het arme kind heeft woensdag ontslag genomen.'

Nina lachte. 'Die man is onverbeterlijk.'

'Hij lijkt een beetje op Tom,' verzuchtte Laura. 'Ik heb ervaring met humeurige hufters, dus je zou denken dat ik hoor te weten hoe ik met mijn man moet omgaan.'

'Dat gaat niet altijd op,' zei Nina, wetend dat ze haar vriendin op die manier geen steek verder hielp. Ze voelde zich er bijna schuldig over dat Mick en zij afgezien van kleine meningsverschillen nog net zo gelukkig waren als op de dag dat ze met elkaar trouwden. Natuurlijk klaagden ze wel eens over Josies nukkige buien, maar zij hadden het makkelijk in vergelijking met andere ouders. Hun aandacht was geheel op Josie gericht. Al waakten ze ervoor om haar te verwennen, Nina vond dat Mick toch te veel een vaderskindje van haar maakte.

Jarenlang hadden ze geprobeerd nog een kind te krijgen, maar dat was niet gelukt. Hun verdriet daarover was niets vergeleken bij wat Laura nu meemaakte. Toen Mick en Nina zich erbij hadden neergelegd dat ze met z'n drieën zouden blijven, hadden ze de draad van hun leven gewoon weer opgepakt.

Ze nam Laura's hand in de hare. Ze wist niet hoe ze haar kon helpen. 'Het komt heus wel weer goed.' Ze dacht even na. 'Probeer je op te trekken aan wat je wel hebt en laat je niet gek maken door wat je niet hebt.'

'Ik weet het. Ik weet het.' Laura streek met een hand over haar gezicht. 'In veel opzichten mag ik van geluk spreken. Maar ik zweer je dat die therapeut gelijk heeft, Nina. Tom gedraagt zich alsof hij iets voor me verbergt.' Ze onderdrukte een snik. 'Weet je wat het stomme is? Diep in mijn hart weet ik dat hij me niet wil kwetsen.'

Nina pakte de kaart en wenkte de ober. 'Ik schrijf warme chocoladetaart voor.' Ze begreep wel wat Laura bedoelde. Ze kende Tom al bijna net zo lang als Laura, en ze geloofde dat Tom in staat was om tegen zijn vrouw te liegen, dat hij door zijn afstandelijke karakter in de problemen kon komen. Mick was een open boek voor haar, aan een gebaar of de uitdrukking op zijn gezicht kon ze zien wat hij dacht, maar Tom was geslotener.

'Niet voor mij,' zei Laura en ze stuurde de ober weer weg. Snel nam ze de laatste slok wijn. 'Je moet je geheim een keer verklappen.' Ze grijnsde op een vreemde manier en zette met een klap haar glas neer. Voor het eerst sinds ze elkaar kenden, meende Nina verbittering te bespeuren. 'Hoe het komt dat je zo gelukkig bent. Hoe doe je het toch? Is er iets met het drinkwater in jullie straat?'

'Nee, ik denk dat...'

'Nina, ik maakte een grapje. Maar laten we realistisch zijn. Jouw ideale huwelijk is voor jou waarschijnlijk net zo'n last als mijn slechte voor mij.'

'Wat bedoel je?' Nina verstijfde. Haar vriendin had te veel gedronken.

'Ga maar na. Als het misgaat, val jij van een grotere hoogte dan ik, schat. Meer zeg ik niet.' Laura stond op en liep naar de kapstok.

De ober legde de rekening voor Nina neer en wachtte van een afstandje tot ze had betaald. Beduusd ging Nina achter Laura aan naar buiten. Laura leunde tegen een lantaarnpaal en rookte een sigaret.

'Zo heb ik het nooit bekeken,' zei Nina en ze trok de sigaret tussen Laura's vingers vandaan, denkend aan haar duizelingwekkende val.

8

De school is nog maar een paar dagen begonnen of een buikvirus slaat toe. De ziekenboeg ligt vol en na de pauze is er weer een nieuw geval.

'Frankie, wil jij Lexi ophalen uit het computerlokaal? Ze heeft buikkramp.' Sylvia noteert de temperatuur van een van de zieke meisjes. 'Het houdt maar niet op.'

Ik blijf even staan, onder de indruk van Sylvia's kracht en koelbloedigheid. Ze is een rots in de branding, het type vrouw dat ouder wordt en toch hetzelfde blijft. Ik kan me zo voorstellen dat ze al haar hele leven dit werk doet.

'Natuurlijk.' Ik was mijn handen, want ik heb daarnet het zoveelste bevuilde bed verschoond. Arme stakkers, denk ik bij mezelf als ik door de lange gangen loop. Ik ben nog niet in het computerlokaal geweest, maar ik weet waar het is.

Door het draadglas in de deur schijnt zo'n fel licht dat ik met mijn ogen knipper. Ik ga naar binnen en word opgeslokt door de gloed en het zachte gonzen van een tiental computers.

De leerlingen draaien zich om en giechelen zacht. Ik hoor het schrapen van stoelpoten en kijk naar de leraar. 'Ik heb van Miss Sylvia gehoord dat Lexi niet lekker is,' zeg ik tegen hem.

Hij wijst naar een meisje dat in een hoek zit, met haar hoofd gebogen boven een metalen prullenbak. 'Neem haar alsjeblieft mee.' Hij is duidelijk geërgerd dat zijn les wordt onderbroken.

Ik laveer tussen de tafels door. 'Kom op, Lexi.' Ik schuif mijn handen onder haar oksels. 'Ik stop je lekker in bed.' Lexi leunt zwaar op me als we naar de deur lopen, badend in de spookachtige gloed van de computers.

'Aan het werk, dames,' zegt de leraar luid.

De meisjes verstommen en kijken naar het scherm. Als we achter een batterij monitors langs lopen, vang ik een beeld op dat me even doet verstijven. Ik bestudeer de twee meisjes die met gebogen hoofd achter de computer zitten, zodat ik me hun gezichten later zal kunnen herinneren – blauwe haarband, beugel, lang blond haar. Ik neem Lexi mee naar Sylvia. Het beeld van de monitor is in mijn geheugen gegrift.

Ik heb mijn armen vol met schoon wasgoed en snuif de geur van het wasmiddel op. Ik ben bekaf. Met een beetje geluk ziet hij niet eens wie er achter de stapel lakens schuilgaat, en gaat hij gewoon opzij om me door te laten. Maar als ik langs de stapel kijk, zie ik dat Adam nog steeds in de deuropening staat. Hij is druk in gesprek met een paar van de oudere meisjes en heeft zijn laptop onder de arm. Ik kan er echt niet langs.

'Pardon,' zeg ik. Mijn armen beginnen moe te worden van het gewicht. 'Mag ik er even langs?'

'Yes, sir!' hoor ik een van de meisjes zeggen. 'Tot uw orders, sir.' En dan gieren ze het uit, als echte tieners. 'We kruipen voor u, sir.'

'Mag ik er alleen even...' Ik voel me net een acteur in een komische film. De stapel wasgoed kan nu elk moment op de vloer vallen en dan rent er een heel leger meisjes met modderige hockeyschoenen overheen.

'Wanneer, sir? Bedoelt u nu meteen, sir?' Weer klinkt er gegiechel.

Ik loop naar de deuropening en kijk knarsetandend naar de gang erachter.

'Zo is het genoeg!' Adams boze stem dringt door het wasgoed heen. Het volgende moment word ik ruw tegen de muur geduwd en stormt hij weg.

'Hé!' roep ik, maar Adam is al weg, duidelijk boos over wat er net is gebeurd.

Zoals ik al vreesde valt een groot deel van het wasgoed op de vloer, maar een modderige stormloop blijft uit. Adam komt niet terug om zich te verontschuldigen en me te helpen de lakens op te rapen. Als ik mijn hoofd optil, zijn de meisjes weg. Het liefst wil ik me tussen de schone lakens nestelen en van pure uitputting in slaap vallen.

'Kun je me niet gewoon een paar pillen geven?'

Ik stop sokken en doe alsof ik niet luister. Het is een ondankbare taak; morgen ligt mijn naaimand weer vol. Maar het is een goede manier om de namen te leren van de meisjes die ik nog niet ken en aan hun schoenmaat te gokken hoe oud ze zijn. Waarschijnlijk hebben hun moeders de sokken gemerkt.

'Het spijt me,' antwoordt Sylvia. 'Ik moet je onderzoeken.'

'Ik heb gewoon keelpijn en last van mijn buik.'

Ik kijk op van mijn taak, over de vijf metalen bedden met zieke, zwetende meisjes heen, en zie Adam en Sylvia in de andere kamer staan. Hij torent boven haar uit. Het is uren later, en hij heeft de laptop nog steeds onder zijn arm. En hij heeft nog steeds geen sorry gezegd.

'Adam, er heerst een heel gemeen virus. De dokter is onderweg om de ziekste meisjes te onderzoeken. Als het personeel ook ziek wordt, kunnen we de school wel sluiten. Ik kan je misschien wel iets geven, maar dan moet ik je eerst onderzoeken.'

Weer kijk ik op. Adam is een grote, sterke kerel, maar vanmiddag zijn zijn schouders gebogen, en het lijkt hem moeite te kosten om zijn hoofd overeind te houden. Een paar lokken haar plakken aan zijn voorhoofd en hij ziet er slecht uit. Met tegenzin geeft hij zich gewonnen en hij laat zich door Sylvia meevoeren naar een aparte kamer. Ik richt mijn aandacht weer op de donkerblauwe sokken.

Tien minuten later komt Sylvia naar buiten. Bezorgd blijft ze bij een van de bedden even staan en loopt dan langs mij en mijn stapel sokken.

'Er komt geen eind aan,' zegt ze met een zucht en een glimlach. Ze is typisch zo'n vrouw die groeit in een crisis.

'Heb je hulp nodig?'

Sylvia hoort me niet eens en verdwijnt in de voorraadkamer. 'Hebbes,' hoor ik haar mompelen, en even later is ze terug met een bruin flesje in haar hand. 'Arme Adam. Ik weet hoe erg hij het vindt om ziek te zijn.'

'Hoezo?' vraag ik.

'Als hij niet voor de klas staat, is hij helemaal bezeten van zijn research. Hij schrijft een boek.' Sylvia schudt het flesje heen en weer en tuurt naar het etiket. Het ziet eruit alsof het minstens tien jaar oud is. 'Ik weet niet hoe oud dit spul is, maar hij staat erop dat ik hem beter maak. Hij zegt dat hij geen tijd heeft om ziek te zijn.' Ze loopt lachend weg. 'Het zijn stoere jongens, die Australiërs.'

Australië, denk ik. Hij zei dat hij uit het zuiden kwam, net als ik. Hij bedoelde twaalfduizend mijl zuidelijker.

Ik buk me om een nieuwe sok te pakken. Ik doe mijn best om beleefd maar gereserveerd met het personeel om te gaan. Tot nu toe is er niemand in mijn verleden gaan graven.

Hoofdschuddend komt Sylvia weer uit de spreekkamer, dit keer gevolgd door Adam. Hij heeft grijze kringen onder zijn ogen en zijn mond tekent zich scherp af in zijn bleke gezicht.

'O jee,' zeg ik onwillekeurig.

'Zeg dat wel,' zegt hij somber. 'Er moet een vervanger komen. Ik moet vanmiddag drie uur lesgeven,' zegt hij tegen Sylvia. 'Kun je iets regelen?'

'Laat het maar aan mij over. Ga nu maar lekker naar bed.' Dan klinkt er een kreet van een van de meisjes, en Sylvia rent met een emmer naar haar bed. 'Breng jij Adam even terug naar zijn kamer, Frankie?' roept ze naar mij. 'Ik wil niet dat hij alleen is als hij van zijn stokje gaat.'

Ik kijk naar Adam en dan naar mijn sokken.

'Dat hoeft echt niet. Ga maar door met je... sokken.' Door zijn accent klinkt het haast grappig, maar ik zie aan zijn gezicht dat het geen grapje is. 'Hoor eens, het spijt me van daarstraks. Ik had je wel willen helpen, maar...'

'Het geeft niet. Het waren gewoon een paar lakens.' Ik wilde dat ik hem niet had onderbroken. Ik ben nieuwsgierig naar zijn gesprek met de meisjes.

'Het was niet mijn bedoeling om onbeleefd te zijn,' zegt hij als hij naar de deur schuifelt. Ik loop braaf achter hem aan, zoals me is opgedragen. 'Je hoeft echt niet...' Hij blijft staan en staart me aan, maar hij is te verzwakt om te protesteren. 'Oké, hierheen.'

'Dus je bent Australiër. Uit welk deel kom je?' Ik vraag me af of ik hem moet ondersteunen.

'Wie zegt dat ik uit Australië kom?' Een slap aftreksel van zijn gebruikelijke grijns glijdt over zijn bleke gezicht.

'Sylvia.' Ik durf te zweren dat de gangen in dit gebouw elke nacht van richting veranderen, zodat ik telkens de weg kwijtraak. 'Waarheen?' vraag ik bij een splitsing.

Adam gebaart naar links. 'Ik ben net zo Engels als jij,' zegt hij. Zijn stem klinkt vlak, alsof het hem al moeite genoeg kost om op de been te blijven. Hij ziet er heel slecht uit. Boven aan de trap blijft hij staan om naar adem te snakken.

'Je klinkt niet Engels,' merk ik op.

Hij hijgt zo erg dat hij bijna niet kan praten. Zweetdruppels parelen op zijn voorhoofd. 'Vergissen is menselijk,' zegt hij terwijl hij een sleutelbos uit zijn zak haalt. 'Dit is mijn kamer.'

'Helemaal waar,' zeg ik en ik draai me om. 'Beterschap.' Ik loop weg door de gang.

'Murwillumbah, als je het per se wilt weten,' roept hij me na. 'Ik heb er lang genoeg gewoond om het accent over te nemen.'

'Mur... wat?' Ik draai me niet om. Ik weet hoe gevaarlijk het is om vriendschap te sluiten. Ik kan me verspreken, een tipje van de sluier oplichten van de puzzel die ik ben. Dat kan ik me niet permitteren.

'Een plaats in Australië waar ze bananen kweken,' zegt hij nog.

Dan hoor ik de deur dichtvallen en is Adam weg. Haastig loop ik door, en voor de zoveelste keer verdwaal ik in de doolhof van gangen.

9

Nina had hoogtevrees. De ladder wiebelde. Ze greep een hogere sport beet en een splinter drong zich in haar vinger. 'Au!' Ze stak de vinger in haar mond. 'Ik kan er net niet bij,' zei ze, haar arm uitgestrekt naar een stoffige doos op een hoge plank.

'Je bent niet hoog genoeg. Kom maar naar beneden, dan doe ik het.' De toneelknecht die onder aan de ladder stond, een leuk meisje, pas afgestudeerd, deed Nina aan haarzelf denken, een jaar of twintig geleden. Ze was roekeloos en ambitieus.

Met knikkende knieën kwam Nina naar beneden. Ze was duizelig toen ze weer op de vloer stond. 'Sorry,' zei ze, wetend dat haar angst er duimendik bovenop lag. 'Ik dacht dat ik van mijn hoogtevrees af was, maar het is alleen maar erger geworden.' Ze probeerde te lachen om haar gêne te verhullen.

'Laat mij maar.' Petra grijnsde. Snel klom ze naar boven, lenig als een tienerjongen. Ze had kort haar en een mooie huid en gebruikte geen make-up. Nina had een keer een nieuwe blusher op haar willen uitproberen, maar Petra had beslist geweigerd. Haar huid kwam alleen in aanraking met water en biologische olijfolie, had ze uitgelegd.

'Wees voorzichtig,' zei Nina toen ze angstvallig omhoogkeek naar de zolen van Petra's gympen. 'Ik wil niet dat je valt. Ik heb je hulp nodig bij het verkleden van het koor. Roet is er bijna niet af te krijgen.' Ze probeerde een grapje te maken, maar ze trilde toen het meisje haar hand uitstak naar de doos.

'Hebbes,' kondigde Petra aan en even later stond ze weer beneden. Nina slaakte een zucht van verlichting. 'Is het zo erg?'

Nina haalde haar schouders op. In gezelschap van dit jonge meisje voelde ze zich opeens oud. 'Het valt wel mee,' zei ze. 'Ik heb wel op hogere ladders gestaan.' Ze trok een mal gezicht.

Petra tikte glimlachend op de doos. Stof wolkte op en de stofdeeltjes dansten in de lichtbundel die door het kleine raampje in de muur van het magazijn naar binnen scheen. Het victoriaanse theater was bekend terrein voor Nina – ze had er door de jaren heen aan veel producties meegewerkt – vandaar dat iedereen haar altijd vroeg waar bepaalde rekwisieten te vinden waren. En over een paar weken zouden hier voor Josie de repetities beginnen van de jeugdvoorstelling van *Chicago*. Zij was bij de audities uit tientallen andere meisjes gekozen voor de hoofdrol van Rosie Heart – een droom die werkelijkheid werd. Nina was zo trots op haar dochter. Op het toneel kwam ze tot leven, alsof al haar tienerproblemen verdwenen wanneer ze in de huid van een personage kon kruipen.

'Helemaal goed,' zei Petra nadat ze in de doos had gekeken. 'Wat vind jij?'

'Ik vind dat jij er een verdient omdat je die doos hebt gepakt.' Glimlachend hield Nina een paar dof geworden medailles omhoog. 'Precies wat onze soldaten nodig hebben. Kun je met naald en draad omgaan?'

'Net zo goed als jij met ladders.' Petra tikte Nina speels op haar schouder en de twee vrouwen verlieten het magazijn.

'Tot straks bij de lunch,' zei Nina.

Ze ging terug naar de kleedkamers, wetend dat die leeg zouden zijn aangezien de hele cast bijeen was geroepen voor een bespreking. Dit was voor Nina de ideale gelegenheid om te experimenteren met een nieuw preparaat waarmee ze wonden kon simuleren voor de oorlogsscène. Tijdens de voorstelling had ze precies twaalf minuten de tijd om de gezichten en armen van de drie hoofdrolspelers toe te takelen en ze wist niet goed hoe ze dat voor elkaar moest krijgen. Theater was altijd een uitdaging, maar ze hield van de spanning die erbij hoorde.

Op weg naar de kleine kleedkamer, vlak voordat ze naar binnen wilde gaan, meende ze iemand te zien verdwijnen door de gang die naar het toneel leidde. Misschien had iemand van de cast haar nodig. 'Hallo?' riep ze. Ze haalde haar schouders op toen er geen antwoord kwam.

Haar tas en make-upkoffertjes lagen in de kamer. Ze nam haar spullen 's avonds altijd mee naar huis, want ze had uit ervaring geleerd dat acteurs vaak gedachteloos haar spullen gebruikten en dan vergaten ze terug te doen in haar koffertje. De producten waren te duur om telkens nieuwe te kopen.

Vreemd, dacht Nina terwijl ze met haar hand over de muur ging op zoek naar het lichtknopje. Het was aardedonker in de raamloze kamer. Niemand deed hier ooit lichten uit. Waarschijnlijk probeerde de productiemanager op de kosten te bezuinigen. Misschien had hij daarom de cast wel bij elkaar geroepen.

Haar vingers vonden het knopje en ze deed het licht aan. Nina zag de troep niet meteen. Acteurs stonden niet bekend om hun netheid, en als ze zich tussendoor snel moesten verkleden, vertrouwden ze op de assistenten. Kennelijk was iedereen halsoverkop naar boven gegaan, want de vloer en de tafels lagen bezaaid met kledingstukken.

Nina zuchtte. Als ze maar niet denken dat ik ga opruimen.

Toen zag ze haar koffertje met de producten voor speciale effecten op de tafel voor de spiegel. Ze fronste haar wenkbrauwen en opeens welde er boosheid op. 'Wel verdorie,' mompelde ze hardop. Foundation, potten met nepbloed, pakjes met korsten en gekleurde was – alles was uit het koffertje gehaald.

Dat zijn dure spullen, dacht ze nijdig. Ik wou dat ze er met hun tengels van af bleven. Weer verstijfde ze. In de spiegel zag ze achter haar dat de inhoud van haar andere koffertjes op de vloer was gesmeten. Haar gewoonlijk keurig nette hoekje van de kleedkamer was in een chaos veranderd. 'O néé!' riep ze hardop. 'Wie heeft dit gedaan?'

Nina ging tussen de potten en kwasten op haar hurken zitten. Ze begon alles op te rapen, maar aarzelde. Was dit het werk van een inbreker? Bedachtzaam ruimde ze alles op en tot haar opluchting was er zo te zien niets verdwenen. Maar waarom zou iemand zo'n bende maken van haar spullen? Liep er in het theater iemand rond die de pest aan haar had?

Ze dacht diep na, en herinnerde zich dat Rosalind vorige week een woedeaanval had gehad toen de regisseur eiste dat ze een grijze pruik zou dragen – dat had Nina tijdens de repetitie voorgesteld. De ijdele Rosalind had het Nina op alle mogelijke manieren betaald proberen te zetten.

Rosalind. Nina schudde haar hoofd. Wat een kinderachtig gedrag. Ze zou het er later met de producent over hebben.

'Zeg, weet jij waar... Jezus, wat een bende.' Petra bleef in de deuropening staan.

'Kennelijk is het gebeurd toen wij in het magazijn waren. Wat een nachtmerrie. Ik krijg de indruk dat iemand een hekel aan me heeft.'

'Weet je zeker dat iemand dit expres heeft gedaan?' Petra knipoogde naar haar. 'Je weet hoe erg die acteurs zijn, ze laten alles achter hun kont slingeren.'

'Nee, nee, ik weet zeker dat het netjes was toen ik wegging.' Ze bukte zich en raapte hoofdschuddend een jurk uit de jaren veertig op. Wat moest ze in hemelsnaam tegen Rosalind zeggen?

De bespreking was duidelijk afgelopen, want boven hun hoofden klonk het roffelen van voetstappen. Nina ging weer aan het werk. In de loop van de dag ruimde ze stukje bij beetje de rommel op. Pas toen ze haar spullen inpakte om naar huis te gaan, begonnen vage gedachten door haar hoofd te spoken.

'Wat zou je doen,' begon Nina, 'als Tom erachter kwam dat jij...' Haar stem stierf weg omdat ze niet goed wist hoe ze moest zeggen wat ze bedoelde. 'Stel nou dat Tom ontdekte dat jij...' Weer kon ze de juiste woorden niet vinden. Laura zette koffie, maar na een dag als deze had Nina meer behoefte aan een stevige borrel.

'Doe me een lol, Nina, voor de draad ermee.' Laura deed de koelkast open om melk te pakken. Er klopte iets niet. Nina kwam nooit langs na haar werk. 'Wat? Als Tom wat ontdekte?' Ze snoof. 'Het zou Tom niet eens opvallen als ik naakt op de keukentafel was vastgebonden met een vreemde man boven op me.'

'O Laura, het spijt me,' zei Nina, blij met de afleiding. Het lukte haar gewoon niet om te zeggen wat ze bedoelde. Ze legde een hand op Laura's arm toen ze haar de melk aangaf.

Laura trok haar arm weg. 'Doe niet zo flauw en zeg het gewoon.' Ze kieperde een hele zak ovenchips op de bakplaat. 'Moet je horen. Tom heeft beloofd dat hij om de dag zou koken om "de huishoudelijke taken beter te verdelen". Nadat ik hem had gevraagd of hij was vergeten waar hij woonde. Tot nu toe heeft hij vorige week twee keer een afhaalmaaltijd meegenomen, en de derde keer stelde hij voor om uit eten te gaan.' Laura schoof de bakplaat in de oven en maakte een blik bonen in tomatensaus open.

Nina keek naar haar vriendin, die met boze gebaren door de keuken liep. Ze dacht aan de garnalencurry die Mick de vorige avond had klaargemaakt. Hij had zelfs zijn eigen naanbrood gemaakt. 'Mannen kunnen toch niet koken,' loog ze om Laura een hart onder de riem te steken. 'En wij mogen de rotzooi opruimen.'

'Ik kan er gewoon niet meer tegen, Nina.' Laura zette haar beker met koffie zo hard neer dat de koffie over de rand gutste. 'Ik kan alleen nog maar klagen. En ik klaag alleen maar over hem. Ik ga eraan kapot. Zo was het vroeger niet. Er is iemand anders, ik weet het zeker.' Laura klonk alsof haar stem elk moment kon breken. Nina had haar nog nooit zo wanhopig meegemaakt. 'Het is klaar, Nien. Ik geef het op. Ik wil een nieuw leven.' Ze legde haar gezicht in haar handen en snikte drie keer, maar toen ze haar hoofd weer optilde glimlachte ze. Ze was er goed in om haar gevoelens te verbergen. 'En vertel me nu eindelijk wat je op het hart hebt.'

'Laat maar. Het is niet belangrijk.' Nina brandde haar tong toen ze een slok koffie nam. 'Ga met Tom praten. Ga met iemand praten. Zorg dat je hulp krijgt.'

Nina hielp Laura om worstjes in een ovenschaal te leggen. 'Jij maakt het jezelf ook niet al te moeilijk,' zei ze lachend.

'De kinderen zijn dol op worstjes,' verdedigde Laura zich. 'Zo hoort het toch niet te zijn? Worstjes, ruzies, twee kinderen die alleen maar grommen en een man die je door een privédetective in de gaten moet laten houden.'

Nina sloeg haar armen om Laura heen. 'O, Laura,' zei ze in de verwarde haren van haar vriendin. Laura snikte het uit op haar schouder.

'Je slaat je er wel doorheen,' fluisterde Nina. Ze hield Laura op armlengte bij zich vandaan en lachte toen ze de uitgelopen mascara zag. 'Ik doe er uren over om dat effect te verkrijgen,' grapte ze, maar daardoor moest ze weer denken aan wat er in het theater was gebeurd.

'Ik moet maar eens gaan,' zei ze. 'Bij mij thuis zullen ze ook wel honger hebben.' Ze haalde de autosleutels uit haar broekzak.

'Wacht. Is er echt niets?' vroeg Laura, want ze hoorde Nina's diepe zucht.

'Nee hoor, er is niets,' zei ze met een stralende glimlach.

Laura haalde haar schouders op. 'Ga maar lekker naar huis. Liefs aan Mick en Josie en stuur Natalie alsjeblieft naar huis. Dat meisje zou bij jou komen wonen als ze de kans kreeg.' Ze omhelsde Nina stevig.

'Doe ik.' Nina ging naar buiten en stapte in haar auto. Laura zwaaide en deed de voordeur dicht.

De straat, dicht bij die van Nina, was vrijwel verlaten. Een eindje verderop stond een auto met draaiende motor. Nina reed achteruit de schuin aflopende oprit af.

Met een klap sloeg haar hoofd tegen de hoofdsteun toen haar auto van achteren werd geraakt. Instinctief trapte ze de rem in.

'Jezus! Kijk toch uit!' riep ze, wrijvend over haar pijnlijke nek. De klap van de botsing gonsde in haar oren en het duurde even voordat ze tot zichzelf was gekomen. Ze draaide zich om en zag de grote donkere auto met hoge snelheid de straat uit rijden. Ze ving een 5 en een 7 en een M van het nummerbord op, maar dat was alles.

'Stommeling!' tierde ze, toeterend nu het te laat was. 'Klootzak,' mompelde ze, en ze leunde voorover tegen het stuur. Ze had niet eens het merk van de auto herkend.

Trillend stapte Nina uit om de schade op te nemen. Er zat een deuk in de achterkant van haar kleine rode auto, met aan een kant een streep donkergroene lak. Ze streek er met haar vinger over, alsof ze op die manier meer over de auto aan de weet kon komen. Was het een Rover? Een Jaguar? De bestuurder was beslist een man geweest, besefte ze, maar hoe ze haar best ook deed om zich het gezicht dat ze maar heel even had gezien voor de geest te halen, het ging niet. Het was te snel gegaan.

Nina keek naar Laura's huis, maar ze wilde haar vriendin niet nog meer belasten. Ze stapte weer in haar auto en reed weg. Bij elke donkere auto die ze zag ging ze langzamer rijden en keek ze goed of ze een deuk in de voorkant zag.

Eenmaal thuis werd ze begroet door giechelende meisjes in de keuken en de geur van iets wat aanbrandde. Natalie zat op het aanrecht, een laptop gevaarlijk balancerend op haar knieën, schoppend met haar benen. Haar voeten dreunden met een irritant geluid tegen een kastje. Ze zat over het scherm gebogen en typte met een duizelingwekkende snelheid.

'Wat ruik ik?' Nina had al haar spullen in de gang laten staan, dan kon ze alles de volgende ochtend zo weer meenemen.

'Toast,' antwoordde Josie. Een regen van zwarte kruimels viel op de grond toen ze met een mes over het brood schraapte. 'Aangebrande toast.'

'Krijg nou wat!' gilde Natalie. Zonder op te kijken van het scherm pakte ze de toast van Josie aan en ze zette haar tanden erin. 'Je raadt nooit wie Kat heeft gescoord.'

Nina schudde haar hoofd en ging naar de wc op de begane grond. Haar hoofd bonkte van alles wat ze die dag had meegemaakt. De gilletjes van de meisjes vervaagden toen ze de deur op slot deed. Ze deed het licht aan en leunde tegen de muur. Ze moest eindelijk even bijkomen.

'Zit jij op de wc, mam?' Josie bonsde op de deur. 'Schiet eens op. Ik moet heel nodig.'

Nina trok door. Ze stelde zich aan. Ze was moe en gestrest door het harde werken, zelfs al vond ze het leuk. Bovendien had ze al een paar nachten slecht geslapen. Mick was rusteloos vanwege zijn nieuwe opdracht. Allemaal doodnormale dingen.

Nina liet water in het fonteintje lopen en deed de deur open. 'Sorry,' zei ze, en ze werd tegen de muur gedrukt toen Josie haastig naar binnen ging.

Op dat moment kwam Mick binnen door de voordeur.

'O god, ik ben zo blij dat je terug bent,' zei ze, en ze drukte een lange kus op zijn lippen.

'Mmm, ik zou vaker weg moeten gaan.' Hij sloeg zijn ene arm om haar heen, terwijl hij met zijn andere hand een tas met boodschappen vasthield. Met gefronste wenkbrauwen keek hij naar Nina's afgetobde gezicht. 'Ik heb kip gekocht, is dat oké? Zullen we samen koken?'

Nina liep achter hem aan naar de keuken, blij dat ze aan iets anders kon denken.

'Jezus, is hier soms een vulkaan uitgebarsten?' Mick veegde de broodkruimels van het aanrecht. 'Nina?' Zijn handen bleven op het aanrecht rusten – grote, sterke handen die Nina het liefst altijd beschermend om zich heen wilde voelen. 'Is er iets?'

'Nee hoor.' Ze ontwaakte uit haar overpeinzingen en hielp met het uitpakken van de boodschappen.

Je hebt niets te vrezen, hield ze zichzelf voor toen ze later in bed lag, haar rusteloze benen verstrikt in het laken. Ze had het warm. Ze zweette. Ze kon niet slapen. In het donker luisterde ze naar Micks lange, diepe ademhaling, net tegen snurken aan. Natuurlijk had ze niets te vrezen.

10

Nog steeds kwam mijn vader me niet opzoeken. 'Zijn ze je vergeten?' vroeg de enge man toen hij me terugzette op de koude vensterbank waar hij me had aangetroffen. Ik dook in elkaar omdat hij zijn hand optilde, maar hij bedacht zich toen een van de verzorgsters langskwam met een aantal kinderen op sleeptouw.

Ik staarde uit het raam naar buiten en wenste vurig dat ik mijn vaders auto zou zien. Mijn ogen deden nog pijn van het felle licht in die nare kamer, en mijn hart bonsde van angst. Ik greep de vensterbank beet en drukte mijn neus tegen het glas. Ingespannen tuurde ik naar de oprijlaan, de bomen, de grijze lucht, en ik hoopte vurig dat mijn vader me zou komen redden.

Het begon te schemeren en mijn oogleden werden zwaar. Een of twee keer sukkelde ik in slaap – een zoete sluimering waarin mijn vader en moeder en ik weer samen waren. Vage herinneringen aan een slanke vrouw met een paardenstaart, de geur van haar huid – gezichtscrème en lippenstift – wekten haar weer even tot leven, zelfs als ik net wakker was.

De derde keer dat ik indommelde werd ik gewekt door een scherpe geur. Ontsmettingsmiddel en de stank van mijn angst, en toen besefte ik dat ik in mijn broek had geplast. Ik was veel te bang om het aan iemand te vertellen, liet me van de vensterbank glijden en sloop naar de slaapzaal om mijn natte broekje uit te trekken. De lelijke man had gelijk gehad. Ze waren me vergeten. Mijn vader zou vandaag niet komen. En morgen waarschijnlijk ook niet. Overmorgen evenmin.

Tot nu toe had ik me in het kindertehuis steeds zo klein mogelijk gemaakt. Ik glimlachte lief en onschuldig, deed mijn best om iedereen te vriend te houden. Ik wilde het liefst een schaduw zijn, een prent aan de muur, een rat die door de kelder trippelde. De andere kinderen waren wreed, soms verdrietig, soms hadden ze pijn en soms gilden ze het uit van het lachen. Samen vormden ze een regenboog van alle soorten emoties, van de kleintjes die kirden in hun kinderwagen tot de tieners die onder het lopen met hun vuist tegen de muur sloegen. Ik zat ertussenin. Ik probeerde me te verbergen, niet op te vallen. Als mijn vader me niet snel kwam halen, zou ik wegvliegen. Ava, zijn spichtige vogeltje.

De verzorgers deden elke dag lusteloos hun werk. Een paar van hen waren zo jong dat ik dacht dat ze kinderen in het tehuis waren. Anderen waren ouder, vermoeid, grijs, en de meesten waren haatdragend. Er was bijna niemand die ons aardig leek te vinden.

Ik probeerde altijd in iedereen mijn moeder te vinden, gewoon voor het geval dat, maar geen van de verzorgers leek op haar. Ik wilde vriendschap sluiten met de volwassenen, maar die waren niet te lijmen met een brede grijns of een bloedende knie, zoals mijn vader, en het was onmogelijk om stiekem meer brood te veroveren bij de lunch. Ik leerde al snel dat er harde straffen werden uitgedeeld als je ongehoorzaam was. Op een dag liep ik zonder erbij na te denken de trap aan de achterkant op, terwijl dat verboden was. Mijn hoofd stootte tegen elke trede toen ik door een schimmige figuur boven aan de trap naar beneden werd geduwd.

Ik was niet achterlijk en keek meestal stilletjes naar wat er om me heen gebeurde, zodat ik kon leren wat er van ons werd verwacht, vooral toen ik er net was. Ik wilde niet nog een keer naar die kamer met het felle licht worden gebracht. Nee, ik hield me gewoon gedeisd en wachtte tot papa me zou komen halen, want dat had hij beloofd.

Op een van de dagen dat ik zat te wachten, naar de muur staarde, met mijn benen zwaaide, op mijn nagels beet, viel het me op dat een van de verzorgers, Miss Maddocks – ze leek wel een jaar of honderd – lang niet zo griezelig was als de andere volwassenen. Ze was bedrijvig op een moederlijke manier; ze was iemand met een hart.

Ik dacht terug aan mijn eerste avond in het tehuis, toen ik nog geen idee had wie iedereen was. Miss Maddocks had over mijn voorhoofd gestreken totdat ze dacht dat ik slíep. Ik huilde om mijn vader, en uiteindelijk bleef ik heel stil liggen, met mijn ogen stijf dichtgeknepen maar klaarwakker – te bang om te beseffen dat ze lief voor me was – terwijl haar droge hand over mijn vochtige hoofd streek. In gedachten zag ik het verwrongen gezicht van mijn vader terwijl ik mee werd getrokken, de grimmige uitdrukking op het gezicht van de directeur van het kindertehuis toen ik bij hem werd gebracht, en ik hoorde het indianengehuil van de andere kinderen toen ze me ontdekten. Het nieuwe meisje.

'Wat heb jij uitgevreten?' vroeg een groezelig joch van een jaar of twaalf me op mijn eerste ochtend. Hij gaf me een broodje aan en ik mocht een beetje jam van zijn bord schrapen. Meer eten was er niet. Ik had het grootste deel van de nacht liggen huilen en was uiteindelijk in slaap gevallen, en werd pas wakker toen de andere kinderen opstonden en naar de eetzaal renden.

'Uitgevreten?' vroeg ik. Ik had geen trek en het broodje zag er niet lekker uit. 'Ik heb niks uitgevreten. Mijn moeder ging dood en mijn vader kon het niet aan. Ik heb geprobeerd te helpen.' De kinderen hielden hun mond en luisterden naar me, zelfs de oudste. 'Ik denk dat ik het niet goed heb gedaan, want nu ben ik hier.' Ik haalde mijn schouders op. Het was zoals het was, maar leuk vond ik het niet.

De groezelige jongen klopte op mijn schouder. Zijn haar zat in de war en hij stonk. 'Trek het je niet aan,' zei hij. 'Je bent nu bij ons.'

Ik keek naar de kinderen om me heen. Ik voelde me net een circusdier en had het liefst heel hard willen huilen. Ik wilde hier niet wonen, tussen alle norse mensen die voor ons zorgden. Ik wilde geen droog brood eten, of naast een stuk of tien andere kinderen slapen op een harde matras. Ik wilde alleen maar naar huis. Ik wilde dat alles weer was zoals vroeger.

'Hoe loop je weg?' fluisterde ik tegen de jongen. Ik werd al bang toen ik eraan dacht. Ik deed nooit stoute dingen. Ik wilde niemand kwetsen, maar ik hield het gewoon niet uit in dat vreselijke oord.

Er klonk gelach, gevolgd door stilte. 'Je loopt niet weg,' fluisterde de jongen terug, en hij keek me aan met ogen zo zwart als kooltjes. 'Je kunt nergens naartoe.'

Later kregen we allemaal een taak. Twee grote meisjes moesten helpen met de afwas, en een paar andere kinderen moesten de bedden in slaapzaal B afhalen en de lakens naar de wasserij brengen. Twee jongens kregen bezems om de eetzaal te vegen en daarna moesten ze schoenen poetsen. De lange magere dame die de taken verdeelde, droeg de rest van de groep op om te gaan douchen en tanden te poetsen en gebaarde met haar hand dat ze op moesten schieten. Dat deed ik thuis elke dag. Waarom klonk het hier dan zo kil, zo naar, zo wreed?

'Ik wil naar mijn papa,' zei ik toen ik nog als enige op de bank zat. Ik zou hem vertellen hoe vreselijk het hier was.

De magere vrouw ging naast me op haar hurken zitten. 'Hé, Orphan Annie,' zei ze met een glimlach. 'Heb je spierballen?'

Ik schudde mijn hoofd. Was zij ook aardig, net als Miss Maddocks?

'Die heb je hier wel nodig, hoor.' Ze kneep zacht in mijn bovenarm. 'Jeminee, ik kan voelen hoe sterk je bent. Wil jij me misschien helpen om brandhout te halen, zodat we de haard kunnen aansteken?'

Ik haalde mijn schouders op. Ik wilde helemaal niets, behalve naar huis.

'Kom op, niet zo sip kijken. Je wilt je vader straks toch kunnen vertellen hoe goed je hebt geholpen?' Met haar vinger tilde ze mijn kin op.

'Goed,' zei ik. Ik liet me van de bank glijden en liep achter haar aan. Ze leek me heel aardig. 'Mag ik de lucifer afstrijken?'

'Natuurlijk mag dat.' Ze vertelde me dat ze Patricia heette. 'Ik werk hier als Miss Maddocks naar huis is.'

'Mogen jullie naar huis?' Ik bleef staan. Dat was niet eerlijk.

Patricia lachte. 'Natuurlijk. Ik heb een zoon. En Miss Maddocks moet haar katten voeren.'

'Maar als iedereen naar huis is, wie zorgt er dan voor ons?' vroeg ik een beetje bang. Ik moest er niet aan denken dat de oudere kinderen de baas over ons zouden spelen. De meesten waren aardig tegen me geweest, maar er waren er ook een paar die ik niet vertrouwde.

'Dat gebeurt nooit,' verzekerde Patricia me. 'Er heeft altijd iemand dienst en sommige verzorgers wonen hier.'

Mijn schouders zakten omlaag. We waren door allerlei gangen gelopen, een stenen trap af en door een immens grote kelder, totdat we in een kleine ruimte kwamen waar het naar een nat bos en mos rook.

'Hier slaan we hout en kolen op,' kondigde Patricia aan. 'Het is vandaag ijskoud, dus ik vind dat we een lekker vuur nodig hebben.' Ze grijnsde alsof het allemaal best meeviel. Ik pakte een klein mandje van haar aan. 'Zoek jij maar kleine takken bij elkaar. Je mag het mandje naar boven brengen en het hout in de haard leggen.'

Ik deed wat me werd gezegd, en een uur later zat een hele groep kinderen rond de enorme stenen haard in de warme gloed van het vuur. Om de een of andere reden voelde ik me trots, misschien zelfs een beetje warm vanbinnen. Patricia had me voorgedaan hoe ik proppen moest maken van krantenpapier, en ik had de lucifer afgestreken en het vlammetje bij het papier gehouden. Zo had het aanmaakhout vlamgevat, en al snel knapten er grote houtblokken op het rooster. Ik staarde in de vlammen, gefascineerd door insecten die in paniek uit het hout kropen.

'Denk je dat zij ook een nieuw huis krijgen?' vroeg ik aan de jongen naast me. We hadden een koekje gekregen en ik zoog op het mijne om er zo lang mogelijk mee te doen. De jongen haalde zijn schouders op alsof ik gek was.

Maar ik voelde me helemaal niet gek. Ik voelde me ook geen wees Orphan Annie, of Assepoester, zoals een paar oudere meisjes me hadden genoemd omdat ik had geholpen met het vuur. Nee, ik barstte van nieuwe hoop, voornemens, en een levenslust die ik heel lang niet meer had gevoeld. Die dag, die ene dag, had ik het gevoel dat alles goed zou komen. Ik voelde het in mijn buik, in mijn botten en ik kon het zelfs proeven. Ik moest het alleen nog tien jaar volhouden voordat het zover was.

11

Zelfs in de regen zag Mick de deuk. Vanuit het raam zag Nina dat hij achter haar auto bleef staan, zich vooroverboog en met een vinger over de carrosserie streek voordat hij doorliep naar de straat om een vuilniszak in de volle container te gooien. Nogmaals bleef hij staan; hij fronste zijn wenkbrauwen, knipperend tegen de regen, en bekeek haar auto van alle kanten om zeker te weten dat hij zich niet vergiste.

'Stik,' mompelde Nina. Haar adem condenseerde op het raam van het washok.

Toen ze Mick met zijn voeten op de deurmat hoorde stampen, verzamelde ze het strijkwerk, dat nog warm was van de wasdroger.

'We moeten meer recyclen,' zei hij terwijl hij zijn handen waste.

Nina legde het wasgoed op de keukentafel en haalde de strijkplank. 'Vind je?' Misschien zou hij niets zeggen van de auto. Ze wist niet precies waarom ze het hem niet had verteld. Mick zou het begrijpen. Er gebeurden nu eenmaal ongelukjes. Ze stak de stekker van de strijkbout in het stopcontact en sorteerde het wasgoed.

'De container zit helemaal vol. Er zijn vast wel dingen die we apart naar...'

'Dat doe ik al,' viel Nina hem bits in de rede. 'Ik ga elke week naar de glasbak en de papierbak. Blikjes, karton, kleding, plastic. Ik recycle het allemaal.'

Mick liep heen en weer door de keuken en vroeg zich af wat zijn vrouw opeens bezielde. Met woeste gebaren liet ze het strijkijzer op de kledingstukken neerkomen, zodat ze meer nieuwe kreukels maakte dan bestaande gladstreek.

'Ik ben niet boos,' zei hij uiteindelijk. Nina keek op en het strijkijzer bleef in de lucht hangen. 'De auto,' voegde hij eraan toe.

'O,' zei ze somber. 'Ik... ik...'

'Je wist niet hoe je het me moest vertellen?'

Nina knikte als een klein meisje. Gelukkig viel haar haar naar voren om haar leugen te verbergen. Ze had Mick ook niet van de rommel in het theater verteld.

'Ik ga straks wel even langs de garage. We hebben een schatting van de schade nodig voor de verzekering.' Mick schonk water in de theepot.

'De verzekering?' Nina drukte uit alle macht op de hete strijkbout. 'Hebben ze dan geen proces-verbaal nodig van de politie?'

Mick draaide zich om, de dampende waterkoker nog in zijn hand. 'Politie? Jezus, Nina, wat heb je gedaan? Iemand overreden?'

Ze schudde zo heftig haar hoofd dat haar hersenen er pijn van deden. 'Nee, natuurlijk niet. Ik heb een lantaarnpaal geraakt toen ik... toen ik inparkeerde.' Geschrokken tilde ze de strijkbout op toen ze een brandlucht rook. Er zat een driehoekige schroeiplek op Josies nieuwe T-shirt. De plastic opdruk was gesmolten en kleefde aan de strijkbout. 'O, nee,' kreunde ze. 'Josie vermoordt me.'

Nina voelde dat de strijkbout uit haar hand werd getrokken. Mick hield het T-shirt omhoog en lachte. 'Wat staat er nu?'

Nina staarde naar de tekst. In plaats van I'M AN ACCIDENT WAITING TO HAPPEN stond er nu: I'M AN ANT WAITING TO HAPPEN. Ze moest er ook om lachen. 'Ze was er zo blij mee. Zij en Natalie hebben er een paar dagen geleden allebei een gekocht.' Ze stopte het shirt in de afvalbak. 'Ik koop wel een nieuw, dan merkt ze het niet eens.'

'En maak je maar geen zorgen over je auto,' zei hij, onderweg naar zijn atelier om aan het werk te gaan. 'Ik regel het wel.' Hij knipoogde naar haar en deed de deur achter zich dicht.

Nina's opgetrokken schouders zakten weer omlaag. Ze pakte het telefoonboek en zocht het nummer op van de winkel waar Josie het shirt had gekocht. Een verkoopster verzekerde haar dat het T-shirt er nog was en Nina haalde opgelucht adem.

'Ik vind dat ik het je moet laten weten,' zei Laura door de telefoon, vlak nadat Nina had neergelegd.

'Wat?'

'Ik bespioneerde ze niet echt.'

'Jeetje, Laura, vertel me gewoon wat er is.'

'En ik hou ook niet van klikken, maar het zijn onze dochters, en ik weet hoe jij over deze dingen denkt.'

'Laura, zég het gewoon.'

'Ze waren in Nats kamer, Nien. Op die stomme laptop die Tom haar heeft gegeven. Ze waren compleet hysterisch. Ik liep toevallig langs, dus ik bleef staan om te luisteren. De deur stond op een kier, maar ik kon niet veel zien. Nat rolde over haar bed met een kussen in haar armen, en Josie zat naast haar. De laptop stond tussen hen in.'

'Ga verder.'

'Nat zei tegen Josie: "Hij wilde dat je je kleren uittrok?" Ik kreeg de indruk dat ze het hadden over iets wat Josie haar net had verteld.'

'Ja?' zei Nina toonloos.

'Ze gierden het uit. Ik had tegen ze gezegd dat ik weg zou gaan, dus ze dachten dat ze alleen waren. Nou, Josie zei tegen Nat dat er niets was gebeurd. Ze zei dat hij boos was geworden en had uitgelogd, of zoiets.' Laura zweeg even. 'Toen zijn ze weer op die stomme site gegaan. Ik moet toegeven dat het Nats idee was, de kleine kattenkop. Josie zei dat ze jaloers was op haar laptop. Nat vertelde hoe makkelijk je dat ding 's avonds onder de deken kunt verbergen.'

'O nee,' kreunde Nina. Hoe vaak had Josie haar laptop onder de dekens verstopt?

'Kennelijk is Nat veel vaker op internet dan ik dacht. Ze denken zeker dat we stom zijn.' Dat was precies hoe de beide vrouwen zich op dat moment voelden.

'Enfin,' vervolgde Laura met een zucht, 'ze waren duidelijk op Afterlife. Nat vond dat Josies personage opgeleukt moest worden, "niet zo tuttig", zoals Nat het noemde.' Nina was blij dat Laura altijd eerlijk toegaf dat Nat erg bazig kon zijn. 'Ik kreeg de indruk dat Nat haar gang ging met Josies personage. Ze trok haar uitdagende kleren aan en liet haar rondlopen zodat iedereen haar kon zien. Ze had arme Josie zelfs een paar grote borsten gegeven. Wacht maar tot ze vanmiddag thuiskomt.'

Nina kon zich niet voorstellen dat haar dochter het fijn vond dat Nat zich op die manier met haar bemoeide. Maar toen dacht ze aan de chat die ze op haar computer had gelezen en aan wat Mick zou zeggen. 'Het zijn gewoon kinderen, Laura.'

'Er dook een jongen op, duidelijk iemand op wie Josie smoorverliefd is, want ze werd knalrood.'

'Heette hij toevallig Griff?'

'Inderdaad.' Laura bleef even stil, verbaasd dat Nina dit wist. 'Ik moet zeggen dat Josie zich er geen raad mee wist. Volgens mij vond ze het wel leuk wat er door haar nieuwe look gebeurde, maar ook doodeng.'

'Echt waar?' Nina vroeg zich af waarom. Alle tienermeisjes vonden het leuk om met jongens te flirten. Ze was immers vijftien.

'Ik wist wat ze schreven, want ze lazen het elkaar hardop voor. Die Griff flirtte duidelijk met Josie. Hij vroeg zelfs of ze bij hem langs wilde komen.'

'Wat?' vroeg Nina geschrokken.

'Rustig. Hij bedoelde zijn huis in Afterlife.'

Dat is net zo erg, dacht Nina.

'Toen ze erheen ging... Tja, ik weet niet precies hoe het werkt met dat spel, maar je bent ineens in iemands kamer met allemaal persoonlijke spullen. Nou goed, ze ging erheen, en de meisjes gierden van het lachen, terwijl ze tegelijkertijd gechoqueerd waren.'

Nina slikte.

'Ik hoorde Nat zeggen dat het net een sm-kelder was, helemaal in zwart en rood, gothic of emo. Ik kreeg de indruk dat Josie bang was, maar nu komt het – en je zult trots op haar zijn – ze vertrouwde het niet. Ze twijfelde of die kamer wel van die jongen was.'

'O Laura, ik weet niet wat ik moet zeggen. Een of andere griezel kan makkelijk met twee meisjes gaan chatten.' Nina ging zitten.

'Ze dachten dat het een heel andere persoon was, en Josie ging hem testen om te weten of het echt die Griff was. Ze luistert duidelijk naar je waarschuwingen.'

'Dan snap ik niet waarom je het me vertelt, Laura. Ik vind het niet fijn dat Josie dat spel speelt, maar zo te horen gaat ze er heel verstandig mee om.'

'Daar bel ik ook niet over,' zei Laura.

'O?'

'Nat kreeg er genoeg van dat Josie niet met die jongen wilde flirten. Ze stormde de kamer uit om iets te drinken te halen. Ik kon net op tijd wegduiken in de logeerkamer. Toen Nat weg was, heb ik door de kier naar Josie gekeken. Ze zag me niet, maar ze huilde. Ze snikte het uit en praatte hardop tegen zichzelf. "Nu wil niemand me meer," zei ze, en daar voegde ze nog aan toe dat ze zichzelf haatte.'

Nina bedankte Laura met tranen in haar ogen en hing op. Ze greep de rand van de tafel zo krampachtig beet dat haar knokkels wit werden en vroeg zich af wat er in het hoofd van haar dochter omging.

12

De rector is volstrekt voorspelbaar. Zijn appartement in de westelijke vleugel van Roecliffe Hall is ingericht zoals je zou verwachten – bruin tapijt, porseleinen siervoorwerpen op de schoorsteenmantel, een tijdschriftenrek met een stuk of tien nummers van *Country Life*.

Geoffrey Palmer is de ideale persoon om Roecliffe Hall School for Girls de komende twintig jaar te leiden. Hij heeft geschiedenis gestudeerd in Oxford. Hij is bestuurslid van een andere kostschool, voorzitter van een aantal liefdadige instellingen en een gelovig christen. Elk jaar gaat hij op safari in Afrika. Hij maakt een uitstekende indruk op de ouders, is streng maar zorgzaam voor het personeel en is populair bij de meisjes, niet in de laatste plaats omdat hij elke vrijdag een film laat zien. Een keer per maand nodigt hij de meisjes uit de zesde klas in zijn eigen appartement uit voor een avondje horrorfilms.

'Interessant', zeg ik als hij me een kop thee aangeeft, en ik gebaar naar de muur. 'De foto's', verduidelijk ik.

'Gambia, 2004', zegt hij trots. 'En dat is Kenia. Zimbabwe en Tanzania, en het Kruger National Park.'

'Indrukwekkend', zeg ik, denkend aan de liefdadige instellingen die hij steunt. Er is een foto waarop hij tussen een stuk of tien Afrikaanse kinderen in staat, broodmager en allemaal met uilenogen. Palmer grijnst onder een safarihelm.

'De reden dat ik u wilde spreken, Miss Gerrard', vervolgt hij, 'heeft met uw functieomschrijving te maken.'

Mijn hart blijft geschrokken stilstaan. 'O? Ik doe toch niets verkeerd, hoop ik?'

'Integendeel, Miss Gerrard. Ik hoor van Sylvia dat u voorbeeldig voor de meisjes zorgt, en daarom hebben we besloten dat we het vak M & G willen uitbreiden.'

Ik staar hem aan.

'Mens en gezondheid,' legt hij uit. 'Maatschappelijke en sociale kwesties, hygiëne, persoonlijke zorgen die ze misschien hebben. Dat soort dingen.' Hij kijkt weg, duidelijk gegeneerd over de aard van dat soort zorgen. 'Hoe dan ook, wij denken dat u geknipt bent om die lessen te gaan geven. We hebben wel iemand die het zou kunnen doen, maar zij heeft het erg druk met de sportclubs. Lijkt het u wat?'

'Ik weet niet of...' Ik neem een slok thee om te bedenken hoe ik het moet zeggen. 'Ik weet niet of ik wel de aangewezen persoon ben, Mr. Palmer, al ben ik gevleid dat u me ervoor vraagt.' Wat weet ik nou helemaal van tienermeisjes? Waar ziet hij me voor aan?

'Ik geloof dat u me niet begrijpt, Miss Gerrard.' Mr. Palmer glimlacht, maar duidelijk niet van plezier. 'Ik vraag u niet of u het wilt doen.' Zijn ijsblauwe ogen kijken me priemend aan. 'We zitten te springen om uw hulp.'

Ik adem in om een hik te smoren. 'Juist.' Zoals ik daar zit, starend naar Mr. Palmer, in zijn kamer, de manier waarop hij me aankijkt, lijkt er iets te gebeuren in mijn borstkas. Strakke banden van angst omsnoeren mijn ribben, waardoor het moeite kost om adem te halen. Ik grijp de rand van de tafel beet. Spreken is een hele inspanning, maar uiteindelijk komen er een paar woorden uit mijn droge keel.

'Ken ik... ken ik u?' Het is zijn huid, dun als papier. Die ronde rug; die blik, waarmee hij mijn hoofd omcirkelt als het licht van een vuurtoren.

Snel, voordat hij antwoord kan geven, verander ik van onderwerp. Ik wil niet weten of ik hem ken, want als ik hem ken, kan ik hier niet blijven. En ik kan nergens anders naartoe. 'Denkt u echt dat ik het kan?' vraag ik. 'Moet ik niet eerst een of andere cursus volgen?' Zijn blik is ondoorgrondelijk.

'U bent precies wat de meisjes nodig hebben, Miss Gerrard,' zegt hij na een hele tijd. 'U bent jong genoeg om ze aan te spreken, maar wel op een leeftijd dat ze tegen u op kunnen kijken.' Palmer glimlacht, blij dat het is geregeld. 'U bent de ideale moederfiguur,' voegt hij eraan toe. Hij gaat staan, wil duidelijk dat ik wegga, al heb ik mijn thee nog niet op.

'Mooi,' zegt hij als ik blijf zitten.

'Goed dan,' antwoord ik terwijl ik langzaam ga staan. Het bloed is weggetrokken uit mijn hoofd. 'Ik doe het.'

'U hoeft niet bang voor ze te zijn, Miss Gerrard. Het zijn gewoon tienermeisjes.'

'Ja,' zeg ik en ik loop naar de deur. Er is geen enkele reden om bang te zijn.

Ik zie de laptop voordat ik hem zie. Er zit een sticker op, en als ik langsloop, zie ik dat het de Australische vlag is. De computer staat op de rand van de receptiebalie, en Adam staat er anderhalve meter bij vandaan, met zijn rug naar de hal. Hij is weer met dat meisje uit de vijfde. Opeens brengt hij zijn handen omhoog en maakt hij een wild gebaar, alsof hij de slotmaten van een symfonie dirigeert.

'Doe me een lol, Katy, niet wéér! Genoeg is genoeg.'

Ik ga langzamer lopen, mijn oren gespitst, en ik doe alsof ik naar het werk van de leerlingen kijk op het prikbord. Ik hoor het meisje op verbitterde toon antwoorden: 'Denkt u maar niet dat u zo makkelijk van me afkomt, Mr. Kingsley.' Als ik me omdraai zijn ze weg, ik hoor alleen nog de echo van hun voetstappen. Adam heeft zijn laptop laten staan.

Ik zweer dat de route is veranderd, dat dit gebouw dagelijks verandert, een draai maakt op de fundering, kreunend een verbouwing ondergaat, alsof er elke nacht spookachtige bouwvakkers aan het werk zijn om muren en deuren te verplaatsen en gangen toe te voegen aan het toch al gecompliceerde netwerk. Op zoek naar Adams kamer loop ik een paar keer verkeerd. Ik klop, en opeens staat hij pal voor me, alsof hij achter de deur heeft staan wachten. Met beide handen omklemt hij krampachtig de deur. Blossen op zijn wangen steken felrood af tegen zijn bleke huid en zijn ogen zijn bloeddoorlopen.

'Ben je weer beter?' De laatste keer dat we elkaar spraken, was toen het virus door de school waarde en ik hem naar zijn kamer bracht. De meeste meisjes zijn inmiddels weer beter.

'Ja hoor,' zegt hij. Zijn onderkaak trilt.

'Kijk,' zeg ik om de lange stilte te verbreken, 'deze heb ik gevonden. Hij is toch van jou?' Ik steek mijn handen met de computer naar hem uit.

Adam zet ogen als schoteltjes op en kijkt over zijn schouder naar het bureau onder het raam van zijn kamer. 'Ja. Ja, die is van mij. Waar heb je hem gevonden?' Hij grist de laptop uit mijn handen.

'Je hebt hem een minuut of tien geleden op de receptiebalie laten staan.'

Ik kan zien dat hij koortsachtig nadenkt, zich misschien wel afvraagt of ik in die korte tijd documenten heb bekeken. 'Bedankt,' weet hij uit te brengen. 'Heel attent van je.' Hij doet de laptop open en weer dicht.

'Ik heb nergens naar gekeken, mocht je daar bang voor zijn. Ik wilde je alleen een plezier doen. Je had daarnet je handen vol aan dat meisje.'

Adam doet de deur bijna helemaal dicht. 'Ik heb het onder controle,' zegt hij toonloos. 'En nogmaals bedankt.'

Ik leg mijn hand tegen de deur. 'Van nu af aan geef ik het vak mens en gezondheid,' zeg ik. 'Als er een probleem is, als ze met iemand wil praten, zeg dan tegen haar dat ze bij mij terecht kan.'

Adam knikt en doet de deur dicht.

13

Er werden griezelverhalen verteld. Als je stout was, werd je 's nachts meegenomen door de boze gremlin uit het bos. Die kwam zonder waarschuwing. Je kon niet ontsnappen, je kon je niet verzetten. Je moest je laten meenemen. Een jongen zei dat hij had gezien dat de boze gremlin drie nachten achter elkaar hetzelfde kleine meisje was komen halen, een meisje dat weigerde te praten of te eten. De derde nacht was ze niet meer teruggekomen naar de slaapzaal. Een ander meisje zei dat ze de boze gremlin had gezien met een groene kap over zijn hoofd, en dat hij spuugde en blies toen hij door de slaapzaal liep om te zien wie er het stoutst was geweest.

Een ander kind vertelde over een duivel die op de vensterbank was gesprongen en met zijn lange nagels tegen het glas had getikt. Het eerste kind dat zijn ogen opendeed en de kleine duivel zag, werd meegenomen en gemarteld en pas 's ochtends teruggebracht, meer dood dan levend.

Weer anderen smoesden over een vampier. Een van de jongens vertelde huilend dat zijn broer hem had gesmeekt om hem te redden uit de handen van de kwelduivels die hem kwamen halen. In het donker werd er over slechte oude vrouwen gefluisterd, er waren geruchten over moordenaars, spoken en inbrekers, en er werden grappen gemaakt over het spook van Roecliffe Hall.

Ik zei altijd dat ze niet zo stom moesten zijn, dat ze hun mond moesten houden, dat ik aan Miss Maddocks of Patricia zou vertellen wat ze allemaal zeiden. Ik vroeg of ze wel wisten dat de verzorgers de verhalen verzonnen om te voorkomen dat de kinderen stout zouden zijn.

Ik had er genoeg van. Ik ging op mijn bed staan en schreeuwde zo hard ik kon. We zouden nu allemaal in de badkamer moeten zijn.

Een stuk of tien kinderen hielden op met klieren, en voor het eerst sinds ik in het tehuis was trok ik de aandacht. Ze keken naar me, kletsten niet langer en luisterden naar me. Daarvoor was ik een stille muis geweest; nadat de opwinding over mijn komst was verstomd, had niemand meer een woord aan me vuilgemaakt.

'Het is niet waar,' zei ik. Ik kreeg een droge mond toen ik zag dat ze allemaal naar me keken. 'Monsters en geesten bestaan niet.' Mijn wangen gloeiden. Ik wilde het liefst door mijn bed zakken, door de vloer eronder, en in het hart van de aarde verdwijnen.

'Wie zegt dat?' vroeg een jongen die wat ouder was dan ik. Hij had me op mijn eerste ochtend zijn broodje gegeven.

Met mijn handen in mijn zij en mijn kin in de lucht ging ik verder. 'Mijn vader zegt dat monsters niet bestaan.' Ik snoof. Zo te zien luisterden ze allemaal naar me. 'Toen mijn moeder doodging, was ik 's nachts altijd bang. Ik dacht dat er monsters zouden komen om me mee te nemen.'

'Kwamen ze?' vroeg Sally, een meisje met vlechten.

Ik haalde mijn schouders op. 'Nee, ik zag alleen hun schaduwen op de trap.'

'Zo gaat het hier ook,' zei een ander meisje. Ze was jonger dan ik, maar ze droeg de kleren van een vrouw. 'Ze wachten tot we slapen.'

Ik ging naast haar op mijn hurken zitten en voelde me opeens veel ouder dan ik was. 'Als je niet in ze gelooft, zijn ze ook niet echt. Ze komen pas door onze gedachten en onze angst tot leven.'

'Echt waar?' vroeg ze. Ze had mooie ogen, zacht en bruin, en haar huid had de kleur van zand.

Ik pakte haar hand. 'Echt waar. Monsters worden door grote mensen verzonnen.' Snel keek ik om me heen naar de andere kinderen. Ze waren heel stil. Iemand hoestte en een ander kind schoof met zijn voet over de vloer. 'Als je niet in ze gelooft, kunnen ze ook niet komen.'

'Probeer dat Keith Bagwood maar eens wijs te maken,' riep iemand. 'Vorige week is hij meegenomen door de boze gremlin en hij is nooit meer teruggekomen.'

'En als ze wel terugkomen, willen ze er niet over praten omdat ze te bang zijn.' Opeens klonken er van alle kanten protesten. 'Ik hoop dat ze jou komen halen, juffertje weetal.' De kinderen waren het met elkaar eens, en ze noemden mij stom, ze trokken aan mijn haar en knepen me.

'Ik ga het vertellen, hoor!' kermde ik, maar ze luisterden niet.

De gemene kinderen dansten om me heen en jouwden me uit. 'Klikspaan, boterspaan, je mag niet door m'n straatje gaan. 't Hondje zal je bijten!'

Ik kreeg tranen in mijn ogen. Toen kwam Patricia binnen; ze klapte twee keer luid in haar handen en de kinderen dropen af naar de badkamer.

Hadden ze dan toch gelijk? Had mijn vader tegen me gelogen toen hij zei dat monsters niet bestonden als ik niet in ze geloofde? Hij had ook beloofd dat hij elk weekend zou komen en dat was net zo goed gelogen. Ik liet me voorover op mijn bed vallen en begroef mijn hoofd in het dunne kussen. Terwijl ik zelf snikte, snoof ik de geur op van al het verdriet dat de kinderen voor mij in dit kussen hadden gesmoord.

'Ava,' zei Patricia. Haar warme hand streek troostend over mijn rug. 'Waarom huil je?'

Langzaam tilde ik mijn hoofd op van het vochtige kussen. 'Ze zeggen dat er monsters zijn,' zei ik tegen haar. 'Dat er 's nachts monsters komen.'

'Wat zeg je nou voor malle dingen! Denk je nou echt dat ik jullie door monsters pijn zou laten doen?' Patricia was een van de aardige verzorgers. Ze rook naar abrikozen en de huid van haar hand voelde zacht toen ik mijn hand in die van haar schoof.

'Nee,' antwoordde ik op haar vraag. Ze was mijn moeder niet, maar misschien kon ik doen alsof.

'We doen 's nachts alle ramen en deuren op slot. Niemand kan naar binnen. Je bent hier veilig, Ava. Daarom heeft je vader ons gevraagd of wij voor je wilden zorgen.'

Mijn stem trilde. 'Mijn vader zegt dat er geen monsters zijn als je er niet in gelooft. Dat heb ik tegen de andere kinderen gezegd.'

'Je vader heeft helemaal gelijk,' zei Patricia glimlachend. Ze boog zich naar voren en drukte een kus op mijn hoofd. 'Je bent een lieve meid, Ava. Knoop maar goed in je oren wat je vader heeft gezegd, dan komt het allemaal goed. En als er nare dingen gebeuren, kom je het me vertellen.'

Ik fronste mijn wenkbrauwen. 'Klikken is slecht,' zei ik. 'Ze zeiden dat 't hondje me zou bijten.'

Patricia schudde glimlachend haar hoofd, zo mal vond ze mijn angst. 'Nu moet je je tanden gaan poetsen. Het is bedtijd.' Ze trok me aan mijn hand overeind, en ik dribbelde achter haar aan naar de koude badkamer, waar de andere meisjes hun gezicht afdroogden.

'Vort met jullie!' zei ze, en de meisjes in hun witte nachtjaponnen fladderden als spoken op blote voeten weg. 'Doe er niet te lang over,' zei Patricia nog voordat ze wegliep.

Heftig schudde ik mijn hoofd. Ik had ijskoude voeten en begon van top tot teen te bibberen. Ik kon niet meer ophouden. Ik geloof niet in monsters... ik geloof niet in monsters... ik geloof niet in monsters... Eindeloos ging het door mijn hoofd terwijl ik mijn klapperende tanden poetste.

Toen ik de handdoek tegen mijn mond drukte, toen er een schaduw langs de deur schoof, toen ik een vreemde geur opving, begon het me te dagen: als je ergens niet in geloofde, moest het er eerst zijn geweest.

14

Nina liep tussen de caravans en woonwagens door, waarbij ze om modder en plassen heen stapte. Knipperend tegen de al dagen aanhoudende motregen zocht ze nummer negentien. Enerzijds wilde ze het liefst zo hard mogelijk wegrennen, anderzijds werd ze nog steeds gefascineerd door wat er in de haven was gebeurd met de raadselachtige man en zijn schilderwerk.

Sommige onderkomens waren niet meer dan oude metalen containers met een merkwaardig versierde buitenkant – hoefijzers, schilderingen in felle kleuren, meubels die buiten in de regen stonden. Woonden hier zigeuners of reizigers, vroeg Nina zich af. Een aantal van de caravans stond duidelijk leeg, of dat dacht ze tenminste, totdat er een deur opening en een man met ontbloot bovenlijf en een smerige spijkerbroek naar buiten wankelde. Hij liep naar een struik en urineerde. Nina keek gechoqueerd weg.

Uiteindelijk vond ze nummer negentien. Ze aarzelde voordat ze op de deur van golfplaat klopte. Haar hart bonsde. Wat deed ze hier in haar eentje op zo'n afgelegen plek? Toch trok ze haar regenjas over haar hoofd zodat ze niet helemaal als een verzopen kat voor hem zou staan. Terwijl ze stond te wachten, vroeg ze zich af wie er op zo'n troosteloze plek woonde, en ze wist eigenlijk niet of ze zo iemand wel wilde ontmoeten. Maar toen dacht ze aan haar eigen situatie – als assistent-visagiste schraapte ze net genoeg geld bij elkaar voor een kamer boven een snackbar in een haveloze buitenwijk van de stad – en die leek opeens niet veel beter.

De deur bleef dicht, en Nina haalde haar schouders op en draaide zich om. Kennelijk zat een tweede ontmoeting met de man uit de haven er niet in. Jammer dan. Maar ze had nog geen twee stappen op het modderige pad gezet of ze botste zo ongeveer tegen hem op, alsof hij daar de hele tijd had gestaan en naar haar had gekeken terwijl zij kletsnat werd en zich teleurgesteld omdraaide toen ze dacht dat hij niet thuis was.

'O,' zei ze glimlachend. 'Daar ben je.'

'Hier ben ik,' beaamde hij met zijn welluidende stem. Hij droeg een zwart shirt en een spijkerbroek en was nog natter dan Nina. Het krullende haar waar Nina zo vaak aan had teruggedacht droop en plakte aan zijn voorhoofd. Zijn irissen deden denken aan een blauwzwarte inktvlek op een helder wit doek. Zelfs in deze toestand veroorzaakte hij een trilling diep in Nina's borst.

'Mijn broek,' kondigde ze aan, en ze hield een plastic zak omhoog. Ze voelde zich volmaakt belachelijk.

'Echt waar?' Hij was dolblij. 'Ik laat hem inlijsten.' Met een uitnodigende glimlach keek hij haar aan terwijl hij de deur van zijn caravan openmaakte. 'Let maar niet op de rommel,' waarschuwde hij.

Nina snoof een typische mannengeur op, vermengd met verf. Toen haar ogen begonnen te wennen aan het halfdonker in de kleine rechthoekige ruimte, zag ze overal waar ze keek verftubes, kwasten, schetsen en half beschilderde doeken. Jampotten met een troebele vloeistof stonden op een plank, en wat een bed zou kunnen zijn lag bezaaid met tijdschriftenknipsels, foto's van bijzondere luchten en portretten. Snel verzamelde hij een aantal foto's – ze meende een naakt te zien – en hij deed ze in een map. Hij klopte op de plaats die hij voor haar had vrijgemaakt, maar ze bleef staan.

'Jeetje,' zei ze zo ongeveer sprakeloos, 'dit is... dit is...' Ze kon er geen woorden voor vinden. 'Ik heet trouwens Nina.'

Als zijn omgeving iets zei over zijn innerlijk, vond Nina hem nog fascinerender. Ze vermoedde een duistere maar creatieve geest, trots maar niet ontoegankelijk. Waarschijnlijk sprak hij soms dagenlang met niemand, en ging hij dan geheel op in zijn werk, als een bevlogen kunstenaar die het ene prachtige schilderij na het andere maakte.

'Mick.' Hij stak zijn hand naar haar uit.

'Ik weet het.' Nina legde haar hand in de zijne, en Mick bleef haar vasthouden alsof hij zo haar levensverhaal te weten kon komen. 'Je had het opgeschreven, weet je nog?'

Nina slaakte een stille zucht. Op dit punt werd het altijd lastig, na het uitwisselen van namen. Meestal haakte ze hier zo snel mogelijk af; ze vond het moeilijk om vrienden te maken, haar hele leven al.

'Ik dacht dat je me je broek zou opsturen,' zei Mick met een uitgestreken gezicht. Wilde hij dat ze zou opbiechten dat ze nieuwsgierig was, dat ze hem nog een keer had willen zien?

'Ik was toevallig in de buurt en...'

'Niemand is hier toevallig in de buurt. Ingleston Park staat niet eens op de kaart.' Mick gebaarde nogmaals dat ze moest gaan zitten.

'Oké, ik geef het toe. Ik wilde je zien. Ik hou van kunst. Ik wilde weten wat je nog meer schildert, afgezien van mijn been.' Dat was geen regelrechte leugen, maar het was evenmin de hele waarheid. Na hun ontmoeting in de winderige haven was ze geïntrigeerd geraakt door deze man en zijn werk. Hij zag dingen die andere mensen niet zagen. Dat vond ze leuk. In feite was ze zelf verbaasd dat ze zich door haar belangstelling helemaal hierheen had laten leiden.

'Alsjeblieft.' Ze gaf hem de plastic tas aan.

Meteen haalde Mick de broek eruit. 'Precies zoals ik het me herinner,' zei hij. 'Al zijn de kleuren niet meer zo opvallend nu de verf droog is.' Het was waar. Van de heldere tinten zeegroen vermengd met somber grijs die zo'n opvallend palet hadden gevormd tegen de donkere stof, was nu alleen nog maar een poederachtige vlek over. 'Bedankt.'

Nina haalde haar schouders op. Hier in de caravan leek Mick ouder dan ze had gedacht, acht of tien jaar ouder dan zij. Die dag in de haven had ze eigenlijk niet bij zijn leeftijd stilgestaan en alleen opgemerkt dat hij een ongewone man was met wild haar die in de ban was geweest van de verf op haar broek.

'Koffie?' vroeg hij.

Zijn glimlach toverde nieuwe rimpeltjes in zijn verweerde gezicht. Zijn ogen glinsterden, hoewel ze er ook een donkere schaduw in meende te zien. Was het verdriet? Tegelijkertijd besefte ze dat ze hem waanzinnig aantrekkelijk vond.

'Nee, bedankt, ik ga er weer vandoor. Ik moet morgen om vijf uur 's ochtends op de set zijn.' Het lukte haar niet om de eerste stap naar de deur te zetten.

Mick keek op zijn horloge en lachte. 'Je gaat toch niet om twee uur 's middags naar bed?'

'Ik moet nog van alles doen.' Haar diepgewortelde argwaan jegens vreemden speelde op. Ze vond het al eng om iemand de hand te drukken en haar naam prijs te geven. Het was haar tweede natuur geworden om afstandelijk te zijn.

Aan de andere kant had ze er genoeg van om altijd onzichtbaar te zijn, om elke vorm van commitment angstvallig uit de weg te gaan. Was het nou echt zo erg, vroeg ze zich af, om iemand iets dichterbij te laten komen?

'Je hebt gelijk. Ik wil toch wel een kop koffie.' Ze ging op het puntje van het rommelige bed zitten, met haar handen verwachtingsvol gevouwen in haar schoot, en keek toe terwijl Mick twee bekers pakte. Ik wou, dacht ze, kijkend naar zijn schilderijen – spookachtige naakten, vaalbleke landschappen, onherkenbare vormen – dat ik een laag verf over mezelf kon uitsmeren, dat ik de genummerde vakjes kon inkleuren en iets heel anders van mezelf kon maken.

Tess, Nina's assistente, belde zo ongeveer elk uur op met vragen over het nieuwe contract. Ze maakte zich druk om kleinigheden terwijl er belangrijker zaken aan de orde waren, zoals bijvoorbeeld het contract zelf. Nina was al laat voor een afspraak met haar advocaat.

'Heb je het uitzendbureau gebeld, Tess? Bel ze alsjeblieft nu meteen, behalve als je zelf wilt leren hoe je zombies schminkt of wonden nabootst,' zei ze onnodig bits. 'Dat is nu het belangrijkst. Ik heb een betrouwbare en ervaren kracht nodig.' Ze hing op.

Met haar tas over haar schouder keek ze onderweg naar de deur vluchtig in de spiegel in de gang. Ze zag er vreselijk slecht uit. Slaapgebrek had diepe kringen onder haar ogen getekend en ze had zo veel koffie gedronken dat haar handen trilden. Stel je niet zo aan, zei ze tegen zichzelf voordat ze in haar auto stapte. Snel reed ze naar de advocaat.

'Het contract is prima in orde. U hoeft zich nergens zorgen over te maken.' Hij bracht honderden ponden in rekening, alleen maar om haar te vertellen dat het vijftien pagina's tellende document waterdicht was.

Ze knikte, blij dat Charterhouse Productions haar een eerlijke overeenkomst bood. 'Er staat dus niets in waardoor ik in de problemen kan komen?' Nina wilde waar voor haar geld. Deze ontvangst van zes minuten in een donker kantoor rechtvaardigde zijn honorarium niet. Hij had haar niet eens thee aangeboden.

'Niets. Tenzij u doodgaat,' zei hij luchtig. 'De verplichtingen voor uw bedrijf vervallen niet als u... als u iets mocht overkomen. U bent geen brokkenpiloot? U hebt geen dodelijke ziekte, neem ik aan?' De kleine man grinnikte en leunde achterover in zijn krakende bureaustoel. 'Want in feite bént u Chameleon FX. De kwaliteit van het werk hangt grotendeels af van uw vakkundigheid. Als u om wat voor reden dan ook het contract niet kunt nakomen... Enfin, ik neem aan dat u daarvoor verzekerd bent.'

'Ja, ja natuurlijk.' Nina dacht na. *Als u iets mocht overkomen.* 'Kunt u een clausule toevoegen waarmee ik me kan indekken? U weet wel wat ik bedoel, als er zomaar opeens een bus aankomt.' Ze probeerde te lachen, maar het klonk als een raar soort zucht.

'Ik kan een clausule opstellen en die voorleggen aan de opdrachtgever, als u dat wilt.'

'Graag. Ik wil dat Chameleon FX van alle verplichtingen wordt ontslagen als mij iets overkomt.' Mick was de directeur van haar bedrijf. Ze wilde niet dat hij in het ergste geval allerlei verplichtingen zou erven, naast een heel pakket aan leugens.

'Het zou kunnen dat Charterhouse een bepaalde schadeloosstelling eist...'

'Mr. Wenlock, ik neem aan dat ik voor die korte clausule moet betalen.' Nina ging staan. Haar hoofd tolde en de vloer leek onder haar voeten weg te zakken. Het voelde als het begin van een migraineaanval.

'Ik zal natuurlijk een klein bedrag...'

'Doet u dan alstublieft wat ik vraag en stel die clausule op. Als

Charterhouse bezwaren maakt, zullen we het hele contract nog een keer moeten doornemen.' Nina bedankte de man en vroeg hem om haast te maken.

Buiten liep ze in het felle zonlicht naar de parkeerplaats. Ze stond op het punt om de portieren te ontgrendelen, maar verstijfde toen ze zag dat het portier al open was.

Hoe kan dat nou, vroeg ze zich af. Ze dacht terug aan het moment dat ze haar auto had geparkeerd, en herinnerde zich heel duidelijk het piepje waarmee ze de portieren had vergrendeld. Of verbeeldde ze het zich alleen? Ze keek naar binnen. Zo te zien was er niets verdwenen. Haar jasje lag nog op de achterbank. De passagiersstoel was bezaaid met cd's. Zelfs haar tomtom lag nog op het dashboard. Die zou een dief zeker hebben meegenomen.

Het duizelde haar. *Begin ik gek te worden?*

Nina haalde haar telefoon uit haar tas. Ze zou naar huis bellen om Josie te vragen of alles goed met haar was en wat ze wilde eten, dan stond ze tenminste weer met beide benen op de grond. Haar handen trilden en ze drukte de verkeerde knopjes in. Misschien had ze iemand betrapt toen hij haar auto wilde stelen. Ze toetste het nummer nog een keer in, lopend over het parkeerterrein, en vroeg zich af of iemand haar in de gaten hield. De telefoon ging over, maar ze kreeg het antwoordapparaat. 'Josie, ben je thuis? Neem alsjeblieft op als je dit hoort. Josie? Bel me zo snel mogelijk.'

Vervolgens probeerde ze Josies mobiele telefoon. Voicemail. Natuurlijk.

Stel je niet aan, zei ze tegen zichzelf. Het was idioot dat ze zich zorgen maakte om Josie. Ze liep terug naar haar auto, stapte in en reed weg. Moest ze het bij de politie melden? Maar wat moest ze dan zeggen? Mijn auto was niet op slot, maar er is niets verdwenen. Waarschijnlijk had ze gewoon het portier niet afgesloten.

De rit naar de andere kant van de stad leek eeuwen te duren. Ze belde nog een paar keer naar huis, maar er werd nog steeds niet opgenomen. Het kon haar niet schelen als ze met een mobiele telefoon aan haar oor werd betrapt. O Josie, *Josie!* Neem nou toch op. Er schoten belachelijke gedachten door haar hoofd, terwijl ze wist dat er waarschijnlijk niets aan de hand was. Het was niet de eerste keer dat Josie te lui was om op te nemen.

Op de oprit trapte ze de rem in en ze rende naar de deur. Ze stak de sleutel in het slot en stormde naar binnen. 'Josie, ben je thuis?'

De zitkamer en de keuken waren leeg en vanuit de gang kon ze zien dat er ook niemand in de eetkamer was. 'Josie, waar ben je?' Elke traptrede voelde als een berg toen Nina naar boven stoof. De geur van doucheschuim, bodylotion en haarspray kwam haar tegemoet vanuit de badkamer en er hing nog stoom in de lucht. Kennelijk was Josie net onder de douche geweest en had ze de telefoon niet gehoord.

'Josie?' Nina viel zonder kloppen Josies kamer binnen. De gordijnen waren nog dicht en de gloed van het computerscherm verlichtte een hoek van de kamer. Toen haar ogen waren gewend aan het halfdonker, zag ze de gebruikelijke rommel. Josie was er niet.

Nina draafde weer naar beneden. In de keuken probeerde ze nog een keer Josies mobieltje te bellen. Haar hart klopte in haar keel en leek opeens een salto te maken. 'Godzijdank!' riep ze hardop uit. Ze rende door de achterdeur naar buiten, over het terras, het trapje af en recht in Josies armen.

'Jeetje, mam! Wat is er?' Josie was opeens de volwassene, terwijl Nina haar gezicht begroef in de zachte stof van Josies badjas. Josie was nog niet eens aangekleed.

'Niets. Laat maar. Ik ben een stomme paranoïde moeder.' Ze lachte en snufte tegelijk. Josie was gewoon thuis. Er was haar niets overkomen. En er zou haar ook niets overkomen, probeerde Nina zichzelf gerust te stellen. 'Ik had zo'n stom gevoel. Je hebt niets, daar gaat het om. Waarom nam je de telefoon niet op?'

'Sorry. Ik heb hem niet gehoord. Papa had me nodig in zijn atelier.' Ze fronste haar wenkbrauwen uit angst dat ze een standje zou krijgen.

'Hoezo ben jij opeens de uitverkorene, dat je naar zijn atelier mag komen terwijl hij aan het werk is?' Er verspreidde zich een veel te brede glimlach over Nina's opgeluchte gezicht. Nu besefte ze dat haar aanval van hysterie nergens op sloeg. Ze was moe en afwezig, en daardoor was ze gewoon vergeten de auto af te sluiten. Ze mocht van geluk spreken dat er niets was gestolen. Nina sloeg een arm om Josies schouders en voerde haar weer mee naar binnen.

'Papa vroeg of ik hem ergens mee wilde helpen.' Josies stem haperde. 'Bovendien waren mijn kleren verdwenen, en ik wilde aan hem vragen of hij wist waar ze waren.'

Nina verstijfde. 'Wat bedoel je, je kleren waren verdwenen?'

'Het was heel raar. Voordat ik ging douchen, had ik mijn schone kleren over het handdoekenrek gehangen, maar toen ik klaar was waren ze weg. Ik kan ze nergens vinden. Ik dacht dat jij ze misschien in de was had gedaan voordat je wegging, omdat je dacht dat ze vuil waren.'

Nina's keel werd dichtgeknepen. 'Nee,' zei ze schor. Ze keek om zich heen in de tuin. De haartjes op haar armen waren overeind gekomen en ze had het opeens ijskoud. 'Josie, luister naar me. Heb je iets gehoord toen je onder de douche stond? Wat dan ook? Ik was bij mijn advocaat en je vader is de hele ochtend in zijn atelier geweest.'

'Nee, ik heb niets gehoord, dat is juist zo raar. Ik dacht dat jij misschien al terug was, maar toen ik je niet kon vinden, nam ik aan dat papa mijn kleren om de een of andere reden ergens anders had neergelegd.' Josie boog haar hoofd.

Allerlei gedachten tolden door Nina's hoofd. Dat zou Mick nooit doen, hij zou Josie nooit storen in de badkamer. En hij was ook niet iemand om grapjes uit te halen. 'Papa zal ze wel hebben weggehaald om je te plagen,' zei ze zonder het zelf te geloven. 'Hij heeft ze vast onder de bank verstopt.' Ze glimlachte geforceerd. 'Kom, laten we naar binnen gaan, dan kunnen we iets drinken.' Ze slikte, maar haar mond was droog.

'Nee, dat heb ik hem al gevraagd. Ik heb zo de pest in. Het was mijn nieuwe spijkerbroek.'

'Ik koop wel een andere voor je.' Ze schonk een glas sap in voor Josie, en daarna liep ze van de ene kamer naar de andere om alle ramen dicht te doen, zo neurotisch was ze. Nadat ze de voordeur op het nachtslot had gedraaid, kwam ze terug naar de keuken.

'Mam, ik plof! Het is zo vochtig vandaag. Wat héb je toch?'

Nina probeerde haar trillende handen voor Josie te verbergen. 'Nou, ik heb het anders koud. Ik ben waarschijnlijk gestrest, of ik heb iets onder de leden. Dat nieuwe contract betekent een enorme verantwoordelijkheid. Het komt wel weer goed, maak je geen zorgen.' Haar woorden klonken gemaakt opgewekt.

'Oké. Laat het me weten als mijn kleren opduiken.' Josie pakte haar glas en ging naar boven.

Er is niets aan de hand, hield Nina zichzelf voor. Ze is zo vaak dingen kwijt. Tennisrackets, boeken, sweaters, huiswerk, zelfs schoenen. Nina herinnerde zich dat Josie een keer op blote voeten van school naar huis was gelopen omdat ze haar nieuwe schoenen nergens kon vinden. Zo vreemd was dit dus helemaal niet.

'Ik wil graag dat je de rest van de dag thuisblijft, oké?' riep Nina naar boven. Het was natuurlijk onmogelijk om Josie langdurig thuis te houden, maar ze moest er niet aan denken dat Josie nu weg zou gaan.

Nina had niet gedacht dat ze dit ooit nog eens zou moeten doen. Dankzij een zeer gelukkig gezinsleven waren de zorgen van vroeger op de achtergrond geraakt. Ze dacht wel tien minuten na voordat ze een besluit nam.

Uiteindelijk haalde ze haar handtas en ging aan de keukentafel zitten. Ze rommelde in de tas – een verjaarscadeau van Mick – maakte de rits van een vakje aan de binnenkant open en diepte er een verfomfaaid opschrijfboekje uit op. Vroeger had ze het gebruikt om er aantekeningen en lijstjes in te maken. Nu was het vol en gebruikte ze het niet meer, maar ze had het altijd bij zich. Helemaal achterin stond het belangrijkste telefoonnummer dat iemand haar ooit had gegeven.

Nina staarde naar het nummer en de moed zonk haar in de schoenen, zo oud was het. Ze herinnerde zich de cijfercombinatie die jaren geleden voor alle bestaande telefoonnummers was gekomen, toetste het nummer in en wachtte met ingehouden adem af, denkend aan zijn laatste woorden. 'Heb je problemen, dan weet je me te vinden.'

Ze wilde alleen gerustgesteld worden.

Na vier keer overgaan nam een vrouw op. 'Claire's Bakery, goedemorgen.'

Nina's hoofd viel van pure wanhoop op tafel toen ze ophing.

15

Er zijn ruim tien paar ogen op me gericht. De muren van de gemeenschappelijke zitkamer zijn met rode krullen beschilderd, waardoor ik het gevoel krijg dat ik ben opgeslokt door mijn ergste nachtmerrie.

'Hallo allemaal.' Ik schraap mijn keel. 'Ik ben Miss Gerrard, en ik geef dit jaar het vak mens en gezondheid.' Ik tril, ik ben nerveus, ik kan dit helemaal niet. 'De syllabus is behoorlijk dik, maar ik doe mijn best om er iets leuks van te maken. Zo kan ik jullie tegelijkertijd een beetje leren kennen.' Het is stil in de kamer met het hoge plafond en de grote ramen met uitzicht op de tuin. Toch is het er gezellig, met zitzakken, een paar banken waar je diep in wegzakt, een televisie en een rek met dvd's. Er staat een koelkast, en er is een aanrecht met een waterkoker en een broodrooster. In een van de hoeken staat een bureau met een eenzame computer. De screensaver bestaat uit foto's van de diverse sportteams van de school.

'Ik wilde met een pijnlijk onderwerp beginnen.' Een paar meisjes tillen hun hoofd op. 'Pesten.' Er klinkt gekreun en gegiechel. Eén meisje gaapt en klapt haar mobieltje open.

'Dat hebben we vorig jaar al behandeld,' zegt een mooi meisje met donker haar. Het meisje dat ik twee keer met Adam heb zien praten.

'Dan ben je waarschijnlijk een expert op dit gebied.' Ik klink nu al als een echte schooljuf. 'Sorry, maar ik weet niet hoe je heet.'

Ze blijft me langer aanstaren dan nodig is, neemt me met een sluwe blik in haar ogen van hoofd tot voeten op om te peilen of ze me serieus moet nemen. 'Katy,' zegt ze. 'En ik weet ook niet hoe u heet.'

'Miss Gerrard, dat heb ik jullie net verteld.' Er wordt weer gegiecheld als Katy iets fluistert tegen het groepje meisjes dat zich om haar heen heeft verzameld. 'Jullie mogen me Frankie noemen, als jullie willen. Dat is een afkorting van Francesca.' Ik struikel bijna over de naam.

Het duurt even, maar uiteindelijk houden de meisjes zich stil om te luisteren naar wat ik te zeggen heb. Ik laat ze een kort filmpje zien om daar later over te discussiëren, maar het lijkt me nogal kinderachtig voor een stel mondaine meiden van vijftien.

Een meisje steekt haar hand op. 'Miss, Katy had niet naar dat filmpje mogen kijken.'

'Katy?' vraag ik. Er wordt weer gegiecheld, terwijl ik met opgetrokken wenkbrauwen van het ene meisje naar het andere kijk.

'Ze mag geen tv-kijken. De school heeft er een afspraak over gemaakt met haar ouders.' De meisjes gieren van het lachen.

'Kan Katy misschien zelf antwoord geven?' Ik stel me voor dat ik bij een woedende Mr. Palmer op het matje word geroepen, dat Katy's ouders een klacht tegen me indienen. 'Is het waar?' Katy knikt, maar onderdrukt een grijns. 'Denk je dat ze het erg vinden dat je dit filmpje hebt gezien?' Katy knikt weer, en het tafereel bij de rector wordt steeds levendiger. 'Waarom heb je dat dan niet gezegd voordat ik de film opzette? Dan had je buiten kunnen wachten.'

'Omdat ik wilde zien of het echt pesten is wat er gebeurt.' Katy's ogen worden donkerder, en doordat ze haar lippen tuit, worden haar wangen naar binnen gezogen. Opeens ziet ze er kwetsbaarder uit dan een lam zonder moeder.

'En?' vraag ik. Eindelijk komen we ergens.

'O, já,' antwoordt Katy voldaan. Ze zet grote ogen op en is opeens weer geanimeerd, opeens weer vijftien en zelfverzekerd.

De rest van de klas barst in lachen uit.

Ik lig helemaal onder water, warm en beschut, en de stilte wordt alleen verbroken door het tikken van mijn vingernagel tegen de zijkant van de gietijzeren badkuip. Ik blaas belletjes. Met één snelle beweging schiet ik weer overeind, compleet buiten adem.

Voor het tikken van mijn vinger is een vergelijkbaar geluid in de plaats gekomen. Iemand klopt op de deur van de badkamer. 'Ik ben bijna klaar!' roep ik met een zucht. Het is al laat, en ik dacht dat ik met rust zou worden gelaten als iedereen naar bed was.

'Ik ben het,' fluistert een meisjesstem aan de andere kant van de deur. 'Katy.'

Katy?' Ik pak een handdoek. 'Wil je me spreken?'

'Ja.' Haar stem klinkt alsof het dringend is.

'Ik kom zo.' Ik stap uit bad en wikkel een handdoek om mijn hoofd, doe mijn badjas aan en maak de deur open. 'Wat is er, Katy? Het is bijna twaalf uur.'

Ze glipt de met stoom gevulde ruimte binnen en gaat op het wc-deksel zitten. Haar pyjama is wit met een patroon van roze strikjes. Ze is blootsvoets en haar nagels zijn gelakt. Ik ga voor haar op mijn hurken zitten, geroerd dat ze al na één tamelijk chaotisch verlopen les het gevoel heeft dat ze me kan vertrouwen.

'Ik heb een probleem.' Haar gezicht vertrekt. 'Een groot probleem.'

'We hebben geen haast,' zeg ik.

'Iemand zit achter me aan.' Ze zucht. 'Hij wil iets van me,' voegt ze eraan toe. 'Het maakt me bang.'

'Heeft het te maken met wat je in de klas zei, over dat pesten?'

Katy knikt. 'Hij heeft geprobeerd...' Haar stem sterft weg en haar kin begint te trillen. Ze doet haar best om niet te huilen. 'Hij raakte me aan en...'

'En dat wilde je niet?'

Ze knikt en slaat haar handen voor haar gezicht. Ik hoor een snik die ik voor onderdrukt grinniken zou hebben gehouden als ik niet duidelijk kon zien hoe moeilijk ze het heeft.

'Ik neem aan dat je er niet tijdens de les over kunt praten?'

Katy scheurt een stuk wc-papier af en snuit haar neus. 'Absoluut niet,' zegt ze. 'Het spijt me dat ik u belachelijk heb gemaakt.' Ze kijkt me aan als ik het gordijn van haar haren naar achteren strijk, een gebaar dat bij mij een golf van pijn teweegbrengt. Ze glimlacht naar me.

'Is het iemand die je kent via school?' vraag ik. 'Of een jongen uit de buurt waar je woont?'

'Het gebeurt als ik op school ben,' zegt ze. Opeens ziet ze eruit als een naïef kind, niet als een meisje van vijftien. Haar leeftijd vormt een extra probleem, afhankelijk van wat er is gebeurd. Wie het ook doet, dit zijn ontuchtige handelingen met een minderjarige.

'Kun je me vertellen wie het is?'

Katy schudt zonder aarzelen haar hoofd.

'Het geeft niet,' zeg ik. Moed is net een zaadje, en Katy heeft het hare gezaaid. 'Hoe ver... hoe ver is het gegaan, Katy?' Ik vraag of hij seks met haar heeft gehad... haar heeft gedwongen om seks met hem te hebben.

Katy staart voor zich uit. Ze haalt beverig adem en haar mond hangt open alsof er iets probeert te ontsnappen.

'Je hoeft niets te zeggen,' sus ik terwijl ik over haar rug strijk. 'Jij bepaalt wanneer je wilt praten.'

Ik kijk om me heen, naar het plafond, de muren, de gebarsten ruit, en verwonder me over alle dingen die dit gebouw heeft gezien. Ik steek mijn arm in het bad en trek de stop eruit. Samen zitten we naar het weglopende water te luisteren, en ik vermoed dat zij, net als ik, hoopt dat de dingen die we denken weggespoeld zullen worden.

De tijd verstrijkt in een aaneenschakeling van lessen, sportevenementen, repetities van het orkest en, voor Sylvia en mij, en eindeloze stroom van moederlijke verplichtingen, variërend van wasgoed tot verstuikte enkels en heimwee.

'Adam was gisteren naar je op zoek.' Sylvia telt een stapel lakens.

'O ja?' Mijn hart gaat sneller kloppen en ik weet niet waarom. Tot nu toe is het me aardig gelukt om mijn collega's op afstand te houden. Angie Ray, lerares Engels en coach van het korfbalteam, vraagt ongeveer elke dag of ik zin heb om mee te gaan naar de wekelijkse lerarenborrel in de dorpspub. 'Dan leer je mensen kennen,' zegt ze steeds.

Maar ik wíl helemaal geen mensen leren kennen, dus dan glimlach ik beleefd. 'Misschien,' geef ik steevast als antwoord. Dan krijg ik hoofdpijn, of ik moet extra werk doen voor Sylvia, of ik verzin een familiebijeenkomst een uur rijden van de school.

'Ik kreeg de indruk dat het belangrijk was,' zegt Sylvia als ze weg-loopt met een stapel linnengoed. Dan gaat haar pieper en ze legt de stapel neer. 'Een van de meisjes is door een hockeybal in haar ge-zicht geraakt,' vertelt ze met rollende ogen.

'Heeft hij gezegd dat hij terug zou komen?' vraag ik, voordat ze er met haar EHBO-koffertje vandoor gaat.

'Adam?' zegt ze over haar schouder. 'Als je over de duivel spreekt...' Ze grijnst en wurmt zich tussen de deurpost en Adam door.

Hij staat met zijn handen in zijn zij in de deuropening, duidelijk slecht op zijn gemak. 'Hoi,' zegt hij zodra Sylvia weg is. Als Angie hem heeft gestuurd, krijgt hij hetzelfde antwoord. Ik heb geen zin in gezellige avondjes in de pub. Ik wil geen mensen leren kennen. Ik wil me gedeisd houden, meer niet.

'Hallo,' antwoord ik. 'Je bent toch niet weer iets kwijt?' Ik steek de stekker van de strijkbout in het stopcontact.

'Misschien wel,' zegt hij met een raspende, ernstige stem. Hij gaat in de oude leunstoel voor de gaskachel zitten. 'Ik wilde je iets vragen over de lessen die je de meisjes geeft.'

'Ja?' Ik kijk op van de strijkplank.

'Heb je ene Katy Fenwick al ontmoet?'

'Katy?' herhaal ik. Het geeft me even de tijd om na te denken. Gisteravond was ze vreselijk overstuur, en nu vraagt Adam mij of ik haar ken. 'Nee, ik geloof het niet. Ik heb haar vast wel eens ergens gezien, maar...'

'Wil je het me laten weten als ze iets tegen je zegt?' Adam schuift heen en weer op de stoel, en ik kan aan alles merken dat hij onzeker is.

'Zoals?' Ik kan haar vertrouwen niet beschamen. 'Ze is toch niet ziek?'

'Laat het me gewoon weten als ze iets zegt.' Hij staart voor zich uit, langs de batterij wasmachines en drogers, over de stapels was-goed heen, en naar buiten door het hoge raam dat uitkijkt op de sportvelden. Groen met gele stipjes, de kleuren van de school, be-wegen in de verte heen en weer over het hockeyveld.

'Ik ben het mikpunt,' zegt hij. Abrupt gaat hij staan en beent weg.

De echo van zijn stem blijft hangen, en ik vraag me af wat hij bedoelde. Zou er echt iemand zijn die het hem moeilijk maakt, of is hij misschien niet de man voor wie ik hem heb aangezien?

16

Soms mocht ik helpen met eten koken. De andere kinderen staarden me na wanneer ik als enige aan de arm werd meegenomen naar de keuken. Ik wil niet anders zijn dan de anderen, dacht ik bij mezelf, de eerste keer dat Patricia me meenam. Ik wilde naar huis. De keuken was gigantisch groot, met apparaten zo groot als auto's waar een vettig laagje op zat. Dat bleef aan mijn vingers kleven.

Patricia bleef bij me in de keuken, maar niet om te koken. Ze keek naar de kok terwijl die heen en weer draafde, zwetend in de warme dampen. Ze moedigde me aan om hem te helpen. Waarschijnlijk dacht ze dat ik me dan een beetje thuis zou gaan voelen, maar waarom zou je je ergens thuis voelen omdat je bleekselderij in schijfjes mag snijden? Thuis had ik mijn vader en mijn speelgoed en onze poes. Ik wist niet eens dat je dat malle spul kon koken, dus ik was verbaasd toen hij de halvemaantjes in een grote pan kokend water gooide. Hij streek met zijn vingers over mijn arm en mijn huid begon er heel naar van te tintelen.

'Eten we soep?' vroeg ik met een klein stemmetje.

Patricia lachte vertederd. 'Jullie krijgen pastei met groente,' riep ze zonder haar blik los te maken van de kok. Ze leunde elegant tegen de muur, met haar heupen naar voren en haar benen gestrekt, en keek de hele tijd naar de man in zijn geruite broek en de malle muts op zijn hoofd. In de keuken gedroeg Patricia zich heel anders dan normaal, alsof ze iemand anders werd.

'Pastei?' vroeg ik. 'Ik zie geen pastei.'

De kok lachte en keek naar Patricia. Zijn snor glom alsof de haartjes nat waren. 'De pastei staat in de oven, kleintje.' Zijn stem was te hoog voor zijn gedrongen lichaam, en zou naar hachee en kool moeten klinken, niet naar schuimpjes.

'Mag ik hem zien?' Ik had nog nooit een pastei in de oven gezien. De kok wenkte me naar de oven. Ik hoorde Patricia's zachte lach toen ik onder mijn oksels werd opgetild zodat ik door het glas van de ovendeur kon kijken. Mijn eigen gezicht werd door de ruit weerspiegeld, en erachter zag ik de goudbruine korst van de pastei. Het ontbijt was al eeuwen geleden, en de pastei rook zo lekker dat mijn maag ervan begon te knorren.

'Dat ziet er lekker uit,' zei ik. Ik gleed weg uit de handen van de kok. Ik was bijna negen, en een beetje te groot om opgetild te worden. Mijn armen begonnen pijn te doen en ik wriemelde om los te komen, dus duwde de kok zijn arm tussen mijn benen, zodat ik zat als op het zadel van een fiets.

'Kijk jij maar rustig naar de pastei, kleintje. En straks krijg je een ijsje van me. Aardbeien of vanille?' Hij kon vanille niet goed uitspreken.

'Waarom steekt er een merel uit?' Dat vond ik zo gemeen. Ik zou niet graag die merel willen zijn in zo'n gloeiend hete oven.

'Hij is niet echt. Hij is van aardewerk. Zo kan de stoom uit de pastei ontsnappen. Denk maar aan het kinderliedje.'

De kok verschoof me op zijn arm om me beter vast te kunnen houden, en ik hoorde de wijs van het liedje. Ik begon het benauwd te krijgen en wilde dat hij me neerzette. Toen hij zijn arm eindelijk liet zakken en ik me op de vloer liet glijden, besefte ik dat Patricia het liedje neuriede. Ze leunde nog steeds tegen de muur, glimlachend en blij terwijl ze naar mij en de kok keek. Dat gaf me een raar gevoel. Niet fijn.

'Mijn papa heeft me verteld dat mijn naam vogeltje betekent,' vertelde ik de kok terwijl ik mijn rok gladstreek. 'Je stopt me toch niet in een pastei, hè?'

Hij lachte. 'Natuurlijk niet, gekkie. Je mag mijn kleine vogeltje zijn. Mijn geheime helpster in de keuken.' Hij pakte me bij de hand, liep naar een grote zilverkleurige deur en deed die open. Wolken van mist daalden op me neer. 'Tijd voor een ijsje.' Hij zei het zo lief dat ik zijn hand steviger beetpakte.

'Als je verdrietig bent, Ava vogeltje, dan kom je gewoon naar de keuken voor iets lekkers.' Ik weet niet meer of de kok dat zei of Patricia, want hun stemmen klonken bijna hetzelfde.

Ik werd er blij van dat ik een geheimpje had met de kok, want het betekende dat ik bijzonder was. Hij liet me beloven dat ik het aan niemand zou vertellen.

17

Nina verliet Ingleston Park zonder de overvolle vuilnisbakken te zien. Evenmin zag ze de Duitse herder die met ontblote tanden naar haar gromde toen ze tussen twee caravans door liep. De weergalm van een klap en het gillen van een vrouw drongen ook niet tot haar bewustzijn door, net zomin als het huilen van een baby en het boem-boem van luide muziek.

Mick. Mick Kennedy, herhaalde ze telkens bij zichzelf. Ze liep terug naar de weg en was al snel drijfnat. In gedachten was ze nog in de rommelige caravan.

Het was een lange wandeling naar de bushalte, maar dat kon haar niet schelen. Mick had vreemde dingen gedaan met haar gevoel in het uur dat ze bij hem was geweest. Ze had nooit eerder een man ontmoet die zo'n innerlijke kracht uitstraalde. Dwars door de rommel en zijn uitzonderlijke schilderijen heen had ze een man gezien die ze beter wilde leren kennen.

Donderdag leek eindeloos ver weg. Ze gingen alleen iets drinken in de pub, maar hij had haar uitgenodigd, wat betekende dat hij haar leuk vond, wat betekende dat haar leven toch niet zo heel erg ellendig was. Dat het helemaal niet zo vreselijk was om elke ochtend om zes uur op te staan en dan naar de gemeenschappelijke badkamer op de gang te gaan, in de hoop dat ze de andere huurders voor was. Dat ze heus geen domme koffiedame was omdat ze koffie en bagels haalde voor het nieuwsteam terwijl ze ervoor was opgeleid om hun make-up te doen. Dat het saldo van haar bankrekening niet zo alarmerend laag was als de dag ervoor.

Nina had het gevoel dat er rondom haar leven een stralenkrans van hoop was verschenen. Ze voelde zich niet meer zo eenzaam, niet meer zo in de steek gelaten, niet meer zo ongewenst. Hoewel ze, als ze heel eerlijk was, moest bekennen dat ze het nog enger vond om iemand te leren kennen dan om geblinddoekt een drukke straat over te steken.

Uiteindelijk gingen ze niet naar de pub. Mick stond voor de pub op de stoep toen ze aan kwam lopen. En zij was een beetje te vroeg. Maar daar stond hij, zijn hoofd gebogen, zijn handen in de zakken van zijn spijkerbroek, een sigaret tussen zijn lippen. Hij heeft naar me uitgekeken, dacht ze.

'Hallo,' riep ze zangerig. Ze had gekozen voor een nonchalante en een beetje artistieke look, een wijde rok en een truitje met bloemen, heel vrouwelijk. Allemaal om Mick een plezier te doen. Vlak voordat ze de deur uit ging, had ze nog een wollen omslagdoek om haar schouders geslagen.

'Nina.' Mick trapte zijn sigaret uit. 'Wat zie je er leuk uit.' Hij drukte een vluchtige kus op haar beide wangen, gebaarde toen met zijn hoofd naar de deur van de pub. 'Laten we niet naar binnen gaan. Ik haat pubs.'

Nina lachte. 'Wat stel je voor?'

Mick beet op zijn onderlip. Zo te zien had hij zich niet geschoren, maar dat vond Nina niet erg. Het paste bij zijn wild krullende haar. Zijn gezicht zag eruit alsof hij de hele nacht geconcentreerd had gewerkt. Hij was tegelijk uitgeput en levenslustig, en hij straalde een haast tastbare energie uit.

'Ik weet wat,' zei hij, 'maar dan moeten we eerst boodschappen doen.' Grijnzend nam hij Nina mee naar een kleine supermarkt aan de overkant van de straat. Hij pakte een mandje en laadde het vol met brood en kaas en olijven en wijn. Bij de kassa vroeg hij om een pakje sigaretten en hij stopte alles in een canvas rugzakje. 'Kom, we gaan,' zei hij. Hij nam Nina bij de hand en liep naar de bushalte. 'Ik heb geen auto,' voegde hij eraan toe, opnieuw met een brede grijns.

Ze verlieten Bristol, en Mick kondigde aan dat ze naar de Downs gingen. 'Dat is mijn favoriete plek,' vertelde hij. 'Het uitzicht op de kloof is adembenemend.'

'Daar ben ik nog nooit geweest. Ik woon hier nog niet zo lang.'

'Je bent een meisje uit het noorden,' zei hij met een zwaar accent.

Nina werd rood en aarzelde. 'Ik... ik heb in het noorden op school gezeten.'

'Maar daar kom je oorspronkelijk niet vandaan?' Mick leunde naar achteren, en opeens werd Nina verblind door de ondergaande zon.

Ze wist niet wat ze moest zeggen. 'Jawel. Zoiets.'

Mick lachte. 'Je komt ergens vandaan of je komt er niet vandaan. Waar ben je geboren?'

'Dat weet ik niet,' antwoordde Nina. Die smoes had ze wel vaker gebruikt. Meestal werd er dan gelachen en kon zij over iets anders beginnen. Maar Mick lachte niet. In plaats daarvan fronste hij zijn wenkbrauwen.

'Ben je geadopteerd?' vroeg hij zacht.

Ze knikte aarzelend. 'Mijn moeder is tijdens de bevalling overleden en ik heb mijn vader nooit gekend.' Daar liet ze het bij. Mick moest zich maar proberen voor te stellen wat voor jeugd ze had gehad.

'Hier moeten we eruit.' Mick pakte de tas en draaide zich om toen Nina uitstapte. De bus reed in een wolk van uitlaatgassen weg, en ze bleven achter in een groen landschap.

'Wat is het hier mooi,' zei Nina. 'Ik had geen idee dat deze plek bestond.'

'Wacht maar af. Ik ga je een onvergetelijk uitzicht laten zien.'

Mick begon in een stevig tempo te lopen, en Nina kreeg er al snel spijt van dat ze sandalen aanhad en niet iets stevigers. Maar het gras voelde warm onder haar tenen, en de late zon streek als een extra sjaal over haar schouders. Mick was haar een eind vooruit, maar hij bleef op een hijgende Nina staan wachten. Ze lachte, hield de zoom van haar rok omhoog terwijl haar vermoeide benen tegen de helling op klauterden. Ze hadden een heel eind geklommen.

'Kijk eens achter je,' zei hij.

Nina draaide zich om, duizelig van inspanning. Het uitzicht was zowel onverwacht als adembenemend. Ze keek uit over de kloof, waarvan de steile wanden met elkaar waren verbonden door een brug die de spot leek te drijven met de wet van de zwaartekracht. 'Het is prachtig. Onvoorstelbaar.'

'Het is de Clifton Suspension Bridge,' vertelde hij alsof hij een toeristische gids was. 'Ontworpen door Isambard Kingdom Brunel en voltooid in 1864, vijf jaar na zijn dood.'

'Ik wist niet eens dat deze brug bestond, echt heel raar.' Verbijsterd schudde ze haar hoofd.

'Soms hoef je alleen je ogen maar open te doen om bijzondere dingen te zien.'

Mick stond vlak achter haar en Nina huiverde. Ze begreep niet precies wat hij bedoelde. Maar zo ging het steeds met hem. Hij zei dingen waarmee hij haar overrompelde, waarmee hij haar een glimp liet zien van een toekomst waarvan ze totdat ze hem leerde kennen het bestaan niet had geweten. Hoe was het mogelijk dat ze nu al het gevoel had dat ze hem haar hele leven had gekend?

Minutenlang bleven ze zwijgen, genietend van het uitzicht. Nina was blij dat ze naar deze spectaculaire plek waren gegaan, in plaats van naar de pub. Beneden hen meanderde de rivier tussen de steile rotswanden door, en Nina probeerde zich het gletsjerwater voor te stellen dat de kloof in de kalksteen had uitgesleten.

'Honderden miljoenen jaren,' zei ze peinzend. 'Ik heb er een keer een boek over gelezen.'

'O ja?' Mick kwam nog dichter bij haar staan, met zijn hoofd boven haar schouder.

'En dat vinden we heel gewoon. Het bouwen van die brug is niets vergeleken bij wat de natuur heeft gepresteerd door deze kloof te creëren.'

'Ik denk niet dat Isambard het met je eens zou zijn.' Mick gaf een kneepje in Nina's armen en ging in het gras zitten. 'Er zijn doden gevallen bij het bouwen van deze brug. Kom, het is tijd voor een hapje eten.'

Nina kwam naast hem zitten. 'Je weet veel van die brug.'

'Ik heb geen glazen meegenomen. Jij eerst,' zei hij terwijl hij met zijn zakmes de fles openmaakte en haar die aanreikte. 'Ik heb bouwkunde gestudeerd. Dan leer je dat soort dingen. Bovendien ben ik dol op weetjes. In de victoriaanse tijd schijnt er een vrouw van de brug te zijn gesprongen. Dankzij haar lange rok heeft ze het overleefd.'

Voorzichtig nam ze een slok wijn, waarna ze hem de fles teruggaf. 'Wat verrassend. Ik dacht dat je de kunstacademie had gedaan.'

Mick schudde zijn hoofd. 'Mijn vader wilde dat ik net als hij ingenieur zou worden. Hij weigerde een andere opleiding te betalen.' Hij nam een flinke teug en veegde zijn mond af. 'Ik moet je eerlijk bekennen dat ik altijd een nietsnut ben geweest, dus ik vond het wel prettig dat mijn vader me nog een paar jaar wilde onderhouden, al moest ik me dan wijden aan een studie die me niet interesseerde.'

Micks openhartigheid over zijn verleden raakte bij Nina een gevoelige snaar. Het was een kruising tussen schaamte en afgunst, en het wekte bij haar een verlangen om iemand in vertrouwen te nemen. 'Heb je altijd geschilderd?' vroeg ze.

'Ja. Tot ergernis van mijn vader. Hij vond kunstenaars luie uitvreters.' Hij nam nog een teug. 'En weet je wat? Hij had gelijk.' Lachend haalde hij het papier van de kaas en hij brak het brood in stukken. *'Bon appetit!'* Hij zette zijn tanden in de knapperige korst en bleef Nina aankijken terwijl hij een hap afscheurde.

'Maar je maakt prachtige schilderijen. Verkoop je er veel?'

'Bijna nooit. Ze zeggen niet voor niets dat kunstenaars altijd op zwart zaad zitten. Ik doe klusjes om in leven te blijven. Ik hak hout, ik breng kranten rond. Ik werk in de horeca. Als het maar geld oplevert.'

'Dat zal je vader wel niet zo leuk vinden, nadat hij je studie heeft betaald.' Nina nam een hap brood en likte de kruimels van haar lippen.

'Ik heb geen idee,' zei Mick. 'Hij is dood.'

En zo ontstond er al heel snel een band tussen de twee. Mick wist het niet, maar bij Nina ontlook een gevoel waarvan ze nu al wist dat het in liefde zou overgaan, een liefde die sterk genoeg was voor een heel leven samen. Ze zaten op het gras, dronken wijn uit de fles, braken stukken brood en kaas af. Per ongeluk stootten hun knieën tegen elkaar, hun handen streken langs elkaar als ze de wijn doorgaven, en hun gedachten strengelden zich ineen naarmate ze meer van elkaar aan de weet kwamen. Mick praatte ongedwongen over zijn verleden, maar Nina rangschikte haar verleden heel zorgvuldig, alsof ze eieren in een mandje legde.

'Je ziet eruit alsof je een geest hebt gezien.' Mick kwam uit zijn atelier en hij rook naar verf en terpentine. 'Is er iets?'

Nina's hand omklemde de telefoon zo krampachtig dat haar knokkels spierwit waren geworden. Claire's Bakery. Het had een rechtstreeks nummer moeten zijn. Een vangnet.

'Nee, hoor.' Haar stem klonk zo gespannen als een snaar.

Het was twintig jaar geleden, dat was de harde werkelijkheid. Mensen veranderen van baan, ze gaan dood, ze verhuizen, en sinds ze al die jaren geleden dit nummer had gekregen, was de nummering diverse keren veranderd. Ze had het altijd angstvallig overal mee naartoe genomen, als een reddingsboei die ze altijd kon grijpen. Als ze van handtas wisselde, werd het boekje verhuisd. Het gedateerde nummer zelf was irrelevant geworden; ze vond troost in datgene waar het voor stond.

'Wie belde je?' Mick vulde de waterkoker. 'Ik heb koffie nodig. Het wil vandaag niet echt lukken. En mijn witte verf is op. Ik ga zo even nieuwe kopen.'

'Nu meteen?' vroeg Nina. Ze wilde niet alleen zijn.

'Maar ik heb niets meer.'

'Kun je het niet via internet bestellen?' Ze zag dat haar handen trilden toen ze haar telefoon terugdeed in haar tas.

'Dat duurt een paar dagen, en ik heb witte verf nodig om het doek waar ik nu aan werk af te maken.' Glimlachend schepte Mick oploskoffie in twee bekers. 'Er is eindelijk vraag naar mijn werk, Nina. Ik wil het niet verknallen.'

'Alsjeblieft... ga alsjeblieft niet weg. Laten we anders met z'n allen gaan. We nemen Josie mee en dan gaan we ergens lunchen.' Ze legde een hand rond Micks pols. 'Alsjeblieft.'

'Nina, wat heb je opeens? Ik dacht dat je vandaag je administratie zou bijwerken,' zei hij. 'En Josie wil waarschijnlijk met vriendinnen afspreken. Die zit echt niet op ons te wachten.'

'Je begrijpt het niet.' De kleur trok weg uit Nina's gezicht. Ze had het gevoel dat ze elk moment van haar stokje kon gaan. 'Ik wil vandaag gewoon niet alleen zijn.'

Opeens was ze terug, terug op het gras in de warme gloed van de avondzon. De brug wierp een schaduw in de vorm van een diagram op het laagstaande water in een bocht van de kloof. Zelfs de gedachte aan Josie was in de verste verte nog niet aanwezig. Nina kon eigenlijk nog maar aan één ding denken: zou Mick haar kussen als ze afscheid namen?

Het was zo simpel allemaal, zo vanzelfsprekend, en in de weken daarna kregen zij en Mick een hechtere band dan ze ooit had durven hopen. Hij was een intelligente, raadselachtige, soms humeurige, geniale kunstenaar, en zij was een jonge, naïeve en een tikkeltje nerveuze grimeuse die boven een snackbar woonde. Het leek nu zo lang geleden.

'Ik ben terug voor je het weet, en dan moet ik nog een paar uur werken. Wat vind je ervan om dan naar buiten te gaan en ergens samen te picknicken? Brood, kaas, wijn...' Mick sloeg zijn armen om Nina heen en trok haar tegen zijn borst. Ze wisten allebei wat hij bedoelde, hoe symbolisch een eenvoudige picknick was. Hij leek opeens te vergeten dat hij koffie wilde maken en pakte zijn autosleutels. 'Ga jij maar rustig bellen. Ik ben over twintig minuten terug.'

Nina maakte zich zorgen. Mick bleef soms wel uren in de winkel met schildersbenodigdheden en kon de tijd volledig vergeten als hij met de eigenaar babbelde, penselen, doeken of diverse papiersoorten bekeek en staafjes houtskool uitprobeerde die later eindigden als korte stompjes in zijn atelier.

'Oké.' Nina gaf zich met tegenzin gewonnen. Ze wist dat ze zich aanstelde. 'Maar blijf alsjeblieft niet te lang weg.' Er zou heus niets gebeuren in de tijd dat hij weg was. Ze zou de deuren en ramen op slot doen en proberen te bedenken hoe ze contact kon leggen met de enige man op de hele wereld die haar advies kon geven. 'Tot zo.'

Ze keek Micks auto na. Een paar seconden later zat de deur op slot en liep ze de ramen na. Er zou die dag niet nog iemand inbreken.

18

Het meisje is naakt. Maanlicht schijnt over haar jonge huid en wekt de schijn van kuisheid, hoewel geen centimeter van haar lichaam bedekt is. De gladde spieren, zachte rondingen, lange jeugdige ledematen, een waterval van haar op haar rug, ik zie het allemaal. Ze voert een dans uit, daar lijkt het althans op, onder een boom. Het lijkt wel of ze eeuwig door kan gaan, eindeloos voor hem kan blijven dansen.

Ik ben ze gevolgd. Ik werd wakker van een geluid. Het was al laat, en zodra ik overeind schoot in bed voelde ik dat zij weer naar me toe kwam, op haar tenen door de gangen sloop en elk moment op mijn deur kon kloppen. Ze zou zich in tranen op mijn bed laten vallen en haar hart uitstorten. Katy Fenwick was nog een paar keer met me komen praten na die keer dat ze mijn bad had verstoord. Tot nu toe had ze nog steeds geen namen genoemd. Het was een meisje met grote problemen, dat was wel duidelijk, en door haar hoefde ik niet meer de hele tijd aan mijn eigen ellende te denken.

'Laat dat!' klonk het gefluisterde bevel van de gang.

'Wie is daar?' Katy's stem. Zo te horen stond ze pal voor mijn deur. Iemand was haar gevolgd.

Ik stapte uit bed en drukte mijn oor tegen de deur. Twee stemmen, de ene van een man, de andere van Katy. Ik verstijfde en onderdrukte een kreet die dwars door de deur heen te horen zou zijn geweest.

'Laat me met rust,' zei ze met verstikte stem.

'Hou alsjeblieft op met die onzin, Katy,' zei hij. 'We moeten erover praten.'

Toen klonk er een snik, de gesmoorde kreun van een dier dat vastzit in een val en zijn belager op zich af ziet komen. Er werd gefluisterd, woorden die ik niet kon verstaan, ik hoorde snikken, gedempte geluiden, schuifelende voeten op de krakende houten vloer. De geluiden stierven weg toen het tweetal zich verwijderde.

Ik pakte mijn badjas, schoot een paar sloffen aan en deed de deur open. Het was vijf voor half vier 's ochtends. Ik had dorst. Ik kon niet slapen. Ik hoorde stemmen... In gedachten verzon ik smoesjes voor als ik werd gezien.

Was het de geur van hartstocht die me de weg wees naar de kelder? Het gesmiespel van een verboden liefde? Openstaande deuren, de echo van twee stemmen... Ik snoof de frisse nachtlucht op toen ik uit de kelder kwam. De buitendeur was open blijven staan, zodat ik kon zien waar ze naartoe waren gegaan. Ik trok de badjas dichter om me heen en liep het trapje naar de begane grond op. Ik ving nog net een zilverachtige glimp van het tweetal op voordat ze achter een struik verdwenen.

Door het donker glipte ik naar een groep naaldbomen, en geleund tegen een boom zette ik grote ogen op. Katy was naakt, en nu herkende ik ook de man die bij haar was en als gehypnotiseerd naar haar keek: Adam Kingsley.

Nog steeds sta ik als aan de grond genageld te kijken, als verlamd, en ik hoop dat iemand me zal vertellen wat ik moet doen.

Katy beweegt zich kronkelend door het struikgewas, en terwijl ze danst, stromen de tranen over haar wangen. 'Is dit wat je wilt?'

Mijn mond valt open en mijn hart gaat als een razende tekeer. Dit kan niet waar zijn. Ik sla een hand voor mijn mond. Braaksel of een kreet, er wil iets naar buiten. Ik buk me en duik weg. Het is donker, denk ik, het is donker en een naakt meisje huilt in het bos.

'Nee, Katy. Je begrijpt het niet.' Adams stemt klink vreemd, lijkt te zijn veranderd door deze krankzinnige situatie: hij kijkt naar een van zijn leerlingen, die in het maanlicht een erotische dans voor hem opvoert. Langzaam trekt hij zijn armen uit zijn jasje. Ademloos kijk ik toe, mijn hart bonkend, als hij zich begint uit te kleden.

Katy steekt haar armen naar hem uit, gebruikt haar jonge lichaam om hem naar zich toe te trekken. Het is niet duidelijk wie wie verleidt. Gehurkt achter een struik kijk ik door het netwerk van takjes en doornen toe.

'O, Adam,' verzucht ze, nu niet langer huilend. Alles aan Katy is verleidelijk en zacht, een lust voor Adams oog, die zich met zichzelf geen raad lijkt te weten. Katy's benen zijn kuis gekruist, haar hoekige schouders steken naar achteren, en haar lichte huid heeft een zilveren glans in het maanlicht.

Adam heeft zijn jasje uit. Ik wacht op het moment dat hij zijn overhemd open zal knopen, maar dat doet hij niet. In plaats daarvan komt hij op Katy af met zijn jasje in zijn uitgestoken handen, als een stierenvechter met zijn rode lap. 'Katy,' mompelt hij. Adam is de jager, en Katy het hert.

'Maar Adam...' zegt ze. 'Mr. Kingsley. Mr. *Kingsley*.' Ze gooit het over een andere boeg, spreekt zijn naam smekend uit. Ze ontwijkt de handen met het jasje, schudt haar hoofd, en komt van achteren op hem af.

Met een ruk draait Adam zich om. 'Ik wil dat je mijn jasje aantrekt...'

Kon ik maar wegkomen, maar als ik één beweging maak, telt dit spel opeens drie spelers. Katy brengt haar gezicht dicht bij het zijne en drukt haar lippen op zijn mond.

Ik buig mijn hoofd. Ik kan het niet aanzien. Het was dom van me om achter ze aan te gaan, maar ik wilde Katy beschermen. Ik had geen idee dat ze door Adam werd belaagd, geen idee wat zijn bedoelingen waren. Nu heb ik geen idee wat ik moet doen, al had ik die les lang geleden al moeten leren.

'Nee!' Adam maakt zich los op het moment dat ik opkijk. 'Alsjeblieft, Katy, sla mijn jasje om en ga weer naar binnen.' Hij komt bij uit de tijdelijke verlamming. Hij heeft zichzelf weer onder controle, is ontsnapt aan de betovering van deze tiener.

In een flits legt hij het jasje om Katy's schouders, en dan gaat hij op zoek naar haar kleren. Hij raapt een dunne nachtjapon op en geeft haar die aan.

'Ik weet dat je dit wilde, Mr. Kingsley.' Katy is weer een kind.

Adam pakt haar schouders beet en schudt haar zacht door elkaar. 'Nee, Katy, dit wilde ik helemaal niet. Het moet afgelopen zijn met die onzin.' Hij haalt zwaar adem.

'Ik dacht dat je van me hield,' zegt Katy. Zelfs in het maanlicht zie ik de uitgelopen mascara op haar wangen. 'Kus me.' Ze gaat op haar tenen staan en stort zich op hem.

Adam houdt haar tegen. Met zijn handen tegen haar schouders duwt hij haar zacht van zich af. 'Nee, Katy,' zegt hij beslist. 'Genoeg. Ik ben je leraar en ik wil geen relatie met je.' Zijn stem blijft hangen tussen de bomen.

'Nee!' krijst ze hysterisch. Dan begint ze te lachen en rukt het jasje van haar schouders.

'Katy, je hebt gedronken. Bedaar en kom weer mee naar binnen.' Adam raapt zijn jasje op en probeert het weer om Katy heen te slaan.

Ze verzet zich. 'Je verlangt naar me... je bent naar mijn kamer gekomen... je flirt altijd met me in de les... je pakt me altijd beet als je me ziet... je kunt bijna niet van me afblijven...' Katy blijft onsamenhangend mompelen totdat Adam een hand voor haar mond slaat om haar het zwijgen op te leggen.

'Dat verbeeld je je alleen maar, Katy. Je bent verliefd op je leraar en dat is totaal uit de hand gelopen. Toen je vanavond naar me toe kwam, leek me dat een goed moment om het uit te praten. Maar je rende weg naar de kamer van Miss Gerrard en je zei dat je haar alles zou vertellen.' Adam draait zijn gezicht weg en laat zijn handen zakken. 'Het is niet eerlijk tegenover mij, Katy. Ik heb niets verkeerd gedaan.'

Even is ze te verbluft om iets te kunnen zeggen. Dan gilt ze ineens: 'Ik háát je! Ik ga het melden!' Katy tilt haar arm op, en met haar vingers gekromd als een klauw slaat ze Adam in zijn gezicht. Hij krimpt in elkaar en kijkt haar na als ze terugrent naar de school. Het is voorbij.

Ik verroer me niet. Aan Adams manier van lopen zie ik hoe verdrietig en wanhopig hij is; hij sjokt weg als een veroordeelde. Als hij helemaal uit het gezicht is verdwenen, en ik voor de zekerheid tot honderd heb geteld, kruip ik achter de struik vandaan en ga ik terug naar mijn kamer. Ik lig urenlang wakker en kan niet bedenken aan wie ik het moet vertellen.

19

'Mick? Ben jij het?' riep Nina. Geen antwoord. 'Josie?' Ze wist zeker dat ze iemand aan de voordeur had horen rammelen.

Nina ging naar de gang en bleef staan luisteren, maar ze hoorde alleen haar eigen raspende ademhaling. Toch wist ze zeker dat er iemand voor de deur had gestaan, iemand die de deurknop had beetgepakt, er een ferme ruk aan had gegeven en de knop had omgedraaid. Ze kende de geluiden van haar eigen huis.

'Mick?' zei ze nog een keer. Ze hoorde niet het vertrouwde klikje van het slot, niet het gerinkel van zijn sleutelbos die hij op het tafeltje in de hal legde, niet zijn stem die riep dat hij thuis was. 'Josie?' riep ze met verstikte stem naar boven. 'Hoor je me?' Van waar ze stond kon ze het ruitje in de deur niet zien; ze kon dus ook niet zien of Laura of iemand anders naar binnen gluurde. Als het Laura was, dacht ze, dan zou ze toch zeker hebben aangebeld? Bovendien was Laura nu op haar werk.

'Wat is er, mam?' Josie stond boven aan de trap, duidelijk ongeduldig. Ze begreep niet waarom haar moeder zo raar deed en er bang uitzag.

'Blijf boven,' fluisterde Nina fel. 'Ga terug naar je kamer.'

'Waarom riep je me dan?'

De klap waarmee Josie de deur van haar kamer dichtsloeg weergalmde door het huis. Toen werd er opnieuw aan de voordeur gemorreld. Waarom belde hij of zij niet gewoon aan? Ze gluurde naar buiten, maar er stond niemand voor de deur. Wel meende ze aan de zijkant van het huis een schaduw te zien verdwijnen. Haar mond werd droog en haar handen beefden toen ze haar mobiele telefoon pakte. Met opeengeklemde kaken toetste ze het nummer in. Josies veiligheid ging boven alles.

Ze slikte toen ze verbinding kreeg. Ze had gehoopt dat ze dit nooit had hoeven doen. 'De politie, alstublieft.'

Ernstig gaf Nina de details, zo kalm mogelijk. Ze smeekte hun zo snel mogelijk te komen, in de hoop dat het allemaal achter de rug zou zijn voordat Mick terugkwam. Ze zou er de rest van haar leven voor nodig hebben om het uit te leggen. Met gespitste oren wachtte ze op de sirene, want dan zou de persoon die rondsloop om haar huis zeker op de vlucht slaan. En dan? Nina had werkelijk geen idee. Gedreven door hartstocht hadden ze de Downs verlaten. Nina voelde zich duizelig van de warme avondzon en de wijn die ze hadden gedronken, maar vooral van Micks aanwezigheid. Hij was een bedwelmende mix van manlijkheid en creativiteit. Tijdens hun picknick waren er gevoelens in haar gewekt die ze niet voor mogelijk had gehouden. Hartstocht die voortkwam uit oprechte liefde had in haar verleden domweg niet bestaan.

Terwijl ze met sprongen de heuvel af liepen, naar de weg, besefte Nina dat ze hevig naar Mick verlangde. Ze had haar begeerte altijd stevig de kop in gedrukt en nooit toegegeven aan de gevoelens die zich roerden in haar binnenste. Mick zou al haar problemen oplossen; hij zou de leegte opvullen, hij zou inhoud geven aan haar bestaan, haar een doel geven om voor te leven. Ze zouden beste vrienden zijn, minnaars, op een dag gaan trouwen.

'Bij mij?' vroeg Mick op de bushalte.

Nina knikte ernstig. 'Goed.'

Ze stapten in de eerste de beste bus, zonder te weten of het de juiste was. Het maakte niet uit. Alle mogelijkheden gingen door hun hoofd: aankomen bij Micks rommelige caravan, zich uitkleden zonder de rolgordijnen neer te laten, neervallen op het bed. Verstrengelde lichamen, vergeten wiens huid van wie is, waar lippen wel of niet waren geweest. Dat moment van stilte, het hoogtepunt waar twee vreemden zich één voelen. Voor Nina en Mick was het genoeg om naast elkaar in de bus te zitten, vol gespannen verwachting, vol fantasieën, vol van alles wat komen ging. Het was bijna spannender dan de belevenis zelf.

Nina zag dat het platteland overging in de buitenwijken, en daarna in de straten van de stad. Het bloed gonsde in haar aderen. In de stad stapten ze over op een andere bus, alsof ze allebei hun hele leven op dit moment hadden gewacht. Snel en zwijgend liepen ze naar Ingleston Park; elke stap bracht hen dichter bij hun fantasieën. Mick deed de deur van de caravan open en de geur van verf kwam hen tegemoet. Ze merkten het geen van beiden. Ze dachten allebei aan wat er nu ging gebeuren.

Het duurde drie dagen voordat Nina weer wegging. Ze meldde zich ziek op haar werk. Afgezien van dat telefoontje werd er weinig gezegd gedurende hun tijd samen. De raampjes waren voortdurend beslagen en de lakens draaiden zich om hun lichamen. Verftubes vlogen in het rond wanneer maaiende ledematen zochten naar een nieuwe houding, een nieuwe manier. Ze aten uit blikjes en dronken gin, water, thee en wijn. Ze sliepen en lagen in elkaars armen. Toen Nina uiteindelijk wegging, wist ze niet of ze Mick terug zou zien.

'Dag,' zei hij ernstig. Hij stond in de deuropening met een handdoek rond zijn heupen. Aan de gloed in zijn ogen wist ze dat het afscheid niet voorgoed zou zijn.

'Dag,' zei Nina met gebogen hoofd, zonder om te kijken. Woorden waren overbodig na wat ze over elkaar hadden ontdekt. Het was alsof ze elkaar altijd hadden gekend, alsof ze in een ander leven minnaars waren geweest, en toch was elke keer dat ze elkaar hadden bemind volkomen nieuw geweest.

Nina hing haar tas over haar schouder en liep naar de bushalte. Toen ze eenmaal uit het zicht was, week de glimlach niet meer van haar gezicht. Een gevoel van gelukzaligheid stroomde als honing door haar aderen. Voor het eerst van haar leven had ze het gevoel dat ze niet ergens voor wegliep, maar ergens naartoe.

De naderende sirene deed haar hart sneller kloppen. Nina voelde zich zowel onpasselijk als opgelucht. Ze durfde te zweren dat ze iemand aan de achterdeur had horen rammelen. Stel nou dat Mick terugkwam terwijl zij het hele verhaal aan de politie vertelde? Stel nou dat ze later terug wilden komen om verklaringen op te nemen?

Stel nou dat ze voor haar deur iemand arresteerden, iemand die ze kénde, en dat Mick alles zag? Dat spookte allemaal door Nina's hoofd terwijl ze achter de deur stond te wachten totdat ze veilig open kon doen.

De sirene hield voor het huis abrupt op. Toen werd er op de deur gebonsd en herhaaldelijk aangebeld. Dit was geen indringer, dit was de politie. Ze tuurde door het ruitje, schoof de grendel weg en maakte de ketting los.

'Mam, wie is dat? Wat gebeurt er allemaal?' Josie rende de trap af en zag hoe bleek haar moeder was. 'Mam, ben je ziek?'

'Je hoeft niet bang te zijn. Ga maar terug naar je kamer.' Nina's stem klonk vlak maar bevelend, en Josie durfde niets terug te zeggen. Nina deed de deur open en liet een orkaan van ingehouden adem ontsnappen.

'Mrs. Kennedy?' vroeg de politieman. Nina knikte. 'U hebt net het alarmnummer gebeld. Verkeert er iemand in gevaar?' Hij was formeel en zakelijk, zowel geruststellend als intimiderend.

'Ik denk het niet,' fluisterde ze. 'Ik weet het niet zeker. Komt u toch binnen.' Nina liet haar hoofd hangen toen de man en de vrouw binnenkwamen. Opeens had ze het gevoel dat ze hun tijd verdeed.

'Ik ben brigadier Naylor en dit is agent Shelley. Ik heb begrepen dat er sprake was van een indringer.' De twee liepen langs Nina heen naar binnen, en onuitgenodigd door naar de zitkamer.

Nina deed de deur weer op slot, maar niet voordat ze naar links en naar rechts had gekeken in de straat. Er was nergens iemand te bekennen, afgezien van een vrouw met een kinderwagen en een hond.

'Ik dacht dat iemand probeerde in te breken,' zei Nina terwijl ze achter hen aan liep. 'Ik ben bang dat iemand probeert...' Hoe ze het ook zei, het zou belachelijk klinken. 'Dat iemand me lastigvalt. Dat iemand me misschien kwaad wil doen.' Haar knieën knikten en ze ging zitten.

De vrouw kwam naast haar zitten. 'Mijn collega gaat rondkijken, ook buiten.' Ze keek naar haar partner. De man knikte, onmiskenbaar verveeld. Hij draaide zich om en gaf met zijn portofoon de situatie door aan het bureau. Nina hoorde hem zeggen dat het mogelijk vals alarm was geweest.

'Nee, nee, u begrijpt het niet.' Ze ging staan en meteen weer zitten omdat de kamer draaide voor haar ogen. 'Het gaat om een situatie die...' Ze zuchtte. 'Het is een lang verhaal.' Meer kon ze echt niet zeggen.

'Wat vindt u van een lekker kopje thee?' Shelley glimlachte en wachtte op antwoord. Nina's bleke gezicht had een afwezige uitdrukking. Ze schudde ongelovig haar hoofd. Ze wilde geen thee. 'Als u over uw toeren bent, kan zoete thee echt helpen...'

'Ik ben niet over mijn toeren. Ik wil graag dat u goed rondkijkt en alles controleert.' Nina deed haar best om rustig te blijven. 'Er is vanochtend iemand binnen geweest. Die heeft de kleren van mijn dochter meegenomen.'

De man en de vrouw wisselden een blik die aangaf dat ze haar geloofden. 'Waar is uw dochter nu?'

'Ik ben hier,' zei Josie. 'Ik zou niet weten hoe iemand dat gedaan kan hebben, mam.' Vergeleken bij Josies kalmte leek Nina haast hysterisch. 'Ik ben de hele tijd hier geweest. Misschien heb je ze in de was gedaan en ben je dat gewoon vergeten.'

'Heb je iemand gezien of gehoord?' vroeg Shelley.

Heftig schudde Josie haar hoofd. 'Nee. Alleen mijn vader, maar die was in zijn atelier.'

'Zijn er nog andere spullen verdwenen?' wilde de brigadier weten.

Josie haalde haar schouders op en keek naar haar moeder. 'Nee.'

Nina deed haar ogen dicht en flapte eruit: 'Laatst reed iemand tegen mijn auto op, volgens mij opzettelijk.' Ze aarzelde. 'Ik had het niet willen melden, maar nu is er weer iets gebeurd.' Ze sloeg haar handen voor haar gezicht. Ze had niet gewild dat Josie het wist.

'Heeft een van je vriendinnen misschien een grap uitgehaald?' vroeg Shelley aan Josie.

'Misschien,' zei Josie onwillig. 'Mam, waarom lieg je over je auto? Papa vertelde dat je tegen een lantaarnpaal bent gereden bij het inparkeren.'

Weer keken de twee agenten elkaar aan. 'Heeft uw auto schade, Mrs. Kennedy?' Brigadier Naylor keek naar buiten door het raam, naar de tuin en het atelier. Hij probeerde de openslaande deuren, maar die zaten op slot.

'Ja, een deuk en een beetje lak. Wilt u het zien?' Ze ging het tweetal voor naar de oprit en moest zich aan de deurpost vastgrijpen om haar evenwicht niet te verliezen.

'Mam, ben je niet lekker?' vroeg Josie bezorgd. 'Wat is er toch?'

Shelley pakte Nina's arm beet. 'Rustig aan, Mrs. Kennedy. U bent erg bleek.'

'Daar,' zei ze, wijzend op de achterkant van haar auto. 'Ik reed weg van de oprit van een vriendin. Een eindje verderop in de straat stond een auto stil, en die reed zomaar tegen me aan.'

'Hebt u het kenteken gezien? Kunt u de auto beschrijven?'

'Ja. Hij was donkergroen. Metallic. Je kunt het zien aan de lak op mijn auto.' De brigadier streek met zijn vinger over de deuk. 'Het kenteken had een vijf en misschien een zeven en een M. Het kan zo'n grote Rover zijn geweest, of een Jaguar.'

'Uw auto is niet bepaald total loss,' zei de brigadier. 'Hebt u contact opgenomen met uw verzekeringsmaatschappij? Waarom hebt u de politie niet gebeld nadat het was gebeurd?'

'Ik vond het...' Ze beet op haar lip. 'Het leek me niet...'

'Kom, dan gaan we weer naar binnen.' Shelley was vriendelijk, rustig, bezorgd. Ze had vaker met dit bijltje gehad. Na een zware ochtend was deze relatief onschuldige melding een opluchting geweest.

Nina was bijna in tranen. 'Hoor eens, vanochtend probeerde iemand mijn huis binnen te komen. En iemand heeft de kleren van mijn dochter weggehaald.' Ze werd meegevoerd naar binnen.

'Nu wil ik echt dat u een kop thee drinkt.' De agente nam Nina met zachte hand mee naar de zitkamer en vroeg aan Josie of ze thee wilde zetten. Ze maakte een paar aantekeningen en vroeg ten slotte: 'Hebt u enig idee wie u lastig kan vallen?'

'Misschien.' Tot haar eigen verbazing zei ze het zonder aarzelen.

Shelley slaakte een zucht van verlichting. Eindelijk kwamen ze ergens. Ze wachtte tot Nina een naam zou zeggen, met haar pen in de aanslag.

'Maar dat kan ik u niet vertellen,' besloot ze.

Josie was de kamer weer binnengekomen en bleef abrupt staan, met de beker thee in haar hand. 'Mam, als je weet wie het is, dan moet je het de politie vertellen.' Ze zette de beker met een geërgerd gebaar op tafel. 'Wat heb je toch? Je doet zo raar.'

Shelley keek van de dochter naar de moeder. Ze wist niet goed wat ze van de hele situatie moest denken, maar vermoedde dat het met huiselijke spanningen te maken had. Een scheiding, wellicht, van een gewelddadige echtgenoot. Misschien was er een nieuwe man en verzette de dochter zich tegen hem. De agente had het allemaal al eens meegemaakt. 'Daar komen we niet veel verder mee, Mrs. Kennedy. Als u weet wie u lastigvalt en u wilt ons niet vertellen wie het is, kunnen we weinig doen.' Ze keek Nina doordringend aan.

'U begrijpt het niet, u kúnt het niet begrijpen. Geloof me, alstublieft. Ik heb uw hulp nodig. Kunt u geen vingerafdrukken nemen van de voordeur?'

'Mrs. Kennedy, zo te zien is er geen misdrijf gepleegd. Er zijn geen sporen van braak, en het lijkt me waarschijnlijk dat u de deuk in uw auto zelf heeft veroorzaakt. Ik zie geen aanleiding om een forensisch team te sturen.' De brigadier stak zijn blocnote in zijn zak.

Nina klemde haar kaken op elkaar. 'Josie, laat me alsjeblieft even met de politie alleen.'

'Mrs. Kennedy...'

'Alstublieft,' smeekte Nina. 'U moet me serieus nemen.'

'Als u ons kunt uitleggen waarom iemand u zou willen bedreigen of zou willen inbreken, kan ik bepalen of wij stappen moeten ondernemen. Zo niet, dan kunnen we niets voor u doen.' Brigadier Naylor sloeg zijn armen over elkaar. Het was een potige kerel, van het soort, dacht Nina, dat sympathie zou hebben met een man die zijn vrouw slaat omdat hij een lage dunk van vrouwen had.

'Ik kan het niet vertellen.' Nina liet haar hoofd hangen en herinnerde zich zijn woorden: *Vertrouw niemand.* 'Het spijt me.'

'In dat geval, Mrs. Kennedy, gaan we ervandoor. We hebben geen bedreigende situatie waargenomen.' Naylor keek om zich heen alsof hij dat wilde bevestigen. 'En u en uw dochter verkeren niet in gevaar.'

Nina voelde paniek opkomen. Ze gingen weg. Zij en Josie zouden alleen achterblijven. In wanhoop pakte ze papier en een pen van de tafel. Ze schreef haar telefoonnummer op en gaf het papiertje aan de vrouw. 'Bel me alstublieft als u toch bereid bent me te helpen. Ik smeek het u.' Ze keek Shelley aan in de hoop haar te vermurwen. De agente knikte langzaam – een blijk van verstandhouding tussen twee vrouwen? – en liep achter de brigadier aan naar de deur.

'U weet ons te vinden, mocht er iets zijn.' De brigadier schoof de grendel van de deur open. 'Maar dan moet er wel echt iets zijn.' Lachend liep hij naar buiten, gevolgd door Shelley. De agente keek nog een keer om naar Nina voordat ze het papiertje in haar zak stak.

Nina vergrendelde de deur. Het was stil in huis. Ze leunde tegen de muur, met haar handen plat tegen het koude pleisterwerk. Ze voelde zich heel erg alleen.

20

Op een zondag zat ik op de stenen vensterbank te wachten tot ik de auto van mijn vader tussen de kale bomen vandaan zou zien komen. Ik veranderde zelf bijna in steen, verkleumd tot op het bot als gevolg van de doordringende kou. Naamloze verzorgers en kinderen die ik niet goed kende draafden af en aan, terwijl ik daar maar zat, mijn blik strak gericht op het lint van de oprijlaan. Om de tijd te doden volgde ik met mijn vinger de druppels die aan de andere kant van het glas omlaag sijpelden.

'Heb jij niks te doen?' vroeg een vrouw die ik eng vond.

Ze leek altijd overal tegelijkertijd te zijn, alsof ze opdook uit de muren en het meubilair. De andere kinderen zeiden dat ze een spion was, dat ze eropuit was om ons te betrappen als we iets deden wat niet mocht. Sommigen zeiden dat ze 's nachts kinderen weghaalde. Haar zwarte haar was strak naar achteren getrokken en haar gezicht was doods en bleek.

Ik keek naar haar op, en opeens geloofde ik alle verhalen die ik had gehoord. 'Ik wacht op mijn vader,' zei ik tegen haar. Haar lach weergalmde door de holle gang.

Uiteindelijk zou hij komen, ik was ervan overtuigd. Mijn hele lichaam begon te gloeien bij de gedachte. Om tien over drie, nadat ik bijna vijf uur had zitten wachten, zag ik zijn auto aankomen en stoppen voor de deur. Met een brede grijns op zijn gezicht stapte hij uit, duidelijk in een goed humeur door de rit. Mijn vader was idolaat van zijn auto – een Ford Granada uit 1973, solide als een tank, zei hij altijd tegen iedereen – en hij keek altijd een keer om als hij hem had geparkeerd. Ik bedacht dat hij zich waarschijnlijk voorstelde dat hij bij een deftig hotel was, of een statig herenhuis waar een lord en een lady woonden. Zo was mijn vader. Hij deed altijd alsof hij iemand anders was, belangrijker en rijker. Ik rende naar de deur om hem te begroeten.

'Hallo, pop,' bromde hij toen ik mijn armen om zijn middel sloeg. Hij woelde met een hand door mijn haar; misschien wilde hij wel dat ik een jongen was, en dat we samen naar het voetbal konden gaan, of dat ik hem zou helpen zijn Granada in de was te zetten. Hij zei een keer dat ik hem aan mijn moeder deed denken, en toen werd hij boos op me omdat ze dood was gegaan. 'Je hebt haar lichte huid en amandelvormige ogen,' zei hij, en daarna praatte hij een hele week niet tegen me. Hij dronk totdat hij laveloos was, en toen de buurvrouw me in mijn eentje op straat zag spelen, werd ik weggehaald. Iemand anders zorgde voor me, een aardige dame die me cake voerde totdat ik er misselijk van werd. Dat hielp, zei ze, totdat mijn vader weer beter was.

'Ik zit al uren op je te wachten. Waar was je nou?' Ik wilde niet dat hij zou zien hoe verdrietig ik was, maar ik kon het niet helpen.

Hij keek op zijn horloge. 'Ik ben maar een uurtje te laat.'

'Je bent drie wéken te laat,' protesteerde ik. Hij hoorde het niet eens. Hij ging gewoon zijn eigen gang.

'Nou, wat zullen we gaan doen, prinses?' Hij rook raar. Naar iemand anders.

'Gaan we naar de dierentuin?' Ik zette grote ogen op.

Toen kwam Patricia eraan. Haar hakken tikten op de tegelvloer van de hal en haar slanke lichaam kwam in beeld. Ze bekeek mijn vader van hoofd tot voeten en keek toen bewonderend naar de glimmende rode Granada. Hij zag het en nam een trotse houding aan.

'Niet naar de dierentuin,' zei hij zacht. Hij liep naar Patricia toe. 'Weet u toevallig een leuk uitstapje voor mij en mijn dochter?' Hij liet zijn nappa jas openvallen en stak zijn handen in zijn zakken en zijn borst naar voren.

'In zo'n mooie auto kun je allemaal leuke dingen doen.' Ze glimlachte en streek een losse lok haar achter haar oor.

'Is het geen schoonheid?' Mijn vader streek over zijn snor. Soms zaten er etensrestjes in. 'Nou, wat kunt u me aanbevelen?'

Patricia lachte en boog zich voorover naar mijn vader. 'Ik ben bijna klaar met mijn werk. Ik zou u de omgeving kunnen laten zien.' Haar zwarte truitje spande rond haar smalle taille. Haar heupen staken door de stof heen. Mijn vader zag het allemaal. Ik wilde wel door de grond zakken.

'Waarom kunnen we niet naar de dierentuin?' zei ik. Mijn vader gebaarde met zijn hand, en ik hield mijn mond. Ik wist wat er zou gebeuren als ik bleef jengelen.

Uiteindelijk maakten we alleen een wandeling over het terrein van het kindertehuis. Hij haalde een blikje Pepsi uit zijn zak. Ik nam er kleine slokjes van terwijl ik hem een paar hutten liet zien die ik samen met andere kinderen had gebouwd. Papa bleef maar op zijn horloge kijken. 'Ze zal nu wel klaar zijn,' zei hij na een tijdje.

Hij tilde me op toen we terugliepen naar het gebouw. Het leek wel een gevangenis tussen al die kale bomen. 'Nou, dat is allemaal goed uitgepakt, hè?' bromde hij in mijn oor. Ik verstijfde totdat hij me weer neerzette. 'Zo te zien heb je het heel erg naar je zin hier. Ben je gelukkig, prinses?' Hij kneep in mijn hand met zijn grote ruwe vingers. Ik gaf geen antwoord.

Toen we weer binnen waren, maakte ik mijn armen los van zijn middel. Patricia nam mijn plaats in. Hij legde een hand onder haar elleboog en hield met de andere het portier voor haar open. Over zijn schouder nam hij afscheid van mij. Ik hoorde hem haar naam vragen.

'Patricia,' fluisterde ze zwoel. 'Patricia Eldridge.'

Ik klom weer op de stenen vensterbank en keek de Granada na. Mijn vaders arm lag over de rugleuning van de passagiersstoel. Ik bleef staren totdat de wolk uitlaatgassen was opgelost in de schemering. Nu begon het wachten weer helemaal van voren af aan.

21

Mr. Palmer komt de kamer binnen met een stapel papieren tegen zijn borst gedrukt. Hij doet alsof we lucht zijn, terwijl we al tien minuten zitten te wachten. Zijn secretaresse heeft ons laten komen; we moesten over een half uur in de kamer van de rector zijn. Adam en ik staan als twee stoute kinderen naast elkaar. Ik heb geen idee wat er aan de hand is. Ik kijk om me heen in de kamer en krijg het opeens benauwd.

De rector gaat zitten, verlegt stapels op zijn bureau, neemt een slok uit een kopje en trekt een vies gezicht. Zijn gezicht heeft de strenge uitdrukking die past bij een rector. De geladen stilte duurt voort. Hij neemt nog altijd geen nota van ons.

Ik schraap mijn keel. 'Mr. Palmer? U wilde ons spreken.' Ik wil niet bang voor hem zijn maar ben het toch.

Hij tilt zijn hoofd op en kijkt me ernstig aan. 'Inderdaad. Ik hoop dat u me kunt helpen, Miss Gerrard. Het gaat om een delicate kwestie.' Nu kijkt hij naar Adam, en de plotselinge spanning tussen die twee is haast tastbaar. 'Mr. Kingsley, ik zou het waarderen als u uw collega wilt inlichten.'

Ik krijg het steeds benauwder als de seconden verstrijken en het me begint te dagen. De lachrimpeltjes bij Adams ogen en de halvemaantjes bij zijn mondhoeken zijn verstrakt. Ik hoor hem diep inademen.

'Er is een klacht ingediend,' zegt hij toonloos. Zijn gezicht is uitdrukkingsloos en hij staart strak voor zich uit. 'Tegen mij. Een van de leerlingen beweert dat ik... betrekkingen met haar heb gehad.' Hij slikt hoorbaar. 'Het is natuurlijk niet waar. Vanwege de lessen die jij de meisjes geeft, omdat ze met je praten, vroegen we ons af of jij misschien reden hebt te geloven dat ze...'

'Dat ze liegt,' viel Palmer hem botweg in de rede. 'Het is een ernstige zaak. De ouders hebben al een advocaat in de arm genomen.' Hij kijkt Adam fel aan, gelooft duidelijk niet dat zijn docent geheel onschuldig is.

Adam kijkt van mij naar de rector en terug. 'Het meisje – Katy Fenwick – beweert dat ik... dat wij gedurende langere tijd...'

Ik steek een hand omhoog. 'Ik weet genoeg. Ik begrijp de situatie.' Ik ben terug achter de struik, waar ik met ingehouden adem naar hen zit te kijken. Ik herinner me de vochtige aarde, het maanlicht op haar naakte lichaam. Ik voel dat het zweet me uitbreekt. Ik wil weg.

'Ik heb een aantal personeelsleden gesproken, in de hoop dat we tot een oplossing kunnen komen,' vervolgt Mr. Palmer. 'De juridische afdeling van de school eist nu eenmaal dat we zelf een onderzoek instellen. Vervolgens moet ik een rapport opstellen voor de raad van bestuur.' Hij slaakt een zware zucht. 'U bent nog maar een paar weken aan onze school verbonden, Miss Gerrard, maar ik zou het toch waarderen als u ons iets over dat meisje kunt vertellen. Wellicht heeft ze een keer iets over Mr. Kingsley laten vallen. Laat het me dan alstublieft weten. Zelfs iets kleins kan belangrijk zijn.' Mr. Palmers nek is rood geworden en zijn vingers spelen met een pen.

'Natuurlijk.' Ik knik ernstig. Ik kijk niet naar Adam, al weet ik dat hij me aanstaart, hoopt dat ik iets zal zeggen waarmee ik hem vrijpleit. Ik zeg niets, bijt op mijn lip en draai me om naar de deur.

'Wat dan ook,' hoor ik Adam nog zeggen voordat ik de deur achter me dichttrek.

De motor van mijn auto slaat af. Ik probeer nog wel vijf keer opnieuw te starten, maar er klinkt alleen nog zielig gereutel. Ik heb geen verstand van auto's, maar toch maak ik de motorklep open en tuur ik naar de ingewanden van de auto die ik voor vijfhonderd pond handje contantje heb gekocht. De accuklemmen gaan schuil onder een wittig laagje en alles van rubber lijkt gesmolten. In de grille zit een halve dode vogel. Het is een wonder dat de auto de reis hierheen heeft overleefd.

'Shit,' zeg ik hardop. Wat moet ik nu doen? Ik geef een schop tegen het voorwiel.

'Gezellig een dagje op stap?'

Ik kijk over mijn zonnebril heen. Een van de docenten laat zijn hond uit. Ik heb hem in de docentenkamer gezien, maar we hebben elkaar nooit gesproken.

'Was het maar waar,' zeg ik lachend. Het is belangrijk dat ik vriendelijk ben, al vind ik het nog zo pijnlijk om te glimlachen. Ik schuif mijn bril boven op mijn hoofd. 'Ik vrees dat de garantie van de dealer is verlopen.'

'Dit is Alfie,' zegt hij, en hij loopt naar me toe en geeft me de riem van de hond aan. 'En ik ben Doug. Gymleraar. Ik kijk wel even.' Hij stroopt zijn mouwen op.

'Bedankt. Wat aardig.' De hond rent rondjes om me heen zodat hij de riem om mijn benen wikkelt, totdat hij geen stap meer kan verzetten. Hij ploft neer op mijn voeten en begint aan de neus van mijn schoen te kluiven.

'Geen goed nieuws.' Doug komt onder de motorkap vandaan en krabt met een zwarte vinger aan zijn neus. 'De motor lekt olie, en flink ook. Het zal de koppakking wel zijn. De accu heeft betere tijden gekend. De leidingen zijn allemaal gebarsten en de bougies zijn ongetwijfeld kapot. Zo kan ik nog wel even doorgaan.'

'Doe maar niet.'

'Waar wilde je naartoe?' Doug bukt zich om de hondenriem te pakken en loopt rondjes om me heen totdat Alfie is bevrijd.

Ik weet niet wat ik moet zeggen. Ik heb twee vrije dagen en wilde kijken hoe ver ik kon komen, kilometer voor kilometer. Nu lijkt het opeens dom, roekeloos en gevaarlijk. In stilte bedank ik mijn roestbak dat hij er een stokje voor heeft gestoken. Ik zou het eind van de oprijlaan niet eens hebben gehaald. 'Gewoon, naar de stad,' lieg ik.

Doug kijkt op zijn horloge. 'Er gaan maar twee bussen per dag vanuit Roecliffe. Als je flink doorloopt naar het dorp, kun je net de tweede nog halen. Maar dan moet je wel opschieten.' Doug geeft een rukje aan de riem en samen lopen ze weg, hond en baasje.

Ik loop over de lange oprijlaan. Op een gegeven moment kijk ik om naar de façade van de school, en rechts van de voordeur meen ik achter een raam een bleek gezicht te zien – misschien een leerling die me nakijkt. Ik versnel mijn pas en jog naar het ijzeren hek. De haartjes in mijn nek komen overeind als het piepend opengaat en ik naar buiten loop.

In zuidelijke richting steekt de torenspits van de kerk boven het beboste landschap uit. Een waas van goud kondigt de herfst aan. Het voelt heel vreemd om buiten het terrein van de school te zijn. Ik neem een risico, dus houd ik mijn hoofd gebogen, al ben ik heel erg veranderd.

Ik loop over het weggetje naar het dorp. Ik schrik als een kraai wegvliegt uit een eikenboom links van me. De vogel vliegt naar een klein gebouwtje op een open plek tussen de bomen. Het is de oude kapel van Roecliffe Hall, vervallen en met klimop begroeid. De ramen zijn dichtgetimmerd en de begraafplaats is helemaal overwoekerd, zodat de grafstenen niet langer zichtbaar zijn. Er staat een hek omheen. Plukken schapenwol hangen als vergeten wasgoed aan het prikkeldraad.

Snel loop ik verder. Het dorp lijkt eindeloos ver weg.

Als ik in Roecliffe ben, zie ik net de bus wegrijden. 'Shit,' mompel ik, hoewel ik ook opgelucht ben. Wat zou ik in Skipton moeten doen? Ik heb alleen maar gezegd dat ik naar de stad ging omdat ik toch iets tegen Doug moest zeggen. Mijn oorspronkelijke plan zou in een ramp zijn geëindigd.

Er komt een auto mijn kant op, het enige voertuig in dit rustige dorp. Ik draai mijn rug naar de straat om niet gezien te worden, maar de auto gaat langzamer rijden en komt naast me tot stilstand. De bestuurder toetert, en als ik me onwillig omdraai, zie ik Adam achter het stuur zitten. Hij leunt opzij en draait vervolgens het raampje open.

'Hallo,' zegt hij ongemakkelijk. We hebben elkaar sinds het onderhoud met Mr. Palmer niet meer gesproken.

Ik knik, kijk dan nerveus om me heen. Opeens voel ik me heel erg kwetsbaar. Waarom ben ik eigenlijk weggegaan?

'Maak je een wandelingetje?'

'Niet echt.' Ik buig me voorover naar het raampje zodat ik niet zo luid hoef te praten. 'Ik heb de bus naar de stad gemist.'

'Naar Skipton? Daar kom ik net vandaan.' Hij klopt op een stapel bibliotheekboeken op de passagiersstoel. 'Als ik het had geweten, zou ik je een lift hebben gegeven.'

'Het was zomaar een opwelling,' lieg ik schouderophalend.

'Wil je een lift terug naar school?' Adam begint de boeken een voor een op de rommelige achterbank te gooien, naast zijn laptop.

'Graag,' zeg ik. In zijn auto ben ik veiliger dan op straat. 'Hé, je hebt jouw auto bij dezelfde dealer gekocht als ik de mijne.'

Hij lacht. Het boek dat hij nog in zijn hand houdt belandt op mijn schoot. *The Ritual of Murder*, lees ik. Non-fictie, zo te zien, en behoorlijk gedateerd. 'Dat lijkt me geen lichte kost,' merk ik op. Intussen hoop ik vurig dat hij niet over Katy Fenwick zal beginnen.

Hij reageert niet en rijdt weg. Voordat we bij het hek van de school zijn, gaat hij langzamer rijden, en hij kijkt een paar keer snel achter elkaar naar mij. Hij wil iets zeggen maar weet niet hoe hij moet beginnen. Een konijn schiet onder een heg langs de kant van de weg vandaan en blijft verlamd van angst zitten, zodat Adam moet stoppen. Hij grijpt zijn kans.

'Heb je nog nagedacht over... over dat incident?' vraagt hij.

'Ja, natuurlijk,' zeg ik direct. Ik wil er niets mee te maken hebben – de politie, advocaten, misschien zelfs een rechtszaak – maar het is gemeen om niet te vertellen wat ik heb gezien. Adam wil zijn baan niet verliezen.

'En?' Zijn vingers trommelen op het stuur. Ik weet niet of hij ongeduldig is omdat het konijn nog steeds op de weg zit, of omdat ik aarzel.

'En...' Mijn stem sterft weg. Het konijn hobbelt terug naar de heg, en Adam rijdt door. We rijden langs het hek van de school. Ik wil tegen hem zeggen dat hij de afslag heeft gemist, maar hij stopt een eindje verder langs de kant van de weg en schakelt de motor uit. Opeens hoor ik alleen nog maar kraaien; het lijkt alsof ze in mijn hoofd zitten, niet op het veld.

'Ik wacht wel,' zegt hij ernstig. Hij haalt een trommeltje uit het overvolle handschoenenvakje. Tussen verfrommelde snoeppapiertjes en tissues zit een zakje tabak met vloeitjes. Met zijn elleboog rustend op het open raampje begint hij een shagje te rollen. Hij doet er een eeuwigheid over om de tabak over het vloeitje te verdelen. Dan blaast een briesje de tabak eruit. Geduldig plukt hij de tabak van zijn broek en legt hij de sliertjes weer op het vloeitje. Hij wacht geduldig af.

'Ik ken Katy niet goed,' zeg ik. 'Volgens mij zit ze niet lekker in haar vel.' Dat is zacht uitgedrukt. 'De eerste keer dat ik haar klas lesgaf, beweerde ze dat ze wordt gepest.'

Adam snuift. Weer valt de tabak op zijn broek, weer begint hij opnieuw. Eindelijk kan hij rollen, en ik kijk toe als hij met zijn tong langs de lijm gaat en het vloeitje vastplakt. Ten slotte houdt hij het shagje tussen slanke vingers dicht bij zijn mond. 'Gepest,' zegt hij, en hij schudt zijn hoofd. Het is een gebaar dat geen uitleg behoeft.

'Ze mag geen televisiekijken,' zeg ik, alsof dat een excuus is voor haar gedrag. 'Strenge ouders, denk ik.' Hoe kan ik hem vertellen dat ik ze die nacht heb bespioneerd?

Met een ruk draait Adam zich naar me opzij. 'Ik kan mijn baan absoluut niet kwijtraken.' Ik lees paniek in zijn ogen en vraag me af waarom zijn baan zo belangrijk voor hem is.

'Dat gebeurt heus niet,' zeg ik vriendelijker dan mijn bedoeling was. Vreemd genoeg voel ik de behoefte om zijn schouder aan te raken, om hem gerust te stellen. 'Steek je dat shagje niet aan?' Opeens snak ik naar een sigaret.

Hij kijkt ernaar. 'Ik rook niet,' zegt hij, en hij gooit het shagje over zijn schouder naar achteren. Als ik omkijk, zie ik er een stuk of tien op de vloer liggen. Adam legt zijn hand op de contactsleutel. 'Is dat echt alles wat je van haar weet? Dat ze geen tv mag kijken en dat ze beweert dat ze wordt gepest?'

'Zo'n beetje.' Dat is niet helemaal gelogen. 'Sorry.'

Adam knikt stoïcijns. Hij start de motor, keert en stopt voor het hek van de school, waar hij zijn code intoetst. 'Ik heb haar nooit met een vinger aangeraakt,' zegt hij zonder me aan te kijken. 'Dat je het weet.'

'Ik geloof je, Adam.' Terwijl we over de oprijlaan rijden, vraag ik me af wat er voor nodig is om alle anderen van zijn onschuld te overtuigen.

22

Nina lag in Micks armen en snoof zijn lichaamsgeur op terwijl ze terugdacht aan de vorige avond. Zodra hij terug was gekomen met de witte verf had hij gemerkt hoe bang ze was en er alles aan gedaan om haar angst weg te nemen. Ondanks zijn deadline had hij de middag vrij genomen en tot haar opluchting was hij thuisgebleven. Ze hadden over van alles gepraat, van de tijd voor Josies geboorte tot wat ze met de extra inkomsten zouden gaan doen. Mick had een nieuwe badkamer geopperd, of zelfs een aanbouw aan het huis.

Later had hij gekookt en een film gehuurd voor Josie en haar vriendinnen. Josies vriendinnen waren weg van hem, wat zij uiteraard vreselijk vond.

Nina had Josie duidelijk gemaakt dat ze haar vader niet lastig moest vallen met verhalen over de politie en vals alarm. Dat hij zo hard moest werken en dat het zijn creativiteit zou aantasten als hij zich zorgen maakte. 'Ik heb me gewoon verbeeld dat er iemand aan de deur stond te rammelen,' had ze gezegd. Ze hadden er zelfs om gelachen.

Om geen last te hebben van de gillende en lachende meiden in de zitkamer had Mick Nina mee naar boven genomen, bij het kabaal vandaan. Hij had het bad vol laten lopen, en daarna had hij haar op hun bed gemasseerd. Toen hij halverwege haar rug was, had ze hem boven op zich getrokken en zijn kleren uitgetrokken, verlangend naar het gevoel van zijn huid tegen de hare.

Nu scheen het daglicht door de kier van de gordijnen. Ze verwachtte dat de angst die haar de laatste dagen had achtervolgd terug zou komen, maar dat gebeurde niet. Haar angst was weg, zoals je na een griepje opeens verkwikt wakker kon worden. Ze rekte zich uit.

Eigenlijk moest ze opstaan, maar ze bleef liggen, kijkend naar het verspringen van de cijfers van de wekker.

Ze deed haar best om als een buitenstaander naar de gebeurtenissen van de laatste paar dagen te kijken. De rommel in de kleedkamer, de botsing, Josies verdwenen kleren, iemand die aan de deur morrelde – het kon heel goed een aaneenschakeling van toevalligheden zijn, in plaats van het complot dat zij ervan had gemaakt. Niemand, zei ze tegen zichzelf, probeert me kwaad te doen.

Micks ademhaling versnelde en ze zag zijn oogleden bewegen. Kennelijk droomde hij. Vandaag, nam ze zich voor, zou ze niet meer denken aan dingen die haar bang maakten, maar zich concentreren op de voorbereidingen voor de nieuwe klus. Werk aan de winkel.

Voorzichtig maakte Nina zich los van Micks warme schouder. Ze stapte uit bed en liep naakt naar de badkamer. In de spiegel zag ze dat Mick zijn ogen opendeed. Hij glimlachte.

Onder de douche dacht ze aan haar werk. Ze voelde zich er schuldig over dat ze het tot nu aan Tess had overgelaten om de problemen op te lossen. Ze zou haar uitnodigen voor de lunch, zodat ze een taakverdeling konden maken. Dat was nodig ook. Over minder dan een week maakte Chameleon FX zijn debuut op de filmset in Pinewood, voor haar een belangrijk moment. Terwijl ze haar haar uitspoelde, bedacht ze dat ze moest controleren hoe het ervoor stond met haar bestellingen. Er mocht niet op het laatste moment iets misgaan.

'Goeiemorgen.' Nina trok haar wenkbrauwen op toen Josie aan de keukentafel ging zitten, waar ze een uur geleden haar ontbijt had klaargezet. Het was al elf uur, en Nina had niet stilgezeten. Ze had haar boekhouding bijgewerkt, telefoontjes gepleegd, de directeur van het theater gemaild over een nieuwe productie, een quiche met zalm en asperges gemaakt voor de lunch met Tess en een bestelling geplaatst voor een speciale gel die ze nodig had om brandwonden na te bootsen.

Josie zei niets. Ze stak de slappe toast in haar mond, slobberde het glas sinaasappelsap leeg en liep naar de deur.

'Nou, dat was ontzettend gezellig, schat. Ga je naar Nat?' Nina meende haar dochter vaag te zien knikken. 'Hoe laat ben je terug? Zal ik je ophalen?' Het was een mooie gelegenheid om even met Laura te praten.

Josie stak over haar schouder vijf vingers omhoog voordat ze wegliep uit de keuken.

'Dan haal ik je om vijf uur op,' zei Nina hoofdschuddend. 'Tieners,' mompelde ze nadat Josie de deur met een knal achter zich had dichtgegooid. Tien minuten later weerstond ze de verleiding om haar dochter een sms te sturen om te vragen of ze veilig bij Nat was aangekomen.

Het is hier om de hoek, hield ze zichzelf voor. Er gebeurt heus niets.

Nina ging weer aan de keukentafel zitten om e-mails te beantwoorden. Tess had gemaild dat ze iets later zou komen omdat haar jongste naar de tandarts moest. Dat kwam Nina goed uit, want zo had ze meer tijd om achterstallig werk te doen. De laatste paar dagen had ze veel te weinig gedaan. Over een paar jaar hoopte ze twintig man personeel in dienst te hebben, en te kunnen beschikken over een eigen pand en een portefeuille vol contracten. Dan konden ze misschien zelfs een keer met vakantie.

De deurbel onderbrak haar werk. Wat zou Josie zijn vergeten? vroeg ze zich af terwijl ze haar stoel naar achteren schoof.

Ze beende naar de voordeur. Het elastiekje om haar paardenstaart was losgeraakt, dus trok ze het eruit. Haar blote voeten maakten geen geluid op het kleed. Ze deed de deur open, maar zag niemand, en stak haar hoofd naar buiten. Haar auto stond op de oprit, met ernaast een paar kartonnen dozen voor de papierbak. Nergens een spoor van Josie. Had ze zich verbeeld dat er werd aangebeld?

Het zijn waarschijnlijk kinderen die kattenkwaad uithalen, dacht ze. Die vervelen zich altijd stierlijk in de zomervakantie.

Ze draaide zich om en wilde weer naar binnen gaan, maar bleef staan toen ze iets voelde onder haar voet. Het was een envelop, zag ze toen ze omlaag keek. Ze raapte hem op, stelde vast dat er geen naam of adres op stond en concludeerde dat het reclame moest zijn, want de postbode was al geweest. Al die reclame, het was om gek van te worden.

Nina zette water op, met de envelop nog in haar hand. Ze vroeg zich af of Mick trek zou hebben. Hij was al uren aan het werk, want hij wilde het doek waar hij aan werkte per se die dag af hebben. Ze wilde de envelop weggooien, maar toen voelde ze dat er iets hards in zat. Waarschijnlijk een gratis pen of een ander prul in het kader van een of andere reclamecampagne. Geërgerd scheurde ze de envelop open, maar tot haar verbazing zat er geen reclamefolder in.

Ze haalde het voorwerp eruit en de envelop dwarrelde op de vloer. Haar handen trilden. Ze fronste haar wenkbrauwen en haar hart begon sneller te kloppen. Herinneringen kwamen boven alsof ze aan prikkeldraad haar hoofd binnen werden gesleept.

O, god, nee.

Ze kon haar ogen niet geloven, kon niet geloven dat het ding echt was. Het was een haarspeldje, een haarspeldje voor een kind, ouderwets, een beetje verbogen, een beetje roestig. De aardbei zat er nog op, dik en rood, met zwarte stipjes en een steeltje dat ooit heldergroen was geweest, maar nu verbleekt van ouderdom.

'O, Mick,' fluisterde ze bevend. 'Josie...' Koortsachtig toetste ze een sms in om te vragen of Josie veilig bij Nat was. Binnen een paar seconden had ze antwoord: 'Ja xx'. Ze slaakte een zucht van verlichting.

Nina leunde tegen het aanrecht, gooide haar hoofd naar achteren en onderdrukte een snik. Ze moest nadenken.

Ze keek naar buiten en zag Micks atelier. Door het kleine raam scheen het felle licht naar buiten dat hij nodig had om bij te werken. Ze zag een trui van Josie over de rugleuning van een stoel hangen, een haarborstel die op de vloer was gevallen, een paar schoenen met platgetrapte hielen. Alles wat daarnet nog zo normaal was geweest, was dat nu niet meer. Toen zag ze haar spiegelbeeld in de ruit van een kast, het spiegelbeeld van een radeloze, doodsbange vrouw.

Nina haalde heel diep adem en veegde een traan van haar wang. Ze draaide het haarspeldje een paar keer rond tussen haar vingers en stak het toen in haar broekzak. Ze zette thee voor Mick, maakte een dressing voor de salade bij de lunch. Ze maakte zich op, trok een ander truitje aan en deed een was in de machine. Nadat ze de vaatwasmachine had ingeschakeld en een boodschappenlijstje had geschreven, liet ze zich met haar rug tegen de muur omlaag zakken, zich bewust van de druk op elke wervel. Toen zei ze op nuchtere toon: 'Het is voorbij.'

23

Katy's kin steekt naar voren. Ze bijt op de binnenkant van haar lip. Haar enkels en armen zijn over elkaar geslagen en ze staart naar de vloer.

'Katy?' Ze heeft nog geen woord gezegd sinds ik haar naar de ziekenboeg heb laten komen. Sylvia heeft een vrije dag, dus ik sta er alleen voor. 'Wat heb je te zeggen?'

'U kunt het niet bewijzen,' zegt ze.

'Klopt. Maar ik kan je wel vragen om uit te leggen waarom je Mr. Kingsley van zoiets vreselijks hebt beschuldigd.'

Ze haalt haar schouders op. 'Gewoon voor de lol.'

'Voor de lól?' herhaal ik verontwaardigd.

'Hij is niet getrouwd of zo. Ik heb hem niet gedwongen om naar me te kijken.' Katy slaakt een zucht, alsof ze vindt dat ik van een mug een olifant maak. 'Het ging niet om seks of een stomme verliefdheid.' Ze schudt haar haren naar achteren. 'Ik... ik had gewoon de pest in dat hij nee zei.'

'En dat wilde je hem betaald zetten?'

'Het was een weddenschap.' Ze kijkt me aan en bloost. Nu heeft ze niets meer van de naakte jonge vrouw in het bos. 'Alle meisjes vinden Mr. Kingsley leuk. Het is toch niet onze schuld dat er hier geen jongens zijn.' Ik knik om haar aan te moedigen door te gaan. 'Iemand zei dat Mr. Kingsley naar me had gekeken tijdens de les en dat ik het gewoon moest proberen.'

'Wat moest je proberen?' vraag ik.

'U weet wel.' Ze wordt nog roder. 'Hij is gewoon zo geil,' voegt ze eraan toe als ik niets zeg.

'Wat zeiden je ouders toen je vertelde dat een docent je had...' Ik kan mijn zin niet afmaken.

'Mijn vader ging door het lint. Hij heeft meteen een advocaat ingeschakeld om de school aan te klagen. En de politie is erbij gehaald omdat ik onder de zestien ben.' Ze beweegt haar schouders alsof ze iets afschudt.

'Komt het doordat je ouders zo streng zijn? Kom je daardoor tegen ze in opstand?' Ik had nooit gedacht dat ik dit zou zeggen tegen een tiener die ik niet eens ken.

'Nee,' snuift ze. 'Ik kan doen wat ik wil.'

We weten allebei dat het niet waar is, maar ik protesteer niet, want ik wil haar niet boos maken. 'Ik denk dat het voor je ouders en alle anderen een enorme opluchting zou zijn als je gewoon de waarheid vertelt.'

Ik heb haar al verteld dat ik alles heb gezien – dat ik wakker werd toen ze voor mijn deur stond, dat ik Adam tegen haar hoorde praten, dat ik ze naar buiten ben gevolgd en wist dat ze haar docent op alle mogelijke manieren heeft geprobeerd te verleiden. Ze luisterde en haalde hortend en stotend adem toen ze besefte dat ik het niet allemaal uit mijn duim kon zuigen.

Opeens laat ze haar ingehouden adem ontsnappen en barst ze in tranen uit. Ik ga naar haar toe en sla mijn armen aarzelend om haar heen – niet omdat ik bang ben dat ze me weg zal duwen, maar omdat ik zelf zo onnoemelijk veel troost put uit de aanraking.

'Nou, ga je me nog vertellen hoe het is gebeurd?' Adam wijst op mijn gezicht. De zon schijnt naar binnen door het hoge raam achter ons terwijl we zitten te ontbijten, wetend dat de bel elk moment kan gaan.

'Ik ben vroeger dompteuse geweest in een circus,' zeg ik met een uitgestreken gezicht. Mijn vinger strijkt over het litteken, een schuine streep van mijn linker ooghoek naar mijn jukbeen.

'Deed je ook de vliegende trapeze?' Hij blijft naar mijn gezicht kijken.

'Het was een ongeluk. Een auto-ongeluk,' vertel ik hem. 'Ik ben zo blij dat het goed is gekomen, Adam.'

Hij heeft me al uitgebreid bedankt toen ik hem van mijn gesprek met Katy vertelde, en dat ik haar heb overgehaald om haar leugen op te biechten.

'Het is heel erg belangrijk voor me om op Roecliffe te zijn,' zegt hij. 'Wat mij is overkomen, is de nachtmerrie van elke docent. Ik had alleen nooit verwacht dat het mij zou overkomen.'

'Katy krijgt professionele hulp buiten de school. Wij kunnen dat niet aan.'

Hij knikt. 'Gisteren heeft ze de politie een schriftelijke verklaring gegeven, waarin ze bevestigt dat ze alle beschuldigingen die ze heeft geuit zelf heeft verzonnen. Allemaal dankzij jou, Frankie. Ik sta bij je in het krijt.'

Adam is op zijn manier emotioneel, dit is zijn manier om zijn armen om me heen te slaan en een zucht van verlichting te slaken op mijn schouder. We kennen elkaar nog maar kort, en heel oppervlakkig. Door dit drama heb ik gemerkt dat hij dingen achterhoudt, net als ik.

'Ik heb jullie echt niet bespioneerd,' zeg ik nog een keer. 'Ik heb je verteld hoe het is gegaan. Ik moest zorgen dat Katy bekende. Ik wilde voorkomen dat jij je baan kwijtraakte. Ze is de laatste paar dagen een stuk volwassener geworden.'

Ik heb besloten niemand anders te vertellen wat ik die nacht heb gezien. Mr. Palmer hoeft niet te weten dat Katy's bekentenis aan mij te danken is. Ik heb liever dat hij haar ziet als een dappere jonge vrouw die de moed heeft gehad om haar fouten toe te geven. De onfrisse geschiedenis is achter de rug en de reputatie van de school is gered. Ik stel me voor dat hij tegen haar heeft gezegd: *non scholae sed vitae discimus,* we leren niet voor de school, we leren voor het leven.

'Lijkt je dat leuk?' Adam praat tegen me en ik heb niet geluisterd. De bel gaat. 'Om straks samen een eind te gaan wandelen?' herhaalt hij terwijl hij opstaat.

'Ja. Ja, dat lijkt me leuk.' Niet meer dan een paar woorden, en toch valt het me zwaar om ze uit te spreken. Ik kijk Adam na als hij zijn bord wegbrengt. Enerzijds, besef ik, druist het in tegen de eed die ik heb gezworen om met niemand te gaan wandelen, om met niemand te praten, om tijd met niemand door te brengen buiten het werk. Anderzijds voel ik me daardoor juist weer een beetje normaal.

'Je hebt me gered,' zeg ik, 'dus nu staan we quitte.' Ik heb een jas aangetrokken. Het is half oktober en aan het eind van de dag koelt het behoorlijk af. Volgende week is het herfstvakantie. Dat doet me denken aan plannen, aan vakanties in Schotland, aan blokhutten en lange wandelingen, aan terloopse kusjes die nooit werden geteld, aan de omhelzingen en ruzietjes die weer werden vergeten. 'Ik zou de hele avond meisjes moeten hebben troosten. Sylvia heeft het van me overgenomen.'

'Ze hebben altijd veel last van heimwee in deze tijd van het jaar. Niet omdat ze zich erop verheugen dat ze volgende week naar huis gaan, maar omdat ze ertegen opzien om na de vakantie weer naar school te moeten. Vooral de eerstejaars. Dat is althans mijn theorie.'

Ik knik. Roecliffe Hall veroorzaakt heel wat tranen.

'Ik heb zelf op een internaat gezeten,' gaat Adam verder, 'en ik vond het er vreselijk. En nu geef ik les op een kostschool. Dat is de ironie van het lot.'

We lopen bij de school vandaan over een voetpad ten westen van het gebouw. Een pad dat kilometers lang is, een pad dat al door duizenden anonieme voeten is betreden. Ik denk aan wat Adam net heeft verteld; een spatje kleur in het zwart-wit van zijn leven. Ik wil meer weten.

'Waar was dat?' Het is onverwacht zoet, dit contact. Een veilig toevluchtsoord in de chaos. Zonder Katy's kuren zou het niet zijn gebeurd. Ik trek mijn jas om me heen. 'In bananenland?'

Hij schudt zijn hoofd. 'Nee. Het was een vreselijk oord in Birmingham. De omstandigheden waren een beetje vreemd.'

'Hoezo?'

We lopen langs een veld met schapen – witte vlekken tegen een olijfgroene achtergrond nu het begint te schemeren. De dieren houden op met grazen en kijken naar ons als we langslopen.

'Kijk,' zegt hij opeens op gedempte toon. Hij blijft staan en wijst naar een hoek van het veld. 'Een haas.' Hij gaat op zijn hurken zitten, alsof we onze geur kunnen verhullen door ons zo klein mogelijk te maken. 'Een haas brengt geluk,' fluistert hij. 'Volgens de heidenen was het een teken van vruchtbaarheid. Kijk, hij heeft ons in de gaten.'

De haas snuffelt en verstijft, loopt dan met grote sprongen weg naar een heg vijftien meter verderop. Daar blijft hij stokstijf staan. Zijn lange oren bewegen als Adam overeind komt en weer op normale toon begint te praten.

'Er zijn verhalen over heksen die de gedaante van een haas aannemen.' Hij kijkt me aan en grijnst. 'Echt waar.'

'Een gedaantewisseling?' zeg ik. Het is eerder een gedachte die ik hardop uitspreek dan een vraag.

'Dat is schering en inslag in de volksverhalen,' gaat hij verder. 'Het ene levende ding kan zomaar veranderen in iets anders.'

'Grappig,' zeg ik peinzend. We lopen weer verder, en vanuit mijn ooghoeken zie ik de haas wegduiken in de heg.

'Denk je dat je hier je hele leven les blijft geven?'

We zitten in de zitkamer van het personeel en drinken thee. We hebben kilometers gelopen, en tegen de tijd dat we terugkwamen waren mijn wangen net zo rood als mijn jas. Adam lachte me uit omdat ik buiten adem was en zei dat ik er vaker uit moest gaan. Ik glimlachte en voelde opeens de behoefte om hem uit te leggen waarom dat niet kan.

'Mijn hele leven is wel heel erg lang. Eerst wil ik mijn boek schrijven.'

'Boek?' zeg ik, alsof ik van niets weet. Adam onthult nog iets over zichzelf, waardoor ik niet hetzelfde hoef te doen.

Hij knikt bijna verlegen. 'Ik schrijf een eh... een soort van geschiedenis van de school.'

Er valt een pijnlijke stilte.

'Eigenlijk,' vervolgt hij als ik blijf zwijgen, 'is het meer een geschiedenis van het gebouw dan van deze school. Ik betrek het dorp Roecliffe er ook bij. De dingen die hier allemaal zijn gebeurd.' Zijn accent is opeens weer geprononceerder; het klinkt misplaatst in deze omgeving. 'Het gebouw heeft een behoorlijk kleurrijk verleden.'

'Hoezo?' Het gonst in mijn oren.

Adam haalt zijn schouders op. 'Hoe lang heb je?'

Mijn hele leven, antwoord ik in stilte.

Hij schuift een antieke schaaktafel tussen ons in en trekt het laatje met de schaakstukken open. 'Zin in een spelletje?' vraagt hij.

Ik speel al een spel, denk ik. Ik knik instemmend.

24

Al dat wachten, mijn hele jeugd lang, jaar in, jaar uit. Vreemd genoeg kan die ene blik op de klok, die ene blik uit het raam, dat ene sprintje naar het prikbord om te zien of er een brief hangt met je naam erop, zich tot je halve leven aaneenrijgen.

Ik raakte eraan gewend dat ik mijn vader niet zag. Na die keer dat hij met zijn arm om Patricia's schouders was weggereden, kwam hij me misschien nog een of twee keer opzoeken. Ik weet het echt niet meer. In het begin vroeg ik haar waar hij was, want zij leek meer te weten dan ik. Ze kreeg een dromerige uitdrukking in haar ogen als ze het over hem had. 'Wlliam Fergus,' noemde ze hem altijd, alsof hij van adel was of zo. 'Wlliam Fergus heeft me meegenomen voor een ritje in zijn auto,' zei ze bijvoorbeeld. 'William Fergus heeft een hoed voor me gekocht. William Fergus en ik zijn naar de film geweest. William Fergus heeft mijn hand vastgehouden.'

William Fergus, dacht ik bitter. Hij had niet eens tijd om zijn eigen dochter op te komen zoeken.

Bovendien, toen ze me vertelde dat ze elkaars hand hadden vastgehouden, wist ik precies wat ze bedoelde. We hadden televisie in het tehuis. We zagen wat grote mensen deden nadat ze elkaars hand hadden vastgehouden. Ik rende weg toen ik het zag. Rennen deed pijn doordat mijn schoenen veel te klein waren. Het was een soort straf. Maar als mijn vader en Patricia vrienden waren, als ze iets met elkaar hadden, waarom moest ik dan in het tehuis wonen? Waarom kon Patricia niet mijn nieuwe mama worden? Waarom kon ik niet naar huis?

Het antwoord was simpel, concludeerde ik. Mijn vader had een hekel aan me.

En zo gingen de dagen over in weken, in maanden, in jaren. We wachtten allemaal, we wachtten tot er iets zou gebeuren, tot iets of iemand ons zou komen redden. Sommige kinderen mochten naar school, en ik was een van de gelukkigen: ik mocht zes uur per dag weg uit het tehuis. Tot mijn elfde liep ik met een groepje jongens en meisjes naar de lagere school in het dorp. Op het schoolplein werden we door de andere kinderen gepest. Wij hadden geen ouders. Er was niemand die van ons hield. We waren smerig, we stonken, en niemand wilde naast ons zitten of hand in hand met ons lopen. Toen we wat ouder waren, mochten we met de bus naar de middelbare school in de stad. We werden geslagen en geschopt en gepest, maar soms lieten ze ons met rust en konden we ongestoord de lessen volgen.

Als we niet op school zaten, zwierven we doelloos rond in het tehuis. De jongens vochten met elkaar, maakten dingen kapot, liepen weg en krijsten als ze terug werden gesleept. De meisjes waren in zichzelf gekeerd, werden humeurig en stil, en verzonnen altijd dingen die ze zelf konden maken. Van niets: dingen uit de vuilnisbak, oude kleren. Er werden lapjes geweven, karton werd aan elkaar gelijmd, draadjes werden haakwerkjes. We maakten poppen. We maakten armbandjes en bedeltjes. We maakten tekeningen en cadeautjes; sommige meisjes zeiden dat ze voor hun ouders waren. Terwijl we niet eens meer wisten wat ouders ook alweer waren.

En intussen wachtten we de hele tijd tot er iets zou gebeuren.

Toen kwam ze. Het meisje dat mijn leven zou veranderen. Er was al een hele tijd niets gebeurd, niets veranderd. 'Geen nieuwkomers,' zei Miss Maddocks.

Ik vond haar bij toeval. Ze stond in een plas urine. Ze huilde en op haar blote billen stond heel duidelijk de vurige handafdruk van een volwassene. Ze droeg alleen een hemdje met vlekken, verder was ze bloot.

Ik was bijna dertien, maar ik zag er twee jaar ouder uit. Al mijn kleren waren me te klein. Ik had het lichaam van een jonge vrouw, maar ik droeg de kleren van een meisje van tien. Toen ik haar ontdekte, zag ik aan de uitdrukking op haar gezicht dat ze me voor een van de verzorgers aanzag – de verzorgers voor wie we allemaal bang waren. In haar ogen moet ik honderd jaar oud hebben geleken.

Ze stond in een donkere gang met ontelbare dichte deuren, compleet in de war, en ze strekte haar armpjes naar me uit toen ik langsliep. Ze wilde dat ik haar optilde. Ze hunkerde naar iemand die van haar hield.

'Hallo,' zei ik. Ik ging op mijn hurken zitten. Ze was een jaar of drie, zeker niet ouder. Aarzelend sloeg ze haar armen om mijn nek. Ze wilde de warmte van een ander menselijk wezen voelen, zichzelf ervan overtuigen dat ze niet alleen op de wereld was. Het was een instinctieve drang om te overleven.

'Hoe heet je?' Haar gloeiende gezichtje lag tegen mijn hals. Elke keer dat ze inademde, hikte of snikte ze. De geur van urine prikte in mijn neus.

'Betsy,' fluisterde ze in mijn oor.

'Ik heet Ava,' zei ik tegen haar. 'Je bent nieuw, hè?'

Ik had niets gehoord over een nieuw kind, en ik zat er lang genoeg om te weten hoe het systeem werkte. Altijd was er wel iemand die de auto van de maatschappelijk werker op de oprit zag staan. Het nieuws ging dan als een lopend vuurtje door het hele tehuis, de gefluisterde woorden werden van oor naar oor doorgegeven: er is een nieuwe. Kinderen verzamelden zich bij de grote voordeur, een wriemelend kluitje dat door het raam naar buiten gluurde in afwachting van de nieuwste vangst. Dan begon het joelen, fluiten, dansen, roepen naar het nieuwe kind en werden er schunnige gebaren gemaakt totdat het groepje door ongeduldige gebaren van de verzorgers uiteen werd gedreven. Ik nam de nieuweling altijd nieuwsgierig op maar hield me wel afzijdig, en dan racete ik naar mijn bed om mijn eigendommen te verdedigen.

Het meisje likte mijn hals. Ik trok haar los en hield haar een eindje bij me vandaan, in het licht dat door een raampje hoog boven ons naar binnen viel. 'Waar kom je vandaan?' vroeg ik, maar ze zei niets. 'Kun je praten?'

Ze staarde me niet-begrijpend aan, met grote blauwe ogen onder roodgouden krullen, die aan elkaar waren geklit van het vuil en waarschijnlijk onder de luizen zaten. Ze trok haar hemdje omhoog en begon erop te zuigen. Kennelijk rammelde ze van de honger. 'Kom maar met me mee,' zei ik, want ik wilde haar helpen. Warme kleverige vingertjes werden in mijn hand geschoven toen ik haar meenam naar mijn slaapzaal. Twee andere meisjes zaten met gekruiste benen op een bed. De een knipte het haar van de ander met een plastic speelgoedschaartje.

Ik dook in mijn nachtkastje en haalde er een gekreukelde papieren zak uit. Er regende suiker uit door een gat en het meisje dook op de vloer, drukte haar vingers erin en stak die in haar mond. 'Jeetje, wat heb jij een honger.'

Ik kiepte de inhoud op mijn bed. Eén keer per week kregen we snoepjes, meestal gomballen die in grote vaten werden gekocht. Ik had telkens een snoepje opgespaard en had nu een flink voorraadje. Ik was van plan geweest de snoepjes in mijn eentje onder mijn deken op te eten als ik verdrietig was. Een manier om het eindeloze wachten te overleven.

Gretig schrokte het kind de snoepjes naar binnen. Toen drukte ze net zo lang een natte vinger in de suiker totdat er alleen nog een vochtige plek op de sprei over was.

'Hoe heet ze?' vroeg Alison. Ze trok aan de haren van haar vriendin met het botte schaartje. 'Zal ik haar haar knippen?'

Ik kamde met mijn vingers door haar haren, haalde de knopen eruit om haar hoofdhuid te kunnen zien. En ja hoor, luizen. Ik trok een vies gezicht. 'Ze heet Betsy,' zei ik. 'En haar haar moet er allemaal af.' De laatste keer dat er luizen waren, hadden we de hele nacht kokhalzend wakker gelegen door het smerige spul waarmee Patricia ons had behandeld.

'Ze is lief, hè?' Ik deed mijn kast open en haalde er de kleinste rok uit die ik kon vinden. 'Ze is van mij,' waarschuwde ik de anderen. 'Ik heb haar gevonden.' Ik gaf Betsy de rok aan, maar ze staarde er alleen maar naar. Ik hield de tailleband open en ze stapte erin, alsof het iets was wat ze vaker had gedaan, alsof ze ooit een moeder had gehad.

Patricia stond in de deuropening en keek me dreigend aan. 'Daar is het stomme wicht.' Toen glimlachte ze. 'Er is een bed vrijgekomen, meisje. Dat mag jij hebben.'

Ik had nooit hoogte kunnen krijgen van Patricia. Ze was een on-doorgrondelijk personage in het tehuis. Haar stemmingen wisselden van moederlijk tot vrolijk, van duister tot regelrecht onheilspellend. Ik wist het altijd als ze met mijn vader samen was geweest. Dan was haar stemming bruisend als priklimonade.

'Welk bed krijgt ze?' vroeg ik. Het kind kroop tegen me aan. Ik had het gevoel dat mijn leven eindelijk weer zin had. Warmte verspreidde zich door mijn binnenste, stroomde door mijn aderen en vulde de leegte. 'Ze wil bij mij blijven,' zei ik tegen Patricia.

'Ze mag Dawns bed hebben. Dawn is weg.' De woorden vielen uit Patricia's mond alsof ze kiezelstenen uitspuugde. Haar wangen waren rood geworden.

Ik zei niets. Ik keek wel beter uit. Soms gingen er kinderen weg zonder een spoor na te laten. Soms gingen ze weg en kwamen ze dagen later weer terug. Sommige kinderen wilden nooit meer praten. Soms vroegen we wat hun was overkomen, en soms kregen we dan een klap.

'Mag ze naast mij slapen?' Het meisje was op mijn schoot gekropen en had zich opgerold als een poesje. Ik hield haar dicht tegen me aan, nog steeds helemaal warm vanbinnen.

'Heeft ze je verteld hoe ze heet?' Patricia's magere armen vormden puntige vleugels. Priemend keek ze me aan, alsof dit een test was. *Vertel me hoe ze heet, dan mag ze naast je slapen.*

Ik keek naar haar omlaag en voelde sterk de behoefte om haar te beschermen. Van dichtbij zag ik de luizen op haar hoofd, de klitten in haar haar, het vuil op haar huid. Ik wilde haar in bad doen, zorgen dat ze het warm kreeg, ik wilde haar haar borstelen en haar te eten geven. Niemand hield van mij, maar ik kon wel van haar houden. Mijn levende pop.

'Ze heet Betsy,' zei ik tegen Patricia. 'Ze zegt dat ze Betsy heet en dat ze mijn vriendin wil zijn. Ik zal voor haar zorgen. Als ze naast mij mag slapen, zult u geen last van haar hebben.'

Patricia ontspande zich zichtbaar toen ze dat hoorde. Ze klaagde altijd dat ze het zo druk had, dat er te weinig personeel was, dat de gemeente hun meer geld moest geven. Verzorgers kwamen en gingen. Patricia en Miss Maddocks hadden verteld dat ze al heel lang in het tehuis werkten, dat ze alles wisten wat er te weten viel.

'Goed,' zei ze. 'Ik zal het lege bed naast het jouwe laten zetten. We weten weinig over haar achtergrond, alleen dat het vorige kindertehuis haar eruit heeft geschopt omdat ze onhandelbaar was.' Patricia schudde haar hoofd en draaide zich om, maar na een paar stappen bleef ze weer staan. 'En zorg ervoor dat ze niet overal plast, Ava, want je moet het zelf opdweilen.' Ze liep weg, tevreden dat ze een zorg minder had.

'Alison,' zei ik grijnzend, 'ga maar aan het werk.' Ik zette Betsy op mijn bed, en Alison knipte de klitten uit haar haar. Een tijdje later zag Betsy er heel anders uit. Ze leek een beetje op een jongen met haar rattenkopje, en nu kon ik haar haar makkelijk wassen. Ik plukte de luizen een voor een van haar hoofd en verzoop ze in het badwater.

'Vieze beesten,' zei ik tegen haar, en ik liet er een zien. Ze sloeg hem in het water en maakte een geluid waarvan ik hoopte dat het een lach was. Toen zeepte ik haar helemaal in en waste ik de laag vuil weg totdat haar huid weer roze was. Ik boende haar nek en tussen haar tenen. Ik wikkelde het schone kind in mijn handdoek en zong kinderliedjes voor haar.

'Weet je, Betsy,' zei ik toen we door de gang terugliepen naar de slaapzaal, 'ik heb altijd een broertje of zusje willen hebben.'

Opeens bleef Betsy staan en ze ging op de koude vloer zitten. Ze trok de handdoek omhoog tot aan haar kin en begon heen en weer te wiegen. 'Bwoer, bwoer, bwoer...' kreunde ze. Ik tilde haar op en hield haar dicht tegen me aan, verbaasd dat ze eindelijk iets had gezegd, een tipje van de sluier had opgelicht.

'Heb je een broer, Betsy? Waar is je broer?' Ik zette haar op mijn bed en ze greep mijn haar vast.

Ze knikte naar me en keek me recht in de ogen. 'Bwoer weg,' zei ze met zo'n triest stemmetje dat het pijn deed aan mijn hart. Ze herhaalde het nog wel tien keer voordat ze de handdoek losliet en de sprei over haar hoofd trok.

Later deed ik Betsy kleren aan die ik in Dawns kast had gevon-

den. Het meisje was acht en klein voor haar leeftijd toen ze verdween. Het kwam niet bij me op om te bedenken hoe vreemd het
was dat Dawn al haar spullen had achtergelaten, hoe wonderlijk het
was dat mijn kleine Betsy in haar schoenen stapte alsof het andere
meisje nooit had bestaan.

25

Het is net de zee bij laagwater. Het omgekeerde van de toestroom van leerlingen die ik nog maar een paar weken geleden heb gadegeslagen. Er is in de tussentijd zo veel gebeurd, en toch is niets echt veranderd. Vanuit mijn slaapkamer op zolder zien de meisjes eruit als boze mieren, die ongeduldig op hun ouders wachten.

Katy heeft me verteld dat ze met haar ouders naar Italië gaat. Een mooie straf voor haar onverantwoordelijke pubergedrag. Sinds ik haar met Adam in het bos heb gezien, heb ik diverse keren van haar gedroomd. De volgende ochtend schreef ik de droom op, in de hoop dat ik er dan van verlost zou zijn. Het tegendeel gebeurde: hij kwam terug, maar dan een flinke graad erger. In de laatste droom groef de politie Katy's naakte lichaam op uit een ondiep graf op precies dezelfde plek waar ik haar met Adam heb gezien. Een man zonder gezicht hield zich schuil in de schaduw. Drijfnat van het zweet werd ik wakker, verstijfd van angst.

Ik adem tegen de ruit en teken een X in de condens; een afscheidskusje voor alle meisjes die met herfstvakantie gaan. Er wordt zachtjes op mijn deur geklopt en ik doe open.

'Lexi,' zeg ik. 'Is er iets?' Haar mascara is uitgelopen, net als de dikke streep eyeliner die haar altijd op een standje komt te staan. Ze ziet eruit alsof ze een blauw oog heeft.

'Hij komt weer eens te laat,' klaagt ze. 'Ik heb vakantie en hij laat me stikken. Iedereen is weg, behalve ik.' Ze heeft het over haar vader.

'Je bent heus niet alleen. Ik ga niet weg.' Het kost me moeite om de woorden te zeggen.

'Je zou denken dat hij me graag wil zien.' Ze stormt mijn kamer binnen en laat zich op mijn bed vallen. 'Jij hebt mazzel,' vervolgt ze.

Ze pakt een tissue uit de doos op mijn toilettafel. 'Jij kunt weggaan wanneer je wilt.'

Ik zou haar willen vertellen dat ik niet weg kan, dat ik op Roecliffe blijf in plaats van een paar dagen naar zee te gaan, of naar familie of op een wandelvakantie. Dat ik mijn best zal doen om uit de buurt te blijven van het handjevol personeelsleden dat op school blijft, dat, net als ik, nergens naartoe kan. Maar dat doe ik niet. Ik ken Lexi goed genoeg om te weten dat ze vragen zou gaan stellen.

'Heeft je vader gezegd wanneer hij je zou komen halen?'

Lexi geeft geen antwoord. Ze bekijkt de weinige spullen op mijn toilettafel alsof ze van haar zijn. 'Je hebt niet veel make-up,' merkt ze op. 'En gebruik je dit om je haar mee te wassen?' Ze maakt de fles shampoo van de supermarkt open en trekt een gezicht. 'Getver. Dat spul ruikt naar wc-reiniger.'

Ik betwijfel of Lexi ooit van haar leven een wc heeft schoongemaakt, laat staan dat ze weet hoe wc-eend ruikt, maar het zou zinloos zijn om het te zeggen. 'Ik heb er geen last van.' In werkelijkheid koop ik goedkope dingen omdat ik maar heel weinig geld heb. Tot nu toe heeft de boekhouder me alleen een voorschot van tweehonderd pond contant gegeven, met de mededeling dat hij mijn salaris niet kan overmaken zolang ik hem geen bankrekeningnummer geef.

'Vraag het aan je kapper, die kan je vast wel iets aanbevelen. Papa stuurt me elke vakantie naar Londen voor een dag in de schoonheidssalon. Ze doen alles wat ik vraag en papa betaalt...'

'Hier.' Ik geef haar de lichtblauwe fles aan. 'Probeer het maar. Misschien sta je wel versteld.'

Langzaam steekt ze een hand uit om de fles aan te pakken. Ze doet haar best om niet verontwaardigd te kijken en neemt zelfs de moeite om me te bedanken.

'Als je haar ervan gaat pluizen, giet je het gewoon in de shampoofles van je vaders vriendin.' We lachen allebei. 'Blijf je vannacht slapen?' Sylvia en ik hebben de bedden al afgehaald.

Lexi haalt haar schouders op. 'Het zou best kunnen dat ik de hele week hier moet blijven,' zegt ze somber, spelend met een sjaal die op mijn bed ligt. 'Het zou niet de eerste keer zijn. Wat bedoelde je trouwens, toen je een tijdje geleden tegen me zei dat we veel met elkaar gemeen hebben? Ben jij ook weggestopt op een internaat terwijl je ouders leuke dingen deden?'

'Nee,' antwoord ik. Ik bedenk andere antwoorden – leugenachtige, ontwijkende, pijnlijk eerlijke. Ze zou er geen woord van geloven. 'Ik was vroeger net zo koppig als jij. Ik werd boos als andere mensen me in de steek lieten, net zoals jij nu boos bent op je vader.'

'Wat heb je gedaan?' Lexi zit in kleermakerszit op mijn bed, met de sjaal en de shampoo op haar schoot alsof het haar enige wereldse bezittingen zijn.

'Ik ben gewoon veranderd,' zeg ik tegen haar.

Het keukenpersoneel heeft vrijaf in de vakantie. Voor degenen die op school willen blijven – en degenen die geen keus hebben – is een voorraad eten achtergelaten in een reusachtige koelkast. Ik staar naar al dat eten en vraag me af of ik moet aanbieden om voor de anderen te koken. Maar dat zou uitlopen op gesprekken tijdens de maaltijd, verhalen en vragen. Ik pak een stuk kaas en leg het op een plank.

'Ha, daar ben je.'

Met een ruk draai ik me om, een mes in mijn hand. Mijn mond hangt open.

'Ik ben onschuldig.' Adam steekt zijn handen omhoog alsof hij zichzelf verdedigt. 'Ik wilde je alleen vragen of je zin hebt om met ons mee te gaan. We gaan een hapje eten in de pub om het te vieren.'

'Om wat te vieren?' Het mes weerkaatst het licht van een lamp en het vlekje danst over de keukenmuren.

'Dat het vakantie is,' zegt hij. 'Dat we rust hebben.'

'Rust?' zeg ik terwijl ik een stuk kaas afsnijd.

'Moet je nou echt alles wat ik zeg herhalen?' Hij kijkt op zijn horloge. 'Nou, ga je mee? We gaan over tien minuten weg.'

Ik staar naar Adam, maar zonder hem te zien. Ik zie iemand anders, iemand met wie ik veel liever samen zou zijn. Iemand die niet

147

zo groot is, iemand die zijn armen om me heen zou slaan als ik geen zin zou hebben om naar de pub te gaan, iemand die dan een blad met eten naar mijn kamer zou brengen, naast me zou komen liggen, me zou troosten, me aan het lachen zou maken. 'Sorry,' zeg ik. 'Ik ben moe.'

Ik kijk naar de plank met de kaas en er komt een waas voor mijn ogen, zodat het lijkt alsof de kaas smelt. Met de binnenkant van mijn pols veeg ik mijn ogen af.

'Heb je uien gesneden?' vraagt Adam. Ik schud mijn hoofd en onderdruk een snik. Hij loopt naar me toe, leunt naast me tegen het roestvrijstalen aanrecht en kijkt me doordringend aan. 'Is er iets, Frankie?' Ik weet dat hij liever zijn jas gaat halen om samen met zijn vrienden naar de pub te lopen. Ik weet dat hij zich op een gezellig avondje verheugt.

'Nee, hoor.' Ga alsjeblieft weg, denk ik, hoewel ik eigenlijk niet wil dat hij weggaat.

'Nou, tot morgen dan maar.'

'Tot morgen.' Ik wacht tot het geluid van zijn voetstappen helemaal is weggestorven en hak dan het hele stuk kaas in blokjes.

Het vuur gaat makkelijk aan. De lucifers die in de keuken op een plank lagen hebben me op het idee gebracht. Terwijl ik het doosje rond liet gaan tussen mijn vingers probeerde ik te bedenken waar ik hout zou kunnen vinden. In de prullenbakken in de bibliotheek lagen genoeg kranten om het hele gebouw in lichterlaaie te kunnen zetten, maar ik had aan een paar kranten genoeg.

'Hout,' mompelde ik hardop, en ik vroeg me af of iemand het zou merken als er een paar schoolbanken waren verdwenen. Ik zette koers naar de kelder en ging met mijn hand over de vochtige muur totdat ik een lichtknopje had gevonden. Via een netwerk van gangen en ruimtes met lage plafonds kom ik uiteindelijk bij een stapel kapotte meubels die grofweg in stukken zijn gehakt, waarschijnlijk bedoeld voor die ene keer per jaar dat een haardvuur is toegestaan.

Ik verzamelde een armvol hout en bracht het naar boven. Toen ging ik terug om meer te halen. Ik liep op en neer totdat ik genoeg hout had voor de hele avond. Ik draaide een stuk of tien strakke proppen van het krantenpapier, legde die in de haard en maakte een wigwam van de kleinste stukken hout. Mijn hart klopte in mijn keel.

Toen streek ik een lucifer af en hield die bij het papier. Al snel likten er vlammetjes aan het gesplinterde hout. Na tien minuten had het kleine hout vlam gevat en kon ik er grotere stukken op leggen. Ik ging terug naar de keuken om het dienblad te halen dat ik voor mezelf had klaargezet.

Nou, daar zit ik dan, genesteld in een eenzame stoel die ik naast de haard heb geschoven, met het dienblad tussen mijn voeten. Mijn linkerwang gloeit van de hitte van het vuur. Ik kauw langzaam op kaas en crackers. Ik heb een van de flessen wijn die klaarstaan voor het personeel opengemaakt en schenk mezelf nog een glas in.

Ik gooi meer hout op het vuur en staar in de vlammen. Het vuur is zo heet dat ik mijn vest uittrek. Langzaam verstrijkt de tijd, en ik denk aan de anderen in de pub. Het is kwart voor negen. Ik heb vier docenten weg zien lopen – een vrouw die volgens mij Latijn geeft, Mr. McBain van informatietechnologie, plus een nieuwe docent uit Parijs die Frans geeft, en Adam natuurlijk.

Ik trek mijn voeten op de stoel en sla mijn armen om mijn knieën. 'Vermoedelijk heeft hij ook geen thuis,' mompel ik bij mezelf. Door een combinatie van de warmte, de alcohol en mijn eenzaamheid dwalen mijn gedachten af naar een plaats waar ik niet wil zijn. Ik zet mijn glas op een tafeltje en haal een foto uit mijn achterzak. De foto zit in een gripzakje en is een beetje gekreukeld. De gezichten zien er onder het glimmende plastic spookachtig uit. Ik trek de sluiting open.

Dan slaak ik een gil. 'O, mijn god, ik schrik me dood!' Mijn opluchting veroorzaakt een hysterische lach.

'Dat was absoluut niet de bedoeling.' Adam lacht en bukt zich om de foto op te rapen die ik heb laten vallen. 'Hier.' Hij geeft hem terug nadat hij er vluchtig naar heeft gekeken. 'Het spijt me.'

Hij sleept nog een stoel naar de haard en zet die tegenover me neer. Mijn rustige avondje is verstoord, maar diep vanbinnen ben ik blij met zijn gezelschap.

'Wat is dit allemaal?' Hij wijst op het restje van mijn maaltijd en het laaiende vuur. 'En wie heeft ook geen thuis?'

Mijn hele gezicht wordt rood, niet alleen de kant die naar het vuur is gekeerd. 'Ik dacht dat je naar de pub was,' zeg ik ontwijkend.

'Wil je liever alleen zijn?'

Nee, blijf alsjeblieft bij me, smeek ik hem in stilte.

Ik haal mijn schouders op en schuif de foto onder mijn been. 'Je mag best blijven, als je wilt.'

'Leuk meisje. Familie van je?' vraagt hij.

'Nee. Een vriendin heeft me de foto gestuurd. Krijg jij veel post uit bananenland?'

Adam lacht snuivend. 'Jammer genoeg niet. Ik heb geen familie in Australië. Sterker nog, ik heb helemaal geen familie, afgezien van een ex-vrouw. En als zij mijn adres zou hebben, zou ze me waarschijnlijk rotte bananen sturen.'

Mijn beurt om te lachen. 'Laat me eens raden. Zij wilde ijs bij haar bananen en jij prakte ze op brood.'

'Zoiets.' Adam wijst op de wijnfles. 'Mag ik ook een glaasje?' Even later komt hij terug uit de keuken met een extra glas en nog een fles.

Ik probeer mezelf ervan te overtuigen dat dit gesprek geen kwaad kan, dat ik mezelf niet in gevaar breng. Hij is gewoon een collega en hij komt niet eens uit deze streek. Het risico is klein.

'Dus je hebt nergens familie?' vraag ik. Als we het gaan doen, als we de avond samen doorbrengen, dan wil ik alleen over hem praten. 'En je hebt me nog niet verteld waarom je terug bent gekomen uit de pub.'

'Nee, nergens, en omdat ik me zorgen maakte over jou. Tevreden?' Met een haast ondeugende twinkeling in zijn ogen schenkt Adam onze glazen vol en hij schuift dichter naar het vuur, naar mij. 'Brr, wat is het koud vanavond.'

'Je had je geen zorgen hoeven maken,' zeg ik, boos op mezelf omdat ik het fijn vind dat hij voor mij is teruggekomen. 'Ik ben niet zielig of zo. Het zijn gewoon drukke weken geweest.'

'Daar raak je snel genoeg aan gewend,' zegt hij. 'Buiten Roecliffe Hall ben ik officieel dakloos.' Hij buigt zijn slanke lichaam naar het vuur als een plant naar het licht, port in het vuur met de pook en legt er nieuwe houtblokken op. Een vonkenregen stijgt op naar de schoorsteen.

'Hoe voelt dat?' Ik doe mijn vest weer aan en trek het omlaag over mijn benen.

'Vrij,' bekent hij. 'Voor het eerst van mijn leven voel ik me vrij.'

'Voelde je je dan gevangen in je huwelijk?'

Adam zucht, zich duidelijk afvragend of hij het me zal vertellen. 'Claudia is een heel erg mooie vrouw, de droom van elke man. Maar we waren pas negentien toen we elkaar leerden kennen. Ze was net begonnen als fotomodel en ik was nog niet zo lang in Australië.' Hij glimlacht bij de herinnering. 'Binnen de kortste keren vloog ze de hele wereld over, naar Londen, New York, Parijs. Ze werd beroemd en zwom in het geld. Een paar jaar later was ze terug in Australië. Ik woonde en werkte toen in Sydney. Ze kwam me opzoeken, en we kregen een serieuze relatie. Binnen zes maanden waren we getrouwd.' Adam steekt zijn neus in het glas en snuift de geur van de wijn op.

'Eerlijk gezegd was onze relatie puur en alleen gebaseerd op seks,' zegt hij niet zonder gêne. 'In alle andere opzichten pasten we totaal niet bij elkaar.'

'Hoezo?' Ik leg mijn kin op mijn knieën.

'Ik gaf geschiedenis op een openbare school. Zij was een internationaal fotomodel. Ga maar na.' Hij grijnst en stroopt de mouwen van zijn gestreepte overhemd op. 'Volgens mij vond ze het wel interessant om een wetenschapper mee te nemen naar haar mondaine feestjes.'

'Een wereld van verschil dus,' zeg ik, in de hoop dat het het juiste antwoord is. 'En inmiddels twee compleet verschillende werelden.'

'Claudia was altijd de hort op. Haar uiterlijk was een obsessie voor haar. Ze bracht haar tijd door in de studio, in nachtclubs en op de sportschool. We zagen elkaar bijna nooit.' Hij wacht op een reactie, maar ik zeg niets en hoop dat hij verdergaat. 'Ik hield van haar.

En zij hield van mij. Maar als ik over kinderen begon, brak het zweet haar uit,' zegt hij lachend. 'Een huis, een auto, een hond, kampeervakanties in de bush – het huisje-boompje-beestje-ideaal – vergeet het maar. Claudia was een penthousemeisje. Uiteindelijk ben ik bij haar weggegaan, mocht je je dat afvragen. Ik deed het voor haar. Mensen kunnen zichzelf niet ingrijpend veranderen, dat is niet goed.'

'Soms is het nodig,' merk ik peinzend op. 'Is dat wat je wilt? Huisje-boompje-beestje?' Ik bijt op een nagel en kijk hem aandachtig aan.

Hij haalt zijn schouders op. 'Uiteindelijk wel, denk ik. Willen we dat niet allemaal?'

'Iedereen behalve Claudia.' Ik lach in een poging om mijn bedroefdheid te verbergen.

'En jij?'

'Op een dag misschien,' zeg ik snel. 'Maar ja, dan moet ik wel opschieten.' Ik probeer het gekscherend te zeggen, maar dat mislukt jammerlijk. 'Zeg, is het heel anders om in Engeland les te geven dan in Australië?'

'Hier ga je dieper in op politieke conflicten, maar dat is geen probleem. Ik heb in Australië gestudeerd, maar daar krijg je ook Europese geschiedenis. Ben jij ooit getrouwd geweest?' Zo te horen kan Adam net zo snel schakelen als ik.

'Volgens mij is de manier waarop je lesgeeft belangrijker dan wat je je leerlingen wilt bijbrengen. Iedereen kan een paar boeken lezen...'

'Ik weet niet of ik dat met je eens ben.' Adam gaat staan en leunt met zijn rug naar me toe en zijn benen wijd gespreid tegen de eikenhouten schoorsteenmantel.

'Ik bedoel het niet negatief. Ik ben er gewoon van overtuigd dat de manier waarop je lesgeeft heel erg belangrijk is.'

Hij draait zich weer om. 'De meisjes genieten van mijn lessen.'

'Een beetje te veel, volgens mij,' zeg ik met een grijns.

Hij slaat zijn handen voor zijn gezicht. 'Begin daar nou niet weer over. Ik kan je niet genoeg bedanken voor wat je hebt gedaan.'

'Je hoeft me niet telkens te bedanken.' Dat meen ik. 'Vertel me eens over dat internaat waar je op hebt gezeten. Was dat net zoiets als Roecliffe?' Ik vind het prettig om dingen over Adams leven te horen, om mijn isolement te doorbreken.

'Een groter verschil met deze school is niet denkbaar. Het was er afschuwelijk. In één woord verschrikkelijk.' Adam gaat weer zitten. Zijn mond vormt zich tot een innemende glimlach onder een rommelige bos haar. Hij heeft krachtige gelaatstrekken, en toch straalt hij zachtheid uit.

'Ik dacht dat internaten altijd peperduur waren, alleen bestemd voor de elite. Als dat van jou zo slecht was, moeten je ouders zich hebben beklaagd.'

'Het was geen internaat, Frankie. Het was een kindertehuis. Ik ben er meteen na mijn geboorte terechtgekomen. Mijn ouders hadden geen geld.' Zijn gezicht verstrakt; hij probeert zijn gevoelens te verbergen. 'Ik heb wel een paar keer bij mijn ouders gewoond, maar slechts korte tijd. En ik zat een tijdje in een pleeggezin.'

'Maar je ouders dan? Waar zijn die nu?'

Hij schudt zijn hoofd. 'Ze konden niet voor me zorgen. Je weet wel, drugs, criminaliteit, geweld. Ik had een jonger zusje. Ik was veertien toen ze werd geboren. Zij ging ook naar een tehuis, maar niet naar hetzelfde als ik. Ik heb haar uit het oog verloren en mijn beide ouders zijn inmiddels dood. Dat is me tenminste verteld.'

'Wat een triest verhaal.' Ik schenk nog wat wijn in en bied Adam een blokje kaas aan. Hij neemt er een, en zelf stop ik er twee in mijn mond. Zo voorkom ik dat ik iets zeg waar ik later spijt van zal hebben.

'Je begrijpt dus wel waarom ik in Australië een nieuw leven wilde opbouwen. Zodra ik weg mocht uit het tehuis in Birmingham ben ik gaan werken om een ticket bij elkaar te sparen. Ik heb nog geluk gehad, want ik mocht naar de middelbare school. Op basis van mijn diploma kon ik later gaan studeren.'

Ik knik, nieuwsgierig naar de reden waarom hij terug is gegaan naar Engeland. Ik krijg niet de kans om hem die vraag te stellen, wan plotseling horen we een ijselijke gil.

'Wat was dat?' Adam rent naar de deur en doet die open. Dan horen we nog een gil en er verschijnt een bleek, trillend meisje in een nachtjapon.

'Lexi!' zeg ik.

26

Nina tuurde door het raam van het atelier voordat ze naar binnen ging. Met een dienblad in haar hand opende ze de deur. Ze hoopte dat je niet aan haar kon zien dat ze had gehuild.

'Hé,' zei ze zacht.' Mick vond het niet prettig om gestoord te worden als hij aan het werk was, maar ze moest hem gewoon even zien. Als excuus bracht ze hem zijn lunch voordat Tess kwam.

Ze zag aan Micks spieren hoe geconcentreerd hij was; met gekromde schouders boog hij zich voorover naar het enorme doek om een minuscule hoeveelheid witte verf aan te brengen. 'De glinstering in haar ogen,' fluisterde Nina. 'Je hebt haar tot leven gewekt.'

Mick draaide zich om en haalde een penseel tussen zijn tanden vandaan. Hij haalde heel diep adem, alsof hij die al de hele ochtend had ingehouden. 'Wat is ze mooi, hè?' zei hij op tevreden toon. Een donkere krul viel voor zijn ene oog. Onbewust merkte ze de grijze strepen op. Nina was altijd diep van Mick onder de indruk als hij aan het werk was. Hij zag er zo tevreden uit, volkomen geabsorbeerd door zijn werk. Zoals ze had gehoopt, stelde het haar enigszins gerust om hem te zien.

'Ik heb iets te eten voor je gemaakt.' Ze schoof het dienblad op een tafel, waarbij ze tientallen half uitgeknepen verftubes opzij duwde. In het atelier rook het naar lijnzaadolie, terpentine en inspiratie. 'Heb je iets gehoord van de andere galerie die je had gemaild? Zijn ze nog steeds geïnteresseerd in je werk?' Nina deed haar best om zo normaal mogelijk over te komen. Het was geweldig dat Mick misschien nog meer werk zou krijgen, maar ze was een beetje bang dat het hem te veel zou worden.

Mick zette de penselen in een jampot met een troebele blauwe vloeistof. 'Ze willen me ontmoeten. Ik heb ze gebeld maar ik moest een bericht inspreken.'

'Ik ben zo blij dat je eindelijk de erkenning krijgt die je toekomt.' Nina bekeek het schilderij. Het was in een net iets andere stijl geschilderd dan zijn andere werk. Om te beginnen had hij meer kleuren gebruikt. Micks handelsmerk was een palet van zachte, natuurlijke tinten met één kleuraccent dat de aandacht trok. Nu had een levensecht onderwerp met een realistische achtergrond plaatsgemaakt voor een impressionistische sfeer met een surrealistisch thema. De jonge, naakte vrouw keek naar buiten door de openslaande deuren van een balkon. Beneden was heel vaag een straattafereel te zien, niet meer dan een glimp; de blik werd onmiddellijk naar haar rode pumps getrokken.

'Prachtig,' zei Nina. Ze drukte een kus in zijn hals, deed haar ogen dicht en snoof zijn geur op. Weer ging er een golf van opluchting door haar heen. Bij hem voelde ze zich veilig. Maar Mick maakte zich al na een kort moment van intimiteit van haar los. Hij wilde doorgaan met zijn werk.

'Eet lekker,' zei ze. Ze wilde dat ze de rest van haar leven in het atelier kon blijven. 'Tot straks.'

Toen Nina terugliep naar het huis leek haar hart opnieuw te haperen. Haar vingers verkrampten in de zakken van haar jeans. Eenmaal terug in de keuken diepte ze het haarspeldje op om er nog een keer goed naar te kijken. Ze ging voor de spiegel staan en hield het schuifje tegen het blonde haar op haar slaap. Haar adem stokte. In soft focus, wazig langs de rand, zag ze een heel ander gezicht dan het hare.

Met een ruk draaide Nina zich om van de spiegel. Ze pakte de telefoon en toetste Tess' nummer in. Waarschijnlijk was ze al onderweg, dus liet ze een bericht achter op de voicemail. 'Sorry, Tess, er is iets tussengekomen. Onze lunch kan niet doorgaan. Kunnen we een andere afspraak maken?'

Nina trok het speldje uit haar haar en stopte het terug in haar zak. Het is vast gewoon een foutje van een postorderbedrijf, probeerde ze zichzelf tegen beter weten in wijs te maken. Of... vervroegde vrijlating wegens goed gedrag. Ongeduldig ijsbeerde ze door de keuken, waarbij ze telkens haar haar naar achteren streek. Ze beet een nagel zo kort af dat de vinger begon te bloeden en schopte ritmisch met haar teen tegen een tafelpoot totdat haar hele voet er pijn van deed.

Nina klapte haar laptop open en maakte verbinding met internet. 'Het kan niet,' fluisterde ze. 'Hij kan niet zomaar van de aardbodem zijn verdwenen.'

Ze tikte een zoekterm in en bekeek trommelend met haar vingers de resultaten. Het waren er duizenden. Duizenden Mark McCormacks, maar niet één trok haar aandacht, niet één ervan was zo te zien háár Mark McCormack. Ze googelde de naam opnieuw, dit keer in combinatie met het oude telefoonnummer uit haar opschrijfboekje. Niets. Vervolgens googelde ze de naam met de toevoeging CID, de afkorting van *Criminal Investigation Department*. Resultaten regen zich aaneen op het scherm, maar op het eerste gezicht was er niets bruikbaars bij. Ze klikte op een aantal links, zonder dat dit relevante informatie opleverde.

Tot slot tikte ze twee woorden achter de naam van de man, woorden waar ze het koud van kreeg, woorden die haar vanuit het venster dreigend aanstaarden. Opeens drong het tot haar door dat ze in groot gevaar verkeerde. Aarzelend drukte ze op enter.

Gretig bekeek ze de resultaten. Er waren blogs bij van mensen met de voornaam Mark en andere van mensen met de achternaam McCormack. Ook waren er een paar artikelen die haar belangstelling wekten maar haar geen steek verder hielpen. Dan was er nog een website met een lijst met films over het thema van haar zoekopdracht. En zo ging het maar door. Nina kon niets vinden dat betrekking had op haar situatie en Mark McCormack bleef onvindbaar. Gezien de aard van zijn werk was het niet waarschijnlijk dat hij met zijn gegevens te koop liep.

Dit heeft geen zin, besloot Nina. Ze stond op en liep weg van de computer. Ze was boos. Wat had hij ook alweer gezegd? 'Ik ben er voor je. Je hoeft me alleen maar te bellen.' En wat was haar verder ingeprent? Dat het essentieel was om zelfstandig te functioneren in de samenleving en zo min mogelijk gebruik te maken van de steun van het team.

Dit is nog minder dan zo min mogelijk, dacht Nina verbitterd. Ze ging terug naar haar laptop en zocht de contactgegevens van het hoofdbureau van politie van het district Avon en Somerset op. Ze draaide het nummer en wachtte totdat er werd opgenomen. Ze had geen idee wat ze moest zeggen. Het was belangrijk om dat eerste contact te leggen, wist ze, om ervoor te zorgen dat er een boodschap werd doorgegeven aan Mark, waar hij ook zat. Het was belangrijk om in elk geval te weten dat er iemand aan haar kant stond.

'Kunt u me alstublieft doorverbinden met de cid?' vroeg Nina.

'Met welke afdeling?'

'Eh... dat weet ik niet.'

'Wat is de naam van uw contactpersoon?'

'Die heb ik niet,' zei ze. 'Kunt u me niet gewoon doorverbinden?'

Na een hoorbare zucht aan de andere kant werd ze in de wacht gezet. Even later werd er opgenomen door een man. 'Civiele bescherming.'

'Ik vroeg me af of...' Nina brak haar zin af. 'Denkt u dat u...' De woorden waren er gewoon niet. 'Ik probeer in contact te komen met iemand van de politie die... die ik lang geleden heb gekend. Het nummer dat hij me heeft gegeven is verouderd en...' Haar stem stierf weg toen ze gegrinnik hoorde aan de andere kant van de lijn.

'We worden allemaal een dagje ouder, dame,' zei hij vriendelijk. 'Als u me een naam geeft, zou ik kunnen kijken op welke afdeling hij werkt.'

'Hij zat niet op het bureau in Avon,' bekende Nina. 'Ik weet niet in welke regio hij werkte. Kunt u niet gewoon zijn naam opzoeken?'

'Dat is minder makkelijk dan u misschien denkt. Met wie spreek ik precies? Als ik uw gegevens invoer in het systeem kan ik u misschien helpen...'

Snel legde Nina de hoorn op de haak. Ze tilde hem nog een paar keer op om dan opnieuw neer te leggen, zodat ze zeker wist dat de verbinding was verbroken. Uit haar keel kwam een gesmoorde wanhoopskreet omhoog. Ze kon zich niet herinneren dat ze zo in paniek was geweest sinds de dag dat de echoscopist moeite had gehad om de hartslag van haar baby te vinden.

'Je hoeft je geen zorgen meer te maken,' had McCormack tegen haar gezegd. 'Nu ben je veilig.' Hoe wist hij dat eigenlijk? Ze had hem geloofd, ze had hem vertrouwd. Nina herinnerde zich zijn wijze gezicht, de volwassen manier waarop hij haar angsten wegnam. Vanaf de allereerste keer dat ze hem had ontmoet, had Mark de regie over haar leven volledig overgenomen en alles geregeld, haar ingeschreven voor haar studie en gezorgd voor financiële ondersteuning. Hij had haar zelfs geholpen bij het kopen van nieuwe kleren omdat ze niet in haar eentje durfde te gaan winkelen.

'Je hebt me in de steek gelaten,' fluisterde ze. Ze haalde het speldje uit haar zak en smeet het op tafel. Ze voelde zich net een gekooid dier met een wijdopen deur – alleen kon ze nergens heen.

Uit haar hele houding sprak hopeloosheid toen ze de laptop dichtklapte – slappe polsen, gekromde vingers, armen die zwaar neerhingen. Ze liet haar hoofd op tafel zakken en haar gedachten rondtollen. Misschien was Mark McCormack er nooit echt voor haar geweest.

'Ja. Ja, ik denk het wel,' zei Nina, zonder te weten of ze het goede antwoord gaf. Ze was afwezig en kon niet herhalen wat Laura daarnet tegen haar had gezegd. Ze keek door het keukenraam naar buiten en verschikte de vitrage om een kier te dichten. Ze was naar het huis van haar vriendin gereden omdat ze bij iemand in de buurt wilde zijn. Haar mobieltje trilde in haar zak.

'Is het wel goed met je moeder, Josie?' fluisterde Laura terwijl Nina aan de telefoon was. Ze had een kop zoete thee voor Nina neergezet. Haar vriendin was duidelijk van streek.

Josie haalde haar schouders op. Het was waar, haar moeder had zich de afgelopen paar dagen vreemd gedragen, maar moeders waren nu eenmaal vreemd. Nat had haar verteld dat haar moeder vaak zat te huilen op haar kamer en dat haar ouders altijd ruzie hadden. Hormonen waren de oorzaak, daar waren ze het over eens, tevreden dat ze hun ouders een koekje van eigen deeg konden geven.

'Ja, zorg daar alsjeblieft ook voor.' Nina's opgetrokken schouders zakten omlaag en ze kon haar strak getuite lippen eindelijk ontspannen. 'Daar hebben we er heel veel van nodig. En neptranen, daar wil ik er meer van. Bedankt, Tess. Ik zou niet weten wat ik zonder je zou moeten doen.' Nina hing op. 'Tess,' zei ze met een zucht, 'doet op dit moment zo ongeveer alles.'

'O?' Laura wachtte geduldig op uitleg terwijl ze bezig was in de keuken.

'Als we deze film goed doen, stroomt het werk straks binnen.' In gedachten zag Nina voor zich dat ze grimeurs in dienst zou nemen, een pand zou huren, Tess een fulltime baan zou kunnen geven. Maar toen drong de realiteit weer tot haar door en gingen haar dromen in rook op.

'Zullen we verdergaan met Afterlife?' zei Nat terwijl ze de trap op liepen met hun lunch. Hun stemmen stierven weg en aan de knal van de deur wisten Laura en Nina dat ze alleen waren.

'Oké, meid, vertel me eens wat er aan de hand is.' Laura schoof een stoel bij en ging zitten. 'Jij bent aan de beurt om je hart uit te storten. En voordat je weer van onderwerp verandert, zoals je altijd doet, mijn huwelijk is nog steeds een rampgebied. Twee avonden geleden is Tom niet thuisgekomen...' Ze brak haar verhaal af toen ze een traan op Nina's wang zag. 'O, Nien. Wat is er aan de hand?'

'Zegt... zegt Natalie wel eens tegen je dat ze op school beter haar mond kan houden? Dat het niet goed is om iemand te verlinken, om te klikken?' Nina snoot haar neus.

Laura dacht even na voordat ze antwoord gaf. 'Ik weet dat Nat nooit uit vrije wil zou klikken. Kinderen die klikken worden met de nek aangekeken.'

Nina lachte schamper. 'En hoe denk jij daarover?'

'Ik denk dat het niet goed is. Kinderen moeten juist worden aangemoedigd om het te vertellen als er iets is gebeurd. Ze worden al van jongs af aan onder druk gezet om hun mond te houden en...'

'Nou, je hebt het mis, Laura. Ik weet waar ik het over heb.' Nina liet Laura met een blik weten dat ze beter niet kon protesteren. 'Als ze erbij willen horen, moeten ze hun mond houden.'

Laura vroeg zich af waar dit opeens vandaan kwam, of Josie misschien problemen had op school of dat het weer met Afterlife te maken had. 'Oké,' zei ze. 'Zo denk jij erover.'

'Nee,' antwoordde Nina, 'ik dénk het niet, ik wéét het.'

'Wat heeft dit met jou te maken? Je ziet eruit alsof je je laatste oortje hebt versnoept.' Ze plukte een tissue uit een doos en gaf die aan Nina. 'Kom op, voor de draad ermee.'

Nina snoot nogmaals haar neus en probeerde te lachen. 'Er is niets. Echt waar. Het verkeerde moment van de maand. Stress vanwege het werk. Misschien heb ik iets onder de leden.'

Laura schudde haar hoofd. 'Maak dat de kat wijs.'

'Hou erover op, wil je?' bitste Nina. 'Ik kan het heus wel aan.' Ze sloeg haar ogen neer en wenste vurig dat ze niet het tegenovergestelde dacht.

27

'Wat is er in hemelsnaam aan de hand, Lexi?'

Het meisje trilt en haar lippen zijn blauw. Ik sla een arm om haar schouders en voer haar mee naar het vuur. 'Kom even bij ons zitten. Je hebt het ijskoud.'

Lexi laat zich op een stoel zakken. Haar beenderen voelen breekbaar onder mijn handen, en haar huid is droog en koel. Adam doet zijn jasje uit en slaat het om haar heen.

'Ze hoort niet eens op school te zijn,' zeg ik tegen Adam. 'Haar vader kon haar niet op tijd ophalen.'

'Er was een gezicht,' fluistert Lexi doodsbang. 'Het keek door het raam naar binnen.'

'Je hebt het vast gedroomd,' zegt Adam nuchter. 'Wie kan er nou door een raam op de bovenverdieping naar binnen kijken?'

Ik hoor de angst in Lexi's stem. Elke keer dat ze uitademt, beeft haar hele lichaam.

'Het was het gezicht van een man,' zegt ze. 'En ik droomde niet. Ik sliep nog niet eens.'

'En het was geen raam op de bovenverdieping, Adam. Alle anderen waren weg, en Sylvia en ik hadden de bedden al afgehaald. Ik vond het sneu dat ze helemaal alleen was, dus mocht ze van mij in een van de kamers van de zesdeklassers op de begane grond slapen.' Mijn stem klinkt ijl. Ik ben zelf ook bang en het zweet breekt me uit. 'Die kamers hebben televisie en een eigen badkamer.'

'Ik lag op het bed,' vertelt Lexi. 'Ik las *Cosmo Girl* en keek met een half oog televisie. De gordijnen waren nog open. Toen ik mijn hoofd optilde, zag ik zijn gezicht. Hij dook weg zodra hij me zag.' Ze slaat haar handen voor haar gezicht en rilt. 'Toen ben ik gaan gillen en hierheen gekomen. Het was vreselijk.'

'Moeten we de politie bellen?' vraagt Adam.

'Nee,' antwoord ik direct. Ze staren me allebei aan. 'Waarschijnlijk was het een zwerver op zoek naar een slaapplaats. Misschien weet hij dat het vakantie is en vermoedde hij dat het gebouw leeg zou staan.' Ik glimlach en probeer te doen alsof er niets aan de hand is.

'Of misschien was het iemand die hoopte dat hij een paar computers kon jatten. Het lijkt me toch beter om de politie te bellen, gewoon voor de zekerheid.'

Ik ga staan. 'Het zou tijdverspilling zijn. Die lui hebben het altijd zo druk, en het zou eeuwen duren voordat ze hier...'

'Frankie, volgens mij is dat niet wat Lexi wil horen.' Adam gaat op zijn hurken voor het meisje zitten. Ik loop naar de deur van de eetzaal en kijk om me heen in de hal, ervan overtuigd dat ik iemand langs zal zien sluipen. 'Kun je de man die je hebt gezien beschrijven, Lexi?'

Ze haalt haar schouders op. 'Hij was lelijk. Vrij oud, geloof ik.'

'Kun je iets zeggen over zijn haar?'

'Geen idee.'

'Ik maak een beker warme chocolademelk voor je,' zeg ik. 'Je mag vannacht bij mij slapen. Ik durf te wedden dat je de weerspiegeling hebt gezien van iemand die op tv was, denk je ook niet?' Ik zeg het zo beslist dat ik Lexi min of meer dwing om het met me eens te zijn.

'Ik denk het,' zegt ze, en ze loopt met me mee naar de keuken.

'En nu is het afgelopen met die onzin,' zeg ik. 'Er was geen gluurder.' Nadat ik haar streng heb aangekeken, knikt Lexi instemmend.

Ik schenk de kokende melk in een beker en roer de cacao erdoor, zo driftig dat de drank over de rand gutst. We gaan terug naar de eetzaal en nemen afscheid van Adam, die belooft dat hij op het vuur zal letten. Dan neem ik Lexi mee naar boven naar mijn kamer. Onder mijn bed ligt een stretcher, en die klappen we samen uit. Als het bed is opgemaakt, gaat ze er met gekruiste benen op zitten.

Het blijft stil terwijl Lexi met kleine slokjes de chocolademelk drinkt. Ze snuft alleen nog af en toe, maar komt tot bedaren en kruipt onder de dekens. Ze nestelt zich als een kat in de holte van de stretcher en valt in slaap nu ze zich beschermd weet. Ik wacht totdat ik zeker weet dat ik haar niet wakker zal maken en sluip dan de trappen af naar de kamers op de begane grond.

De televisie staat nog aan – een of andere talentenjacht met een jongen die ongelofelijk vals staat te zingen. Ik zet hem uit. Het tijdschrift ligt op het bed, samen met Lexi's ochtendjas en een natte handdoek. Ik kijk om me heen, maar zie niets verontrustends. De gordijnen zijn open, zoals Lexi zei. Ik kan zien dat ze op het bed heeft gelegen, maar ze heeft er niet in geslapen. De wikkel van een reep kraakt onder mijn voet en een haarborstel glijdt op de vloer als ik op het bed ga zitten.

Dan pas, doordat de hoek van de lichtval is veranderd, zie ik de handafdrukken met wijd gespreide vingers op de ruit. Ik knijp mijn ogen tot spleetjes en loop voorovergebogen naar het raam om de handafdrukken te kunnen blijven zien. Dan leg ik mijn eigen handen tegen de ruit. De afdrukken zitten aan de buitenkant, want er gebeurt niets als ik probeer ze weg te vegen. Ze vormen het spiegelbeeld van mijn eigen zwetende handen, alleen zijn ze groter, mannelijker, en... en... Ingespannen staar ik naar wat ik zie.

De duim van de linkerhand ontbreekt.

'Een uur?' Ik snap er niets van.

Adam buigt zich over me heen en drukt een prop vochtige watten tegen mijn hoofd. Ik duw zijn hand weg.

'Ik heb de rest van de wijn opgedronken, soep opgewarmd en gewacht totdat het vuur alleen nog maar gloeide. Ik heb zelfs het eerste deel van het nieuws gezien in de docentenkamer.'

'Een heel uur?' herhaal ik. Mijn hoofd tolt, de kamer tolt.

'Ik zag licht branden in de gang van de zesdeklassers en het leek me beter om even te gaan kijken of alles in orde was. Toen zag ik jou op de vloer liggen. Ik heb je de trap op gedragen naar de ziekenboeg.' Weer drukt hij de watten tegen mijn hoofd.

'Au!' kreun ik. 'Dat doet pijn.'

'Kennelijk ben je tegen een kast gebotst,' zegt hij. Dan strijkt hij met een vinger over het litteken op mijn wang.

Ik krimp in elkaar. 'Laat dat.'

Hij haalt zijn schouders op en gaat verder met het schoonmaken van de verse wond. 'Waarschijnlijk heb je een hersenschudding. We zouden naar het ziekenhuis moeten gaan.'

'Dat hoeft niet,' zeg ik.

'Ben je misselijk? Duizelig? Heb je hoofdpijn?'

'Nee,' lieg ik.

'Je moet het zelf weten,' zegt hij met een ongeduldige zucht. Hij weet al dat het geen zin heeft om met mij in discussie te gaan. 'Kun je je herinneren wat er is gebeurd voordat je van je stokje ging?'

'Ja,' zeg ik. 'Ik zag handafdrukken op de ruit. De ene hand had geen duim. Waarschijnlijk waren het de afdrukken van de man die Lexi...'

'Denk je dat je kunt lopen?' vraagt hij. Ik knik. 'Laten we dan even gaan kijken.'

Eenmaal weer in Lexi's kamer zie ik dat de lichtblauwe gordijnen nu gesloten zijn. De rest – het bed, het tijdschrift, de televisie – ziet er nog hetzelfde uit. Ik bevrijd mijn arm uit Adams ondersteunende hand en trek met een ruk de gordijnen open. 'Kijk,' zeg ik. 'Je moet je bukken, anders kun je het niet zien.' Ik buig mijn knieën. Mijn hoofd bonkt. Dan frons ik mijn wenkbrauwen. Ik begrijp het niet. 'Hier zaten ze. Kun jij ze zien?' Ik kijk omhoog naar Adam, die is blijven staan.

'Frankie,' zegt hij sussend, 'je bent buiten westen geweest. Je hebt wijn gedronken.'

'Maar er zaten handafdrukken op het raam voordat ik flauwviel. Twee handafdrukken, aan de buitenkant van de ruit. De linkerhand had geen duim, dat kon je goed zien.' Ik wieg heen en weer, in de hoop dat de handafdrukken dan op magische wijze weer op het raam zullen verschijnen.

'Toen je je hoofd stootte heb je misschien...'

'Nee, het was geen verbeelding! Iemand moet ze eraf hebben ge-veegd.' Ik huiver. 'Zou de man die naar binnen keek terug zijn ge-komen?'

'Ik betwijfel het.' Adam slaat een sterke arm om mijn schouders en trekt me weg van het raam. 'Je bent moe,' zegt hij. 'Ik breng je terug naar je kamer. Laten we hopen dat je je morgen wat beter voelt.'

Met mijn hoofd in mijn nek staar ik hem aan. Hij is zeker vijftien centimeter groter dan ik. Hij is onwrikbaar en pakt mijn polsen beet.

'Ik wil niet dat je weer valt,' zegt hij als hij met me naar de deur loopt.

Ik protesteer niet en laat me meevoeren naar mijn kamer op de zolderverdieping. Ik protesteer evenmin als hij zijn rug naar me toe draait, zodat ik me kan verkleden en in bed kan kruipen. Lexi maakt geluiden in haar slaap. Adam kijkt nog een keer naar Lexi en mij voordat hij het licht uitdoet.

'Ik laat de deur openstaan,' zegt hij. Hij kijkt me met gefronste wenkbrauwen aan, en in het halfduister zie ik hem geforceerd glimlachen.

'Dank je wel,' zeg ik, oprecht dankbaar dat hij zo goed voor me zorgt. In stilte vraag ik me af of hij gelijk kan hebben, of ik het me misschien echt heb verbeeld.

28

Michael was heel erg ziek, zei Miss Maddocks. En het was besmette-lijk. Hij had bedrust nodig. 'Laat hem met rust,' mopperde ze hoofd-schuddend toen ze zag dat we op een kluitje voor de kamer stonden waar hij lag. Een paar keer hoorden we aan de andere kant van de dichte deur iets vallen.

'Ik heb hem vannacht horen huilen,' zei een jongen.

'Heeft hij overgegeven?' vroeg iemand anders.

'Vort met jullie!' zei Miss Maddocks. 'Als jullie zo doorgaan, ko-men de gremlins jullie ook halen.'

'Hebben de gremlins hem ziek gemaakt, Miss Maddocks?' Ik was blijven staan toen de anderen wegrenden, wetend dat ik geen stand-je zou krijgen. Betsy klampte zich vast aan mijn hand en hoestte. Ze had al dagen een gemeen hoestje.

Miss Maddocks staarde me aan. Misschien bedacht ze op dat mo-ment dat ik op mijn dertiende te oud was om in verhaaltjes over gremlins te geloven. Ik hoopte dat ze me het geheim van de volwas-senen zou toevertrouwen, dat ik eindelijk zou horen wat al die nachtelijke gebeurtenissen werkelijk betekenden. Maar ze bleef me alleen aanstaren en legde haar handen op mijn schouders. Betsy be-gon zachtjes te huilen.

'Er zijn dingen,' zei Miss Maddocks, 'die jij en ik niet hoeven te weten.' Van dichtbij deed ze me aan een heks denken. Haar adem rook muf en haar gerimpelde huid vormde kwabben onder haar kin. Het zou me niet hebben verbaasd als ze een bezem had gepakt en was weggevlogen. 'Steek je neus niet in andermans zaken, dat is beter voor je.'

Ik trok Betsy tegen me aan. Miss Maddocks maakte me bang. 'Waarom is dat beter voor me?' vroeg ik.

Ik was nu eenmaal nieuwsgierig van aard. Als er iets aan de hand was, wilde ik weten wat het was. Dat had ik overgehouden aan het eindeloze wachten op mijn vader. Soms vertelde ik het de verzorgers als een van de kinderen stout was geweest – als ze vochten of stalen of dingen kapotmaakten. Dan kreeg ik snoepjes, aaiden ze over mijn hoofd en knikten ze goedkeurend. Ik hunkerde naar die aandacht.

Soms bespioneerde ik het keukenpersoneel, zag ik dat ze eten opraapten van de vloer en het gewoon terugdeden in de pan. Of ik sloop rond over het terrein en keek vanuit de bosjes naar de tuinlieden van de gemeente, die bomen omhakten of met een enorme maaimachine het gras maaiden. Zij wisten niet dat ik een schoonmaakster, Letitia heette ze, samen met een van de mannen in een heg had zien verdwijnen. Het meisje was er met rode wangen weer uit tevoorschijn gekomen, en ze neuriede toen ze later de gangen dweilde.

Ik had me ook een keer in een gang gewaagd die voor ons streng verboden toegang was – dezelfde gang waar ik mee naartoe was genomen toen ik nog niet zo lang in het tehuis was, waar de kamer was met dat felle licht. De verzorgers zaten te kaarten. Het geluid van de televisie stond heel hard, want de meeste andere kinderen zaten naar een film te kijken. Ik verveelde me, want het was vakantie. Er was geen school en ik had niets te doen. Ik was niet van plan om rottigheid uit te halen – integendeel. Ik wilde het iedereen naar de zin maken. Ik wilde graag lief gevonden worden. Daarom dikte ik af en toe een verhaal een beetje aan. Daarom ging ik op ontdekkingsreis.

Die gang had heel veel deuren. Wanneer er een op een kier stond, gluurde ik naar binnen. Ik zag alleen bureaus, archiefkasten, dode kamerplanten. Daar viel niets te ontdekken, dus sloop ik verder. Ik schrok me dood toen de houten vloer kraakte, drukte me tegen de muur toen ik stemmen hoorde en bleef mijn adem inhouden totdat ze waren weggestorven.

Op mijn tenen liep ik verder, dieper de verboden zone in. Ik zag een dichte deur en stak mijn hand ernaar uit. Mijn vingers sloten zich rond de knop en ik probeerde heel voorzichtig te draaien, voor het geval er iemand aan de andere kant stond. Tot mijn verbazing ging de deur naar binnen toe open. Ik hield mijn adem in om geen enkel geluid te maken. Ik stak mijn hoofd tussen de deur en de deurpost toen de kier groot genoeg was en gluurde naar binnen.

Wat had ik daar een spijt van.

Dit moest de kamer zijn waar de gremlins woonden, dacht ik doodsbang. De ruimte deed me denken aan de kerkers in boeken over prinsessen en monsters en kastelen en reuzen.

In het midden van de kamer stonden stoelen, met kettingen vastgezet aan de vloer. De muren waren van kale bakstenen met wittig spul erop. Het was er donker, maar door het licht dat binnenviel van de gang kon ik zien dat de vloer bezaaid lag met angstaanjagende voorwerpen, zoals zagen en ijzeren staven. Ik zag ook donkere vlekken. Bloed? Er stonden een paar camera's op een statief, als monsterlijke insecten. Het stonk er zo dat ik de deur met een klap weer dichttrok. Ik proefde braaksel in mijn mond en rende weg door de gang. Ik wilde nooit, nooit, nooit meer in die kamer komen.

Toen ik hijgend terugkwam in de woonkamer nestelde ik me tussen de andere kinderen, op zoek naar een gevoel van veiligheid. Later die avond zat ik op Alisons bed terwijl zij mijn haar borstelde. Ik vertelde haar wat ik had gezien, ik beschreef die akelige kamer – waar hij was en wat erin stond. In de spiegel tegenover me zag ik dat haar mond openviel. Haar wangen kleurden rood.

'Het is echt waar,' stamelde ik. Mijn hart ging weer sneller kloppen bij de herinnering aan de ontdekking van die nieuwe en gevaarlijke wereld. 'Daar wonen alle duivels. Het is er vreselijk.'

'Leugenaar!' zei ze opeens. 'Je bent een smerige leugenaar!' Haar gezicht gloeide en ze trok zo hard aan mijn haar dat mijn hoofd naar achteren klapte. 'Leugenaar, leugenaar, leugenaar!' gilde ze, en ze haalde naar me uit met de borstel.

Ik dacht dat Alison mijn vriendin was. 'Au! Alison, hou op!' Ik dook weg voor haar maaiende arm. Toen liet ze zich snikkend op het bed vallen en ze hamerde hysterisch met haar vuisten op de matras. 'Wat heb jij opeens?' vroeg ik terwijl ik het haar uit haar gezicht streek.

Alison keek me aan, bewoog intussen dwangmatig haar hoofd heen en weer. 'Jaren geleden,' fluisterde ze, 'hebben ze me erheen gebracht.'

'Wie?' vroeg ik.

'Ze,' antwoordde ze. 'Die met die donkere kappen.'

Ik zei verder niets meer, bleef zorgelijk naar haar staren terwijl ik me afvroeg wat ze bedoelde. Alison bleef huilen en ik streek over haar rug totdat ze eindelijk in slaap viel. De volgende ochtend lag ze nog in dezelfde houding, met haar knieën opgetrokken tegen haar kin en haar duim in haar mond, terwijl ze een jaar ouder was dan ik.

'Maar ik wil het wéten,' jengelde ik tegen Miss Maddocks.

'Nee, je wilt het niet weten,' zei ze terwijl we voor de deur stonden van de kamer waar Michael tekeerging. Zijn gegil drong door de deur heen. Betsy ging tegen me aan staan. We hoorden Michael overgeven. 'Er zijn dingen die een jong meisje als jij niet hoeft te weten.'

Ik fronste mijn wenkbrauwen. 'U weet het wel.'

'Ik ben niet jong meer,' zei ze, en ze draaide zich om.

'Vertel het me! Zijn het de boze geesten of de duivels of de gremlins? Hebben zij hem gepakt? Hebben zij hem ziek gemaakt?' Ik pakte Miss Maddocks arm beet en was verbaasd dat haar huid zo koud aanvoelde, alsof ze niet meer leefde.

Ze keek me vriendelijk aan. 'Ja,' zei ze met een ernstig knikje. 'De boze gremlins hebben Michael ziek gemaakt. Maar dat had ik je niet moeten vertellen,' fluisterde ze voordat ze er gehaast vandoor ging.

29

Toen de film afgelopen was, stroomden de tranen over Josies wangen. 'O, mam,' zei ze, 'wat verdrietig. Ik had niet verwacht dat het zo zou aflopen. Dat arme meisje.'

Nina draaide zich opzij naar haar dochter. Ze trok haar dicht tegen zich aan en sloeg een arm om haar schouders. Josies haar rook naar de dure shampoo die ze per se had willen hebben. 'Nee, ik ook niet,' antwoordde Nina op afgemeten toon.

Na de lunch bij Laura waren ze samen naar huis gegaan, ondanks Josies protesten dat ze was uitgenodigd om te blijven logeren, dat zij en Nat plannen hadden, dat er sprake was van een feestje, dat ze de volgende dag samen de stad in zouden gaan. Tijdens de rit naar huis had Nina telkens nerveus in het spiegeltje gekeken.

'Je plannen zijn veranderd, jongedame,' had Nina streng gezegd toen Josie in Laura's keuken een gezicht had getrokken. 'Wij gaan vandaag samen dingen doen.' Als ze de rest van haar leven als lijm aan haar dochter moest blijven plakken, dan zou ze het doen.

'Dingen lopen zelden zoals je verwacht.' Nina's ogen waren nog helemaal droog nadat ze naar de film had gekeken waarmee ze Josie had gepaaid. Het verhaal was nauwelijks tot haar doorgedrongen; ze had overal naar gekeken, behalve naar het scherm. Ze had gewoon een paar uur samen met Josie willen doorbrengen om haar te helpen vergeten. 'Ik hou van je,' zei ze in een opwelling.

Josie rolde met haar ogen. 'Eh... ik ook van jou, mam,' zei ze opeens opgewekt, té opgewekt. Ze sprong overeind van de bank. 'Ik ga naar mijn kamer. Ik wil graag alleen zijn.'

'Je gaat toch niet wéér op die computer? Help me liever in de tuin.' Het was geen verleidelijk aanbod, wist Nina, maar zij had het nodig om iets te doen waarbij ze niet hoefde na te denken, zoals wieden, zodat ze haar hyperactieve gedachten tot rust kon brengen en een plan kon verzinnen. Josies gezelschap zou helpen en ze zouden in elk geval bij Micks atelier in de buurt zijn.

'Ik ga lezen. Ik ben in een steengoed boek begonnen.' Josie ging naar boven, en Nina bleef achter met herinneringen waarvan ze had gedacht dat die nooit meer boven zouden komen.

Ze voelde aan het roestige haarspeldje in haar zak. Gelukkig wist Josie niet wat er speelde en dat wilde Nina zo houden. Ze zou het ook niet aan Mick vertellen. Voor de zoveelste keer ging ze kijken of de voordeur wel op slot zat en ze rammelde aan alle ramen op de benedenverdieping. Ze zou toch maar binnen blijven, samen met Josie, en nadenken. Ze moest best- en worstcasescenario's uitwerken.

Nina zette thee en nestelde zich op de bank met een plaid. Het werk moest maar wachten. Ze staarde naar de muur, de muur die zij en Mick een keer 's avonds laat samen hadden geschilderd toen Josie nog klein was. Ze hadden zich in bed laten vallen, hun handen nog kleverig van de verf, en hadden afdrukken op elkaars lichaam gemaakt. 'Om aan te geven dat je van mij bent,' had Mick gezegd, en daarna hadden ze seks gehad.

Nina schopte de plaid van haar benen. Ze zweette. Het besef dat er tussen het slechtste en het beste scenario maar weinig ruimte zat, veroorzaakte een gevoel van paniek. Voor een goede afloop zou ze eerst door de hel moeten gaan.

'Vind je het echt niet vervelend dat hij komt eten?'

Nina ontwaakte uit haar dagdroom. Ze wist niet hoe lang ze in gedachten verzonken op de bank had gezeten – tien minuten, tien uur? 'Wat zei je?' Ze keek glimlachend omhoog naar haar man. Het ene moment bibberde ze, het volgende begon ze te zweten. Shocksymptomen.

'Het spijt me dat ik het je pas zo kort van tevoren laat weten. Ik kreeg een e-mail van de secretaresse van de galerie om me te laten weten dat de eigenaar in de buurt is en graag zo snel mogelijk kennis wil maken. Ik heb teruggeschreven en voorgesteld dat hij zou komen eten. Ik weet niets van hem, ben ik bang.'

Nina kon voelen hoe opgetogen Mick was, maar haar humeur verbeterde er niet door. Ze was natuurlijk blij voor hem, maar nu ze besefte wat hij van haar vroeg, nu ze besefte dat ze een man die heel belangrijk zou kunnen zijn voor hun financiële situatie gastvrij zou moeten onthalen, wist ze niet of ze dat wel kon opbrengen. Zelfs het aanbrengen van mascara leek een veel te zware taak, laat staan koken voor een belangrijke gast.

Nina's oogleden voelden zwaar. Mick besefte meteen dat hij erg veel van haar vroeg en sloeg zijn armen om haar heen toen hij naast haar kwam zitten. Hij voelde dat ze zich ontspande. 'Denk je eens in wat het voor ons zou kunnen betekenen.'

Opeens draaide Nina zich opzij om Mick te kussen. Heftig drukte ze haar mond op de zijne en ze nam zijn hoofd tussen haar handen. Ze wilde in hem opgaan, in hem wegkruipen, zich verbergen.

Ze verbrak de kus en haalde diep adem. Micks ogen waren vochtig. 'Samen veroveren we de wereld, jij en ik,' zei ze. Haar stem klonk donker en overtuigend, en dat wond Mick op. 'Een galerie uit West End.'

'West End,' beaamde Mick. Hij legde zijn lippen tegen de zachte huid van haar hals. Hij verlangde naar meer, maar ze moesten klaar zijn als hun gast kwam, dus was er geen tijd.

Terwijl Mick zijn hoofd begroef in haar hals, dacht Nina terug aan de enige keer dat ze zijn genegenheid had afgewezen. In gedachten was ze terug in het ziekenhuis, zag ze zichzelf in de spiegel boven de wastafel in de wc.

'Dood,' zei ze tegen zichzelf. Ze zag een gezicht, een mond, en hoorde een stem, maar het was allemaal niet van haar. 'Hoe kan mijn baby nou dood zijn?'

Het was een routinecontrole bij twintig weken zwangerschap. Mick zou erbij zijn, maar hij had onderweg naar de kliniek een lekke band gekregen. Ze kon hem niet bereiken, want hij had geen mobiele telefoon. Ze konden zich de Fiat waarin hij rondreed al nauwelijks permitteren. Nina was dus alleen de donkere kamer met de zacht gonzende echograaf binnengegaan. Naast het bed waar ze op lag stond een stoel – de stoel voor de partner, die leeg bleef.

'Vreemd,' mompelde de echoscopiste, en daarna bleef ze een tijd stil. 'Kijk, dit is het gezichtje, ziet u wel?'

'O!' Nina slaakte een gesmoorde kreet bij het zien van het profiel met het stompe neusje, niet in staat om een woord uit te brengen.

'Ik ben alleen bang dat ik de hartslag niet kan vinden.' Wat de vrouw nog meer zei drong niet tot Nina door. Het was alsof er om haar heen een muur was ontstaan die haar tegen de waarheid beschermde.

Er werd een specialist gehaald, nog een echo gemaakt, bloedonderzoek gedaan. De baby leefde niet meer en was vermoedelijk al vier weken dood. Nina vroeg zich af wat zij aan het doen was geweest toen haar baby de moed had opgegeven.

Toen kwam Mick binnen. Zijn gezicht was rood aangelopen, zijn handen waren zwart en hij liep over van verontschuldigingen. 'Heb ik alles gemist?' vroeg hij grijnzend.

Nina keek hem vanuit haar liggende houding aan. 'De baby is dood,' zei ze toonloos. Niemand had Mick iets verteld, de receptioniste had hem gewoon doorgestuurd naar de echokamer.

Mick bleef heel stil staan. Hij vroeg of de baby nog in haar buik zat.

Nina had niet geweten wat ze moest zeggen. Ze keek smekend naar de vrouwelijke arts, maar die was verdiept in haar aantekeningen en merkte het niet eens toen haar patiënte van het bed sprong en naar de wc rende. Mick kwam achter zijn vrouw aan en sloeg zijn armen om haar nog dikke maar levenloze buik.

'Raak me niet aan,' siste Nina. Mick negeerde haar en drukte zijn gezicht in haar haren, diepbedroefd over het verlies van hun nog ongeboren kind.

'Dood,' zei Nina tegen haar spiegelbeeld. 'Hoe kan mijn baby nou dood zijn?' Ze had het gevoel dat ze zelf doodging, van binnenuit.

'Of we kunnen naar een restaurant gaan, als je dat liever hebt,' stelde Mick voor. Hij kneep in haar schouder om haar uit haar overpeinzingen te wekken. 'Nina, ik zei dat we ook uit eten kunnen gaan, als je wilt. Dan hoef je niet te koken.'

Nina knipperde met haar ogen. Haar mond was droog geworden.

Soms dacht ze nog wel eens aan Josies oudere zus, al hadden ze de baby nooit een naam gegeven. Dat zou het nog moeilijker hebben gemaakt om haar kwijt te raken. Er was geen graf; ze hadden de as uitgestrooid over de rivier, niet ver van de plaats waar ze aan het begin van de avond tijdens een picknick was verwekt, onder de eerste sterren, met vleermuizen die tussen de bomen heen en weer scheerden. Het kind was niet meer dan een zuchtje wind, alsof het nooit had bestaan.

'Ik heb verse vis,' zei Nina. Ze klonk alsof haar stem van heel ver weg kwam. De harde werkelijkheid drong weer tot haar door, hamerde in haar hoofd, en haar maag kromp samen. Ze kon niet vluchten, ze wist niet waarheen, en als ze wegliep, hoe moest het dan met haar gezin? Mochten ze niet langer dan een bepaald aantal jaren samen zijn? Moest ze gewoon dankbaar zijn voor de twintig jaar met Mick, voor de vijftien jaar die ze voor Josie had gezorgd? Ze had zich voorgesteld dat ze samen met Mick oud zou worden; ze zouden in een knusse cottage gaan wonen, met een hond wellicht, en Josie zou op bezoek komen met hun kleinkinderen.

'Ik kook wel.' Nina liep naar de koelkast en haalde de ingepakte vis eruit. Koken en een gast betekenden afleiding, al was het maar voor een paar uur. Mick kwam achter haar aan, mompelde hoe dankbaar hij was en bood aan te helpen.

Nina staarde hem even aan, slikte, en legde de vis op een plank. Doelloos begon ze erin te prikken met het scherpste mes dat ze kon vinden.

30

Tientallen kraaien vliegen weg uit de bomen naast Roecliffe Hall. Ze krassen verontwaardigd en verdwijnen uit het zicht in flarden vroege ochtendmist die als vitrage tussen de bomen hangen. Ik blijf dicht bij de muur. Ik kijk omhoog naar het victoriaanse gebouw, vijf verdiepingen van rode baksteen, afgetekend tegen de lucht die helderblauw zal worden als de mist eenmaal is opgetrokken. Het is een schitterende ochtend, al past mijn stemming totaal niet bij het weer.

Dit is het niet, dit is het niet. Ik marcheer langs de ramen op de benedenverdieping. De meeste van deze kamers zijn in gebruik bij zesdeklassers, maar een deel van de kamers in deze vleugel is van vrouwelijk personeel. Door de docenten tussen de meisjes in te delen, verloopt de supervisie op een natuurlijke, ongedwongen manier. Alle manlijke docenten slapen in dezelfde vleugel als Adam, afgezien van de rector en zijn vrouw. Zij hebben een eigen appartement. Mijn kamer is een van de enige twee op de zolderverdieping. Ik heb Sylvia gevraagd of ik de leegstaande kamer mag gebruiken om sportkleren te sorteren, maar ze heeft me laten weten dat die kamer afgesloten is. 'De rector heeft de sleutel,' zei ze. 'Zonde van zo'n mooie kamer, als je het mij vraagt.'

Ik herken de lichtblauwe gordijnen; die van de andere kamers zijn lila. Onder dit raam loopt de grond schuin af en de vensterbank zit net boven mijn hoofd. Ik stoot mijn teen tegen een hard voorwerp. Pal onder het raam ligt een grote steen, begroeid met grijsgroen mos. Mijn adem stokt als ik op de steen een modderige voetafdruk zie. Door het gras loopt een spoor; kennelijk is de steen naar het raam gesleept.

Er heeft dus écht iemand voor dit raam gestaan. Het zonlicht breekt door de mist heen en schijnt op het glas. Op het onderste deel van de ruit zit een vlek. Groezelige strepen lopen heen en weer, alsof iemand de ruit heeft schoongeveegd.

Dan zie ik dat er iets is blijven haken aan een splinter van het kozijn. Ik pluk het stukje stof eraf, het bewijs dat iemand de handafdrukken heeft weggeveegd.

Ik denk niet dat Adam me nu, op klaarlichte dag, zal geloven als ik hem vertel wat ik heb gezien. Ik kan zelf nauwelijks geloven dat er iemand rond de bijna verlaten school is geslopen, op zoek naar iets, íémand. Als ik terugloop naar de hoofdingang, spelend met het stukje stof tussen mijn vingers, vraag ik me af waar je je kunt verbergen als je helemaal nergens naartoe kunt.

Ik heb nog maar net de dauw van mijn laarzen gestampt, nog maar net een paar stappen naar binnen gezet, als Adam opgewekt op me af komt en me dingen vraagt die niet tot me doordringen.

'Ik vroeg me af of je zin hebt om mee te gaan. Als je geen andere plannen hebt, natuurlijk. Het is zo'n mooie ochtend.' Hij draagt een felblauw jack, alsof hij een tocht door de bergen gaat maken, en ik zie dat hij ook wandelschoenen aanheeft. Hij ruikt naar koffie. Hij heeft duidelijk net gedoucht, want zijn gezicht is fris en zijn haar is nog een beetje vochtig. De krullen rond zijn gezicht zijn donkerder en strakker. Ik kan het niet helpen dat ik ernaar staar.

'Wat zei je?'

Adam glimlacht en zucht. 'Ik vroeg of je zin hebt om samen naar de oude kapel te gaan. Ik heb geregeld dat we erin kunnen. De kapel ligt op het terrein van de school, dus het is niet heel ver lopen.' Hij stampt met zijn voeten op de oude tegelvloer alsof hij een miniscène zal trappen als ik nee zeg. Sinds de ellende met Katy Fenwick is zijn belangstelling voor mij toegenomen. Door mijn optreden heb ik een vertrouwensband tussen ons gesmeed, terwijl dat niet eens de bedoeling was.

'Een man in het dorp heeft de sleutels,' zegt hij. 'De kapel gaat een half uur open, zodat ik research kan doen voor mijn boek. Het gebouw heeft twintig jaar leeggestaan. Het lijkt me gezellig als je meegaat. Het is vast interessant.'

Adams brede schouders vullen het waterdichte jack, en een van zijn sterke armen steunt tegen de muur alsof hij het hele gebouw overeind houdt. Een heel scala van uitdrukkingen glijdt over zijn gezicht, van enthousiasme tot hoop tot ongeduld. Ik wil mijn hoofd tegen zijn borst leggen, mezelf overal voor afsluiten. Ik wil huilen op zijn schouder, de dichtstbijzijnde, de sterkste, de betrouwbaarste persoon die ik nu kan vinden. Mijn stem klinkt niet als de mijne als ik beverig antwoord geef. 'Goed, ik ga mee.'

'Vertel eens wat meer over je boek. Heb je er al een uitgever voor?'

Diffuus zonlicht filtert door het bladerdak heen en vormt een kanten patroon op het mossige gras. De mist is bijna helemaal opgelost. Samen lopen we naar het dorp Roecliffe. Naast Adam voel ik me niet meer zo kwetsbaar nu ik het terrein van de school verlaat. Samen met hem ben ik de ene helft van een geloofwaardig stel – niet een persoon naar wie wordt gezocht – en is het niet waarschijnlijk dat ik zal worden herkend. Hoewel het incident van gisteravond heeft bewezen dat het op en rond de school ook niet bepaald veilig is. Ik weet dat ik hunker naar de vertrouwde intimiteit die ik nooit meer zal meemaken – het grapje dat zonder uitleg wordt begrepen, samen lachen, de veelzeggende blik. Maar als Adam mijn hand in de zijne zou nemen, zou ik me waarschijnlijk losrukken, beschaamd, schuldbewust.

Hij maakt een verontwaardigd geluid en moppert dat het bijna onmogelijk is om boeken over regionale geschiedenis uitgegeven te krijgen. 'Desnoods geef ik het in eigen beheer uit. Het is me niet om geld te doen.'

'Waarom dan wel?' vraag ik.

Hij denkt even na. 'Om de waarheid,' zegt hij voorzichtig. 'Research naar plaatselijke gebeurtenissen is niet te vergelijken met archeologie. Je hoeft maar één schakeltje over het hoofd te zien en je kunt de hele gebeurtenis verkeerd interpreteren. Eén misstap en je zult nooit weten wat er precies is gebeurd.' We lopen een tijdje zwijgend verder. 'Het gaat om gerechtigheid.'

'Waarom dan Roecliffe Hall?' vraag ik. 'Er zijn vast interessantere gebouwen om over te schrijven.' Ik hoop dat Adam gefascineerd is door de architectuur – Roecliffe is immers een schitterend voorbeeld van extravagante gotiek uit de victoriaanse tijd. We naderen de kapel en mijn voeten worden steeds zwaarder, alsof er lood in mijn laarzen zit. 'Is er iets bijzonders met het gebouw?'

Abrupt blijft hij staan en hij pakt mijn arm beet om mij ook te laten stoppen. Zijn gezicht heeft een ernstige uitdrukking en zijn blauwe ogen glinsteren. 'Weet je het dan niet?' vraagt hij op ongelovige toon. 'Ik dacht dat iedereen hier het wist.' Hij doet een paar stappen en blijft dan opnieuw staan. 'De moorden,' zegt hij op gedempte toon. Hij kijkt snel om zich heen, alsof hij denkt dat iemand ons in de gaten houdt. 'Tot aan het eind van de jaren tachtig van de vorige eeuw was Roecliffe Hall een kindertehuis. Er zijn daar vreselijke, afzichtelijke dingen gebeurd en het werd gesloten. Die arme kinderen,' verzucht hij hoofdschuddend, en ik zie dat hij tranen in zijn ogen krijgt. 'Er zijn lijkjes gevonden.'

'Wat erg.'

Het vlekkerige zonlicht legt een sluier over zijn gezicht. Zijn uitdrukking is zowel triest als vastberaden. 'Het lijkje van een klein meisje werd gevonden, begraven op het terrein, en toen...' Hij slikt moeizaam. 'De politie heeft nog veel meer lijkjes gevonden. Het was afschuwelijk.' Zijn verdriet doet vermoeden dat hij meer weet dan hij loslaat.

Ik kijk naar hem omhoog. Met mijn hand bescherm ik mijn ogen tegen de zon, tegen het verleden en ook tegen de toekomst. 'Zo te horen weet je al heel veel,' zeg ik, onzeker of ik verder moet gaan. 'Je klinkt alsof je erbij bent geweest,' voeg ik eraan toe. Scherp houd ik zijn gezicht in de gaten, alert op de kleinste reactie.

Frazer Barnard rinkelt met een paar sleutels aan een ketting. Zijn andere hand is diep weggestopt in de zak van een groezelig tweedjasje. 'Er willen nooit mensen naar binnen,' zegt hij nors. 'Niet meer sinds alles werd opgerakeld.'

Zijn voordeur ging al open toen we nog over het met onkruid overwoekerde tuinpad liepen.

Adam steekt een hand uit naar de sleutels. 'Heel erg bedankt, Mr. Barnard,' zegt hij luid.

Ik staar naar de sleutels.

'Niet zo snel,' zegt hij, en hij trekt de hand met de sleutels terug. 'En u hoeft niet te schreeuwen. Volgens de regels mag niemand in de kapel komen zonder een bevoegde persoon als begeleider.'

'Bevoegd?' herhaal ik. 'Regels?'

Frazer Barnard kijkt me aan alsof hij me nu pas ziet. Zijn gezicht is overdekt met de gesprongen adertjes van een zware drinker. Een paar piekerige grijze haren zijn tegen zijn schedel geplakt. Zijn kleren zijn smerig, en zelfs van anderhalve meter afstand vang ik zijn bittere geur op.

'Geen probleem,' zegt Adam. 'Wie is die bevoegde persoon?'

'Ik,' gromt de man.

In gedachten hoor ik het beieren van de klok weergalmen door het bos. Ik zie een stoet volwassenen langzaam over het pad lopen, gevolgd door een groepje kinderen. Grasklokjes wiegen hun blauwe kopjes heen en weer tussen het hoge gras. In de verte glinstert de beek in de zon. Ik hoor de opgewonden stemmen van de kinderen, die zich verheugen op de zondagse picknick na de dienst. Ik zie dat de deur van de kapel wordt opengemaakt. Als de kinderen naar binnen worden geleid, wordt alles zwart.

Mijn knieën knikken en ik adem steeds sneller. Frazer Barnard slaat met zijn wandelstok om zich heen naar de brandnetels en braamstruiken op wat eens een pad is geweest. Vaag hoor ik het knerpen van grind, van gelach. Ik ruik de geur van bloemen vermengd met de stank van de man die voor me uit loopt – de stank van angst, de stank van het verleden.

Eindelijk staan we voor de deur. Mijn hart hamert in mijn borst. Er hangt een ketting met een zwaar hangslot rond de oude klink. Ik denk aan al degenen die door deze deur naar binnen zijn gegaan. Ik denk aan al degenen die nooit meer naar buiten zijn gekomen.

Barnard kijkt op zijn horloge. 'Een half uur, langer niet. Raak niets aan.' Hij maakt het hangslot open en haalt de ketting weg. Als hij de deur openmaakt, slaat de geur van rotting ons tegemoet. Ondanks het kleine beetje warmte van de zon krijg ik kippenvel. Ik trek mijn neus op. 'Een dode rat,' zegt hij lachend.

'Ik wil niet naar binnen,' zeg ik tegen Adam, en ik pak zijn arm beet. Ik hunker naar lichamelijk contact, de aanraking van iemand die het misschien kan begrijpen. 'Ik wacht hier wel.' Ik sta op de bovenste trede van de trap, aan de rand van het gapende, donkere gat. Voor geen goud ga ik naar binnen. Het zweet breekt me uit, angst golft door mijn aderen. Mijn benen zijn als aan de grond genageld, mijn armen zijn over elkaar geslagen en mijn gezicht is omhoog gewend naar de zon.

Adam kijkt me aan. 'Ben je bang voor een dode rat?'

'Ja,' zeg ik zacht. 'Ik griezel van die beesten.' Over Adams schouder heen vang ik ongewild een glimp op van het interieur van de kapel. Door het glas-in-loodraam boven het altaar valt het licht in gekleurde strepen naar binnen, op een omgevallen kruis, een stenen trapje, een tafel. Afgezien daarvan kan ik niets onderscheiden, daar is het te donker voor – of mijn ogen willen het niet zien.

'Kom maar binnen als de stank is weggetrokken.' Hij is teleurgesteld dat hij alleen naar binnen moet en kijkt me nog een laatste keer smekend aan – misschien wel omdat hij zelf bang is. Dan draait hij zich om en loopt hij met een klembord en een dictafoon in zijn handen naar binnen. De muffe duisternis omhult hem, slokt hem op.

Ik doe een stap opzij en luister naar het bonzen van mijn hart.

'Waar ben je nou eigenlijk echt bang voor?' Frazer hoest tijdens het praten. Hij draait zich half om, frunnikt aan een pakje sigaretten totdat het hem eindelijk lukt om er een op te steken.

'Nergens voor,' zeg ik quasionverschillig. 'Ik sta gewoon liever in de zon.'

'Je denkt zeker dat de geesten je zullen grijpen, hè?' Zijn gerimpelde gezicht krijgt een valse trek.

'Ik weet niet waar u het over hebt.' Ik daal het trapje af. De treden zijn afgebrokkeld aan de randen en met mos begroeid. 'U gaat toch ook niet naar binnen. Ik weet zeker dat Adam blij zou zijn met uw toelichting.'

'Hij komt er vanzelf wel achter. Ooit.' De man lacht en hoest tegelijk en het lukt hem om ook nog aan zijn sigaret te trekken. 'Of niet.'

Opeens klinkt er kabaal uit de kapel, gevolgd door een kreet. 'Adam?' roep ik, en ik ren het trapje weer op. Ik ben duizelig.

'Niets aan de hand!' Adams stem klinkt uit het binnenste van de kapel. Een stem uit het verleden.

'Ik heb toch gezegd dat je niks mag aanraken,' waarschuwt Frazer.

'Het is er donker. Waarschijnlijk is hij per ongeluk ergens tegenaan gelopen.'

'Het lijkje van dat kleine meisje, misschien?' Barnard heeft een sterk Yorkshire-accent, plat, luid en hard. Ik vraag me af of hij door zijn leven in Roecliffe zo verbitterd is geraakt. Of zou zijn wreedheid te maken hebben met het feit dat hij de beheerder van de kapel is? Hij lacht schamper. 'Alsof zo'n klein verschoppelingetje iemand kwaad kan doen.'

Mijn mond is droog. Ik voel me helemaal niet goed. Ik ga op het trapje zitten en leg mijn hoofd tussen mijn knieën. Zo'n klein verschoppelingetje, denk ik. Ik bijt op mijn tong totdat ik bloed proef.

'Gaat het, meissie?' Zijn bezorgdheid verbaast me.

'Ik ben een beetje slap.' Ik woel met mijn handen door mijn korte haar. 'Het gaat wel weer over.' Ik gluur naar hem en vraag me af waarom ik zo stom ben geweest om mezelf aan iemand uit het dorp te laten zien. Barnard is afgetekend tegen de lucht en rommelt in de zak van zijn vieze jasje. Jeetje, wat ik heb een spijt dat ik met Adam mee ben gegaan.

'Hier,' zegt hij. Op de hand die hij naar me uitsteekt ligt een pil. 'Neem maar. Ik heb potten vol van dat spul.'

'Wat is het?'

Voordat Barnard antwoord kan geven, beent Adam uit de kapel naar buiten. Zijn gezicht is verwrongen en zijn borst gaat snel op en neer.

'Frankie,' zegt hij ademloos.

Meer niet. Alleen mijn naam. We kijken elkaar aan alsof we een heel verhaal uitwisselen. Ik frons mijn wenkbrauwen en negeer Barnards uitgestoken hand. Adam probeert me iets te vertellen. Wat heeft hij ontdekt?

'Ga toch even mee naar binnen,' dringt hij aan. 'De eh... architectuur is de moeite waard.' Hij blijft me heel lang aankijken.

Niemand zegt iets, zelfs Barnard niet, al kijkt hij wel naar ons. Ik hoor vogeltjes zingen, het ritselen van bladeren in de wind. Adam mompelt iets in zijn dictafoon. Ik schud mijn hoofd en blijf ineengezakt op de trap zitten. Ik pak het pilletje dat hij me aanbiedt en houd het tussen mijn vingers. Wat het ook is, ik ben niet van plan het in te nemen.

'Ze is niet lekker,' zegt Barnard na een hele tijd. 'Je moet een beetje opschieten, anders gaat ze nog van d'r stokje.'

Adam hoort hem niet, hij is alweer naar binnen gelopen.

'Slik het maar,' zegt Barnard tegen mij. 'Ik heb genoeg. Het is goed voor je hoofd. Het helpt om alles te vergeten,' voegt hij er fluisterend aan toe. Hij trapt zijn sigaret uit in het mos, maar blijft me onafgebroken aankijken.

31

Betsy kon niet stilzitten in de kapel. Ze vond het alleen leuk om naar de kapel te lopen, want dan mocht ze huppelen. En weer terug natuurlijk, want dan mocht ze ook huppelen. We mochten niet rennen.

Ze hield mijn hand vast en trok aan mijn arm omdat ik niet snel genoeg liep. Ik had wantjes voor haar gebreid van een uitgehaalde trui die een ander kind had achtergelaten. Soms vielen ze uit. Dan raapte ik ze op uit de modder voordat de kinderen achter ons erop zouden gaan staan en schoof ik ze weer over haar ijskoude handen. 'Dank je wel,' zei ze, en dan huppelde ze verder totdat het weer gebeurde.

Voor de zomer had Betsy twee bloemetjesjurken. De ene had ik gemaakt, een creatie van aan elkaar genaaide lapjes stof die ik her en der had verzameld. De andere jurk kwam uit de kast van een van de verdwenen kinderen; als kinderen langer dan een dag of twee wegbleven, pikten wij hun spullen in. We deden het nooit meteen, dat voelde niet goed.

Betsy was een plaatje om te zien. Ze had rossig blonde krullen, ogen zo blauw als vergeet-mij-nietjes en blosjes die met de hand op haar wangen leken te zijn geschilderd. In de zomermaanden giechelde ze vaak, alsof ze tot leven kwam door de lange dagen, de warme zon en de keren dat we tikkertje speelden.

Maar Betsy vond het vreselijk als ik naar school ging. Ze huilde als ik weg moest, en Patricia en Miss Maddocks vertelden dat ze dan in bed kroop en zachtjes huilde tot het moment waarop de schoolbus kwam om mij af te zetten aan het begin van de oprijlaan. Ze wist precies wanneer dat was. Dan ging ze op de stenen vensterbank zitten en keek ze naar me uit, precies zoals ik vaak naar mijn vader had uitgekeken.

Betsy hield het meest van de schoolvakanties en van de zondagen, al had ze er een hekel aan om een heel uur lang in de kapel te zitten en de Heer te danken voor onze zegeningen. 'Wat zijn zegeningen?' fluisterde ze in mijn oor.

'Alle goede dingen die God ons heeft geschonken,' antwoordde ik zo zachtjes mogelijk. De predikant stond met maaiende armen op de kansel. Een van de verzorgers draaide zich om en zei dat ik mijn mond moest houden. Ik wist niet eens hoe hij heette. Ik vond het een nare man.

'Waarom moeten we ze tellen?'

Betsy was bijna vijf. Ze kon tot vijf tellen en kende de B van Betsy. Ze leerde traag. 'Daarom,' zei ik terug. Maar het zette me aan het denken. Waarom moesten we onze zegeningen tellen? En als we nou helemaal geen zegeningen hadden?

Toen zag ik dat Betsy haar hand dichtkneep en de vingers één voor één losmaakte, prevelend met haar mond. Ze keek omhoog naar het dak van de kapel, staarde naar de stoffige eiken balken terwijl ze haar zegeningen telde.

'Hoeveel?' vroeg ik toen het eerste gezang begon.

Ze dacht even na en keek me aan. 'Eén,' antwoordde ze. 'Ik heb een paar keer geteld, dus ik weet het heel zeker.'

'Eentje maar?' zei ik in haar oor. Mijn mond streek langs haar haar. 'Welke dan?'

'Jij,' zei ze.

De verzorgers gebruikten de picknick om ons te chanteren. Als we braaf waren geweest en het was mooi weer, liepen we na de dienst door het bos naar een open plek waar gras groeide. De meisjes legden plaids neer en de jongens bakenden een cricketveldje af met hun truien. Als we stout waren geweest – één ondeugend kind was al genoeg – waren er geen geruite plaids, geen manden met eten, geen pakketjes van vetvrij papier met sandwiches erin, geen papieren bekertjes met limonade die altijd omvielen als je ze neerzette op de ongelijke grond, en konden we niet na het eten luieren in de zon. Dan duurde het nog minstens een hele week tot aan het volgende uitje.

Ik had uitgerekend dat we niet vaker dan ongeveer een keer per maand gingen picknicken. De jongens haalden vaak kattenkwaad uit en dan bedierven ze het voor iedereen. Als we gingen picknicken, gingen alle verzorgers mee, zelfs degenen met wie wij niets te maken hadden. Dat waren mannen in donkere pakken die in de kamers in de verboden gang te vinden waren. Ze hadden zware stemmen en gebruikten woorden die ik niet begreep.

'Wat is een complot?' vroeg ik Patricia.

'Iets wat je samen bedenkt,' antwoordde ze.

'Wat is hachelijk?'

'Dat is hetzelfde als gevaarlijk.'

'En wat betekent ontucht?'

Patricia keek me aan en klapte het boek dat ze aan het lezen was geërgerd dicht. Ze schudde haar hoofd en ging onder een eik zitten bij een paar mannelijke verzorgers aan wie ik een hekel had. Ze smiespelde met hen, keek een paar keer naar mij.

Betsy kroop op mijn schoot en legde haar hoofd op mijn knie. Vaak viel ze na de picknick in slaap, verzadigd na de chips en cake en allerlei andere dingen die we normaal gesproken nooit kregen. Het waren blije dagen, die zondagen na de dienst. Zolang er die week maar niemand stout was geweest, zolang het mooi weer was, zolang ik 's nachts Betsy's ademhaling kon horen, zolang er niemand werd weggehaald.

Ik had me nooit eerder zo gevoeld. Was ik ziek? Ik was duf alsof ik watten in mijn hoofd had en mijn ogen wilden niet open blijven. Het was de dag dat we snoepjes kregen. Ik had er maar een paar gegeten en de rest in mijn kastje gedaan. Kort daarna begon ik me suf te voelen, vreemd, heel anders dan anders, en ik was op mijn bed gaan liggen.

Toen ik wakker werd, was het midden in de nacht. Ik had buikpijn van de honger, want ik had het avondeten gemist. Ik had niet samen met de andere kinderen mijn tanden gepoetst en had mijn kleren nog aan. Ik ging zitten. Was er iemand op de slaapzaal? In het halfdonker zag ik Betsy naast me in bed liggen. Haar mond stond open. Haar oogleden bewogen.

'Wie is daar?' Een streep licht viel naar binnen van de gang. De gordijnen waren dicht en bolden een beetje op voor het openstaande raam erachter. Ik zag niemand.

Beneden klonk muziek, een dof dreunen. Het personeel hield een feestje. Gilletjes en kreten klonken boven de ritmische bas uit, rumoer waar we meestal doorheen sliepen. Voor ons was de dag erna altijd een klein feestje, want dan waren de verzorgers te moe en te knorrig om standjes uit te delen.

Opeens ging de deur open en er verschenen twee figuren, afgetekend tegen het licht van de gang. Ik kon duidelijk zien dat het mannen waren. De een was kaal, de ander had schouders zo breed als een huis. Ik verstijfde en tuurde ingespannen door het donker om te zien wie het waren.

'Wie is daar?' fluisterde ik.

Het licht van een zaklantaarn scheen in mijn ogen, verblindde me. Toen werd er een hand op mijn mond gelegd, een hand die mijn gil smoorde; de vingers roken naar sigaretten. Er gleed een bierwalm over mijn gezicht. Ik raakte verstrikt in armen en rare luchtjes terwijl de andere man hielp mij uit bed te tillen. Ik schopte en sloeg en zou ook hebben gebeten als die hand voor mijn mond er niet was geweest.

Het is zo ver, dacht ik. Ik word meegenomen door de nachtmonsters. Dus zo gaat het.

Ik strekte een arm uit naar Betsy toen ze me langs haar bed sleurden. Wild schopte ik met mijn benen in een poging om mezelf te bevrijden. Maar mijn armen werden tegen mijn lichaam geduwd en ze trokken me ruw de kamer uit.

'Hé, je had toch gezegd dat ze versuft zou zijn,' zei de een.

De andere man gromde alleen. Zijn gezicht was rood, met kraters van acne. Hij was jong, misschien pas negentien of twintig. De kale man deed me aan mijn vader denken. Hij haalde piepend adem en mijn benen werden tegen zijn dikke buik gedrukt toen ze me de trap af droegen. In de verboden gang klonk de muziek nog veel luider. Het was een liedje dat ik wel eens op de radio had gehoord.

'Néé!' gilde ik zodra de hand op mijn mond werd weggehaald.

Dezelfde hand gaf me een klap op mijn wang. 'Hou je kop,' zei de oudste van de twee. 'Anders krijg je er nog een.'

Ze bleven staan, en mijn benen zakten op de vloer. Ik probeerde weg te rennen, maar ze hadden mijn armen nog steeds vast. Ik boog mijn hoofd om te bijten en werd tegen de muur gedrukt. Ik zag niets meer toen ze met een felle lamp in mijn ogen schenen, hoorde alleen nog het gonzen in mijn oren.

'Doe wat je wordt gezegd.' Hij sloeg me nog een keer.

Ik knikte als een idioot, hoopte dat ze zouden ophouden als ik deed wat ze zeiden. Toen de greep op mijn armen verslapte en ze iets mompelden tegen elkaar, rende ik weg door de gang, terug naar het licht aan het einde, terug naar mijn bed.

Het volgende moment ging ik languit en proefde ik het stof van de vloer. Aan mijn enkels sleepten ze me terug. Mijn kleren schoven omhoog over mijn buik en de houten vloer schuurde tegen mijn blote huid. Ik werd over een drempel getrokken en de kamer waar de muziek was binnen gesmeten. Overal om me heen zag ik benen, ik rook bier, hoorde stemmen. Ik werd op mijn rug gedraaid, met mijn truitje opgestroopt tot aan mijn schouders. Ik probeerde het omlaag te trekken en kreeg een schop in mijn ribben. Mijn mond werd zo droog als kalk en ik haalde hijgend adem. Zonder met mijn ogen te knipperen staarde ik omhoog en ik zag een stuk of zes gezichten op me neerkijken. Iemand spuugde in mijn gezicht.

Daarna raakte ik zo in de war dat alles door elkaar liep. Opeens was ik bloot, maar ik wist niet wat er met mijn kleren was gebeurd. Ik stond te trillen totdat mijn benen er pijn van deden. Ik schaamde me en drukte mijn handen tegen mijn borst. Ik hoorde gelach en voelde toen de scherpe tik van een rotting waarmee mijn armen omlaag werden geslagen. Of andersom, dat weet ik niet meer.

De stoel voelde koud tegen mijn rug en mijn polsen deden pijn van de leren riemen. Ik weet dat ik plaste, want ik voelde de warme vloeistof onder mijn billen. De stoel werd neergelegd, met mij erop vastgebonden. De plas liep langs mijn rug omhoog naar mijn haar. Nog een paar klappen met de rotting – een paar op mijn hoofd, een paar op mijn schouder. En een schop met een schoen.

Toen leken ze me te vergeten. Ze lieten me liggen op de vloer, met mijn benen in de lucht. De houten rugleuning sneed in mijn rug. Ik bibberde zo erg dat mijn spieren er pijn van deden. Doodsbang keek ik om me heen en probeerde te bedenken hoe ik kon ontsnappen. Ik zag de kok, die met een paar andere mannen stond te praten. Hij droeg gewone kleren, niet zijn uniform. Waarom deed hij niets? Ik dacht dat hij me aardig vond. En daar was de man van de winkel in het dorp waar we soms snoepgoed kochten. De andere gezichten zag ik door een waas, zonder ze te herkennen.

Was dit de kamer waar de andere kinderen mee naartoe werden genomen als de nachtmonsters kwamen? Ik snikte, was nog nooit van mijn leven zo vreselijk bang geweest. De riemen sneden in mijn enkels. De pijn was geen pijn meer. Ik verlangde naar mijn vader.

Ze gingen verder met hun feestje. Een fééstje? Ik draaide mijn hoofd opzij en zag een van de mannen die me naar beneden had gedragen een vrouw zoenen. Patricia en Miss Maddocks waren er niet. Ik riep hun namen, maar kreeg een klap tegen mijn hoofd.

Uiteindelijk hield ik op met gillen. Ik gilde zelfs niet toen een van de mannen me weer overeind hees, zelfs niet toen hij de riemen losmaakte en me dwong om te gaan staan. Ik kon niet wegrennen. Ik was doodmoe, versuft en in de war. Mijn benen wilden niet bewegen en het kon me zelfs niet meer schelen dat ik bloot was. De kamer draaide om me heen. Het was alsof ik geen lichaam meer had, alsof mijn geest opsteeg. Ik zweefde hoog boven de kamer en vroeg me af wat er met dat arme magere meisje gebeurde toen een van de mannen zijn broek liet zakken.

Ik zag haar pijn, zag hoe haar hele gezicht vertrok. Toen ze ineenkromp op de vloer, trok hij haar benen weer recht. De kring toeschouwers klapte en riep. Er was bloed. Haar vingers en tenen waren blauw geworden, alsof haar aderen waren afgeknepen. Haar hoofd wiebelde slap op een nek zonder kracht en haar mond hing open.

'Deze hoeven jullie niet meer te brengen,' zei hij terwijl hij zijn gulp dichtdeed. 'Wat een lastig wicht.'

Toen ik wakker werd, lag ik weer in mijn bed. Langzaam draaide ik mijn hoofd opzij en ik zag Betsy's profiel, haar wipneusje en haar getuite mondje. Ik stak mijn hand uit en streek met mijn vingers door haar zachte haar. Daar bleef mijn hand liggen, tegen haar hoofdje, terwijl ik met brandende ogen naar het plafond staarde en mijn zegeningen telde. Stille tranen drupten op mijn hoofdkussen.

Ik ben terug, dacht ik telkens weer. Ik ben een van de gelukkigen.

32

De bel ging toen Nina de laatste hand legde aan de salade. Ze had zich voorgenomen om in Micks belang de opgewekte ideale gastvrouw te spelen. Ze zou doen alsof ze het druk had in de keuken, naar het toilet gaan, zich zo lang mogelijk schuilhouden in de slaapkamer. Ze zag er vreselijk tegen op om bezoek te moeten entertainen, zelfs als het in een betere financiële toekomst zou resulteren. Al veel te lang was Mick de spreekwoordelijke straatarme kunstenaar. Hij was goed in wat hij deed en verdiende erkenning. Dit was zijn kans. Hoe ellendig Nina zich ook voelde, dit zou ze niet voor hem verpesten.

'Oké,' zei ze hardop en ze veegde haar handen af aan een theedoek. Ze zou de vis pas op het laatste moment onder de gril zetten, want de filets waren snel klaar. Ik moet de tafel nog dekken, dacht ze.

Ze hoorde dat Mick zijn bezoeker binnenliet. De man klonk joviaal, zijn stem was te luid. Ze hoorde de gebruikelijke begroeting, stelde zich de handdruk voor. Daarna werd het helemaal stil. Waren ze naar de woonkamer gegaan? Nina gluurde naar binnen vanuit de keuken, maar zag niemand. Waarschijnlijk hing Mick de jas van zijn bezoeker op. Ze deed de deur weer dicht, want ze had geen zin in pottenkijkers terwijl ze aan het koken was.

Nina zou ze nog even laten praten voordat ze zich kwam voorstellen; ze had nog een minuut of tien werk in de keuken. Toen hoorde ze stemmen vanuit de zitkamer, waar ze kennelijk inmiddels waren aangeland. Ze hoopte dat de kunsthandelaar Micks schilderijen aan het bekijken was. Er hingen een paar mooie stukken aan de muren. Het was een spannend vooruitzicht dat Mick doeken zou kunnen verkopen voor prijzen waar hij nooit van had durven dromen. Ze hadden het weer over een uitbouw gehad, misschien een nieuwe badkamer; ondanks alle gebeurtenissen hield Nina vast aan haar droom. Het was haar strohalm.

Ze drukte haar oor tegen de dichte deur en probeerde te verstaan wat er werd gezegd. Er drongen wel stemmen tot haar door, maar Mick en zijn gast praatten zo zacht dat ze niet kon horen wat er werd gezegd. Mick was waarschijnlijk nerveus; hij was er niet goed in om zijn eigen werk aan te prijzen.

Tijd voor een drankje, wist Nina. Ze stelde zich voor dat Mick inschonk, hoorde het gerinkel van glazen en het uitbrengen van een toost. 'Op Micks toekomst,' zei Nina hardop terwijl ze haar eigen wijnglas hief. Dat was tenminste een lichtpuntje in alle narigheid.

Nina waste haar handen, toen Josie de keuken binnenkwam. 'Zou jij de tafel willen dekken, schat?' Ze gooide een paar servetten naar haar dochter en trok een la open, rommelde tussen de rekeningen, pennen en andere prullaria totdat ze haar lippenstift had gevonden. Voor de spiegel stiftte ze haar lippen lichtroze, Micks favoriete kleur. Ze wilde hem geluk brengen, ook nu het haar tegenzat.

'Moet het echt?' mopperde Josie terwijl ze bestek pakte. Ze protesteerde dat ze alleen beneden was gekomen om een bakje chips te halen en dat ze met haar vrienden op Afterlife zat, maar deed toch wat Nina haar vroeg.

Nina keek in de spiegel en zuchtte. Achter zich zag ze door de deur naar de zitkamer het spiegelbeeld van de eetkamer, waar Josie bezig was met het dekken van de tafel. Er welde een gevoel op in haar binnenste, een mengeling van woede, liefde en angst, en ze moest haar vuisten ballen om zichzelf in bedwang te houden. Ze wilde alles kort en klein slaan, haar eigen leven kapotmaken voordat iemand anders het kon doen. Ze stak een hand in haar zak en haalde het haarspeldje eruit, staarde ernaar en haalde het toen met de scherpe punt keihard over het spiegelglas.

'Au!' riep Josie, toen ze een mes uit haar handen liet vallen, boven op haar voet.

Nina stak het speldje weer in haar zak, trillend, angstig, alsof zij de oorzaak was van Josies pijn. Ze klemde haar kaken op elkaar. Dit was Micks avond en die mocht ze niet verpesten.

In de deuropening van de keuken bleef Mick staan. Ze wist dat hij naar haar keek. Toen ze zich omdraaide, zag ze dat hij een beetje bleek was en zweette. Ze vroeg zich af of de Londense kunsthandelaar hem nerveus maakte.

'Gaat het niet goed?'

'Jawel,' zei hij niet erg overtuigend. 'Ik... ik denk dat we er wel uit komen.' Hij pakte een glas en hield het onder de kraan. Hij dronk het leeg alsof hij al in een week niet meer had gedronken. 'Je ziet er mooi uit.' Hij drukte een kus op haar wang. 'Lief van je dat je zo je best doet.' Heel even pakte hij haar schouders beet – zoals zij bij hem had willen doen – en hij ging terug naar de woonkamer zonder te vragen of ze mee wilde komen.

'Ik wil je graag voorstellen, schat...' zei ze op spottende toon. Tenzij je je voor me schaamt, dacht ze toen, wetend dat het niet zo was. Mick was gewoon onzeker. Deze ontmoeting was belangrijk voor hem.

Nina hoorde dat de mannen hun gesprek hervatten en besloot dat het tijd was om naar binnen te gaan. Ze streek met haar handen door haar haar en keek vluchtig in de spiegel. Er zat een kras in het glas. Een kras op mijn volmaakte leven, dacht ze verbitterd.

Ze ging de woonkamer binnen.

Haar hart begon al sneller te kloppen voordat ze wist waarom. Ze bleef als aan de grond genageld staan en haar valse glimlach verbleekte. Ze staarde naar de gast, niet in staat om een vin te verroeren.

Langzaam tilde hij zijn hoofd op en hij stak een hand naar Nina uit. Zijn gezicht was uitdrukkingsloos. Hij had een normaal postuur en was iets kleiner dan Mick, stelde ze vast. Alles aan hem was puntig en scherp, van zijn handen en voeten tot en met zijn stekeltjeshaar en haviksneus; het leek zelfs wel alsof elke tand tot een punt was gevijld.

Nina was in de greep van een verlammende angst. Toch dwong ze zichzelf om ook haar hand uit te steken. Ze moest zich beheersen.

Ze keek naar hem.

Was hij het?

Hij glimlachte zuinig naar haar.

Ze probeerde haar hand terug te trekken, maar het was al te laat. Ze raakten elkaar aan, hij pakte haar vingers beet tussen zijn vingertoppen.

Het kon hem niet zijn. Ze zag spoken.

De haartjes in haar nek kwamen overeind. Ze probeerde door golven van duizeligheid heen op zijn gezicht te focussen, knipperde met haar ogen, bang dat ze flauw zou vallen. Haar lichaam vocht instinctief terug, gedreven door overlevingsdrang.

Het moet een vergissing zijn, bleef ze zichzelf wanhopig voorhouden. Het kan niet waar zijn.

'Welkom... in ons huis.' Nina sprak heel langzaam om het trillen van haar stem te bedwingen. Herkende hij haar? Het was al zo lang geleden.

'Het is me een groot genoegen u te ontmoeten, Mrs. Kennedy,' antwoordde hij. Hij sprak elk woord heel precies uit, zodat ze in staccato van zijn dunne lippen rolden.

Nina kromp ineen, slikte, probeerde na te denken, maar allerlei emoties tolden door haar hoofd. 'Zeg maar Nina.' Ze keek naar Mick, die was vergeten hen aan elkaar voor te stellen.

'Karl.' Zijn ogen vielen half dicht en hij stak zijn kin naar voren. 'Karl Burnett.'

De naam was als een klap in haar gezicht.

Hij was hier, in haar huis. Hoe had hij haar gevonden?

'Aangenaam,' voegde hij er nog aan toe.

Nina legde haar hand tegen haar been en voelde door de stof van haar broek heen het haarspeldje. Hij had het haar als waarschuwing toegestuurd en nu was hij bij haar thuis, bedreigde hij haar zonder een woord te hoeven zeggen. Hij wist precies wie ze was. En hij bedreigde niet alleen haar, hij bedreigde haar gezin.

Ze moest flink zijn, in het belang van Mick en Josie, in elk geval totdat ze had bedacht wat ze moest doen. Nina hoopte vurig dat de avond snel voorbij zou gaan, zodat ze weer met z'n drieën zouden zijn, veilig en wel. Haar mond was zo droog dat ze bijna niet kon praten.

'Schat,' zei Mick nu pas, 'Karl heeft een galerie in New Bond Street.'

Niet waar! gilde het in haar hoofd.

'Werkelijk?' wist ze uit te brengen. Ze keek naar Mick; de uitdrukking op zijn gezicht weerspiegelde een diepe bewondering voor hun bezoeker. Uit alle macht probeerde ze gevaarsignalen uit te zenden. Hoe kon ze hem vertellen dat Karl helemaal niet geïnteresseerd was in schilderijen, dat hij háár wilde ophangen, niet een landschap of een subtiel naakt. Ze was woedend dat hij Mick gebruikte om haar te pakken te krijgen.

Nina probeerde haar snelle ademhaling onder controle te krijgen, en bleef zich vasthouden aan de hoop dat de avond waarschijnlijk zonder problemen zou verlopen als zij zich normaal gedroeg.

'Ik ben enorm blij dat er de laatste tijd zo veel belangstelling is voor Micks werk.' Haar ijle stem droeg nauwelijks tot de andere kant van de kamer. Ze zag dat allebei de mannen een drankje hadden en schonk zichzelf bij het buffet een stevige gin-tonic in.

Karl liep door de kamer. Zijn houding was zelfverzekerd, gladjes, en de uitdrukking op zijn gezicht ondoorgrondelijk. Niemand kon vermoeden waartoe hij in staat was – niemand behalve Nina. Hij was geheel in het zwart gekleed. Hij raakte een paar voorwerpen aan, nam een porseleinen vogel in zijn hand die Josie Nina op haar verjaardag had gegeven. 'Mick vertelde me dat jullie een dochter hebben.' Daar was die ijzingwekkende glimlach weer.

Hij wist van Josies bestaan. Het koude zweet brak Nina uit. 'Ja,' zei ze, niet van plan om hem de kans te geven het over haar dochter te hebben. 'Wil je nog iets drinken?'

Wat er daarna gebeurde ging zo snel, en tegelijkertijd in slow motion, dat Nina, als haar later was gevraagd het te beschrijven, alleen zou kunnen vertellen van de diepe pijn in haar hart, de angst die als gal omhoogkwam in haar keel.

Josie slenterde de kamer binnen, een en al zorgeloze charme, en alle aandacht was meteen op haar gericht. In de deuropening bleef ze even staan om haar blik over de aanwezigen te laten gaan, totdat haar vader naar haar toe kwam en zijn arm beschermend om haar schouders sloeg. Mick, kreeg Nina de indruk, was blij met de afleiding.

'Dit is Mr. Burnett uit Londen,' zei Mick.

Nina bleef hopen dat hij de spanning tussen haar en Burnett zou voelen.

Maar Josie had niets in de gaten. Ze grijnsde, ontblootte gave witte tanden tussen volle jonge lippen. Nina hield haar adem in. Haar dochter had leuke zomerkleren aangetrokken, met een diep uitgesneden topje. Het was alsof ze haar vrouwelijke figuur voor het eerst zag. Het witte topje met broderie sloot strak om haar bovenlichaam, en eronder droeg ze een kleurige rok tot boven de knie. Schoenen met een sleehak maakten haar acht centimeter langer, en in combinatie met haar lichte make-up – de kleuren die Nina haar nog maar een week geleden had aanbevolen – leek ze minstens achttien. Desondanks straalde ze nog steeds onschuld uit. Een kind in het lichaam van een vrouw. Nina klemde haar kaken op elkaar, voelde de druk in haar hoofd toenemen.

'Hallo,' zei ze liefjes. 'Aangenaam.' Beleefd stak Josie haar hand uit, zoals het haar was geleerd.

Karl negeerde de uitgestoken hand en liep met wijd geopende armen naar haar toe, kuste haar op beide wangen, aan weerszijden van haar glanzende lippen. 'Mick, Nina.' Hij keek van de een naar de ander. 'Jullie hebben een prachtige dochter. Ik ben stinkend jaloers.' Karls handen gleden langs Josies blote armen omlaag en hij pakte haar handen beet. Hij leunde iets achterover en zijn duivelse ogen dronken haar van hoofd tot voeten in.

Nina smoorde een kreet. Mick, doe iets! Burnett keek zo wellustig naar haar dochter dat ze er bijna in stikte. Houd je smerige ogen van haar af, gilde ze, maar zonder geluid te maken. Als ze nu een scène trapte, bracht ze hen allemaal in gevaar. Nee, ze moest rustig blijven, de avond uitzitten. Ze had tijd nodig om na te denken, om hulp in te roepen en Mick en Josie te beschermen. Het kon nog stééds een onschuldige vergissing zijn, stom toeval. Of niet?

Ze verontschuldigde zich en ging naar de keuken.

'We kunnen weggaan,' fluisterde ze terwijl ze met een trillende hand groente in een schaal schepte. 'Met z'n drieën. We kunnen gewoon verdwijnen, zorgen dat hij ons niet kan vinden.' Nina probeerde te bedenken hoe ze het Mick moest uitleggen. Opeens stokte haar adem.

Waar waren de anderen? De borden ratelden in haar handen toen ze de stapel uit de warmhoudoven haalde. Koortsachtig probeerde ze zich te herinneren welke straffen de rechter had opgelegd. Als ze allemaal op vrije voeten waren, kon dit het begin van een nachtmerrie zijn.

'Tegen wie heb je het?' Mick stond opeens naast haar. Hij leek rustiger nu, hoewel de knokkels van zijn handen wit werden toen hij zich aan het aanrecht vastgreep. De mouwen van zijn overhemd waren opgerold, en Nina zag dat de spieren in zijn onderarmen gespannen waren. Ze wilde niets liever dan wegkruipen in die sterke armen van hem.

'O, tegen niemand,' zei ze veel te opgewekt. 'Wil jij deze schaal naar de eetkamer brengen?' Ze verstijfde toen ze Mick de schaal aanreikte. Ze staarden elkaar aan.

'Is er echt niets, Nina?' vroeg hij met gefronste wenkbrauwen. Hij liep weg, bleef toen staan en draaide zich om. 'Nina?' Nina hoorde hoe ernstig zijn stem klonk. Hij wachtte op antwoord. 'We doen dit toch samen? Wij drieën, door dik en dun?'

Nina lachte nerveus, onbeheerst, opgelucht. 'Ja.' Ze raakte zijn arm aan. 'Wij drieën, door dik en dun.'

'Ik kan niet zonder je.'

Nina slikte. Wat er ook gebeurde, ze moest het hoofd koel houden. Ze moest nadenken. Opeens besefte ze dat Karl alleen was met haar dochter. 'Waar is Josie?'

Zonder op Micks antwoord te wachten greep ze de wijnfles en ze haastte zich naar de eetkamer. Burnett keek op toen ze binnenkwam. Was het verbeelding, de trage manier waarop hij met zijn ogen knipperde, de geile grijns, de waarschuwingen die hij uitzond?

Het gesprek tussen Mick en Karl verliep stroef. Nina sneed haar eten in kleine stukjes, schoof de vis naar de rand van haar bord. Ze had niet meer dan twee smakeloze happen naar binnen gekregen. De hele avond was een nachtmerrie. Alleen Josie leek zich te vermaken.

'Zeg, Josie,' begon Karl. Zijn vingers speelden met het bestek, en onder de tafel wipte zijn been op en neer. 'Wat vind je de leukste vakken op school?'

'Ik hou van toneel,' antwoordde ze, en haar hele gezicht lichtte op. Ze had al van kleins af aan van toneelspelen, dansen en zingen gehouden. In haar enthousiasme boog ze zich over de tafel heen naar Burnett. 'Ik wil later actrice worden.'

'Werkelijk?' Karl keek naar Nina, en ze sloeg snel haar ogen neer.

'Ik heb een tijdje geleden auditie gedaan voor *Chicago*, een productie van het jeugdtheater. Ik heb de rol van Roxie Hart gekregen. Dit najaar is de première.'

'Ze denkt dat ze de nieuwe Ginger Rogers is,' zei Mick, opgelucht dat hij niet over kunst hoefde te praten.

Het viel Nina op dat haar stemming op Mick was overgeslagen; hij was nu bijna net zo onrustig en nerveus als zij. Later zouden ze de avond in bed met elkaar bespreken. Hopelijk zou Mick gaan twijfelen en misschien wel van samenwerking met Burnett afzien. Nina zou wakker liggen totdat het eerste daglicht door een kier in de gordijnen naar binnen scheen. Ze zou naar het plafond staren, denkend aan het verleden, te bang om haar ogen te sluiten, plannen maken om haar gezin te redden.

'Leuk hoor, pa,' snoof Josie. Ze fronste haar wenkbrauwen en tuitte beledigd haar lippen. 'Mijn moeder is grimeur en ze neemt me zo vaak mogelijk mee naar de set. Ze heeft net een geweldig contract gesloten met een grote productiemaatschappij. Ik mag met haar mee naar Pinewood. Misschien ontmoet ik daar wel een regisseur die...'

'Is dat zo?' onderbrak Karl haar met zijn blik gericht op Nina. 'Je hebt niet alleen een prachtig gezin, je bent ook succesvol in zaken.

Ik ben onder de indruk.' Hij legde zijn bestek neer en hief zijn wijn-glas. 'Op de familie Kennedy,' zei hij nadrukkelijk. 'Op een welver-diende toekomst.'

33

Sylvia geeft me twee paracetamolletjes. Ze heeft een paar dagen bij
een tante gelogeerd, maar is nu weer terug op school. Ze wil de laatste dagen van de vakantie gebruiken om achterstallig werk te doen,
heeft ze me verteld. Ik vermoed dat Sylvia, net als de andere achter-
blijvers, nergens anders naartoe kan.

'Ga maar lekker naar bed,' draagt ze me op. Ze heeft rode lippenstift op, zie ik, dezelfde kleur als haar nagels. Ze ziet dat ik naar haar
kijk. 'Ik was van plan om uit te gaan, maar als jij niet lekker bent kan
ik beter hier blijven.'

'Je hoeft voor mij echt geen afspraak af te zeggen. Ik red me wel.'
Ik kijk op mijn horloge. 'Ga je iets leuks doen?'

Ze bloost. 'Een man in het dorp heeft me uitgenodigd om samen
naar de film te gaan.' Ze kijkt in de spiegel boven de wastafel op de
ziekenafdeling en tuit haar lippen. 'Weet je zeker dat je het niet erg
vindt?'

Ik knik.

Het geeft me de kans om met Adam te gaan praten. Sinds ons bezoek aan de kapel, sinds hij me heeft verteld dat zijn boek niet over
de architectuur van Roecliffe Hall gaat, noch over de plaatselijke natuur, blijf ik me afvragen wat hij precies weet. Hij heeft ontdekt dat
er moorden zijn gepleegd, dat er lijkjes zijn gevonden. Maar waarom is dat zo belangrijk voor hem? Bovendien wil ik niet alleen zijn,
voor het geval de gluurder terugkomt.

Als Sylvia weg is verlaat ik de ziekenzaal. Ik loop de centrale trap
af en gangen door en steek de hal op de begane grond over. Er gaat
een rilling langs mijn rug. In het halfdonker zoek ik op de tast het
lichtknopje. Via de trap aan de achterkant bereik ik Adams kamer,
in weer een andere gang. Ik klop en de deur gaat vanzelf open.

'Adam?' zeg ik. 'Ik ben het.' *Ik.* Hoe is het gekomen dat we zo vertrouwelijk met elkaar omgaan?

Ik ga naar binnen, maar hij is er niet. De kamer is groter dan de mijne en overal liggen boeken. Schoolboeken, nieuwe boeken, oude boeken, gebonden boeken en paperbacks, buitenlandse boeken, moderne glossy boeken en stoffige antiquarische werken. Mijn vinger strijkt langs een stapel. Onder het raam staat een antiek bureau, met zijn lichtblauwe laptop erop. Hoofdschuddend kijk ik naar de rommel om me heen.

Het bed is onopgemaakt en op het voeteneinde ligt een hele stapel gedragen kleren. Midden op het bed, naast zijn jasje, ligt de dictafoon. Ik buk me en neem hem in mijn hand. Ik kijk om naar de deur en draai het volume zachter. Met bonzend hart druk ik op play.

'... *Diverse altaardoeken met vlekken, een gebroken crucifix, en op de tegelvloer onder het altaar een paar... oude gympen. Nikes. Waarschijnlijk de plaats waar het is gebeurd. Sigarettenpeuken. Flessen. Een stuk of dertig eikenhouten banken, zeer rijkelijk versierd voor een particuliere kapel. Het raam op het noorden is...*' Dan hoor ik een klap en een kreet die ik herken van toen ik naar de deur ben gerend om te vragen of Adam niets mankeerde. '... *Ga toch even mee naar binnen. De eh... architectuur is de moeite waard,*' zegt hij luid. Dat was toen hij uit de kapel naar buiten kwam. Het blijft even stil, dan hoor ik Adams ademhaling, gefluister. '... *Wat is ze mooi... Haar benen, haar vingers, het patroon van haar rok. Ze heeft ook iets raadselachtigs...*'

Ik druk op stop en gooi de dictafoon terug op het bed. Als ik me omdraai, staat Adam in de deuropening.

'O! Ik wilde vragen of je zin hebt om samen koffie te drinken in de zitkamer van de meisjes.' Mijn hart klopt in mijn keel en mijn wangen gloeien als kooltjes.

Adam zegt geen woord.

Hij zit met gekruiste benen op de vloer van de gemeenschappelijke zitkamer en maakt een volmaakt ontspannen indruk. Onder een van de stoelen ziet hij een knuffel liggen en hij trekt het konijn eronderuit. 'Van jou?'

'Ik dacht het niet,' zeg ik. 'Hij is van een van de meisjes. Ze zitten graag in die stoel als ze hun hart willen uitstorten.' De meeste leerlingen nemen hun knuffel mee naar school, zelfs de zesdeklassers. Om de een of andere reden prikken er tranen in mijn ogen. 'Heel aandoenlijk.'

Adam hoort dat ik snuf, ziet mijn vochtige ogen en geeft me een tissue aan uit de doos die op tafel staat. 'Wil jij er gaan zitten om je hart uit te storten?'

Ik lach en schud mijn hoofd, hoewel ik in stilte wenste dat ik de moed had om ja te zeggen.

'Je gaat me toch niet vertellen dat je werk vies tegenvalt?'

'Nee, hoor,' zeg ik. 'Het is eigenlijk heel schoon werk.'

'Gelukkig,' zegt hij en hij geeft me mijn koffie aan. Ik heb tegen hem gezegd dat ik niet aan het rondsnuffelen was in zijn kamer en alleen behoefte had aan gezelschap, en hij geloofde me. Ik vraag me stiekem af of hij wilde dat ik die opname zou horen.

'Zeg,' begin ik zo achteloos mogelijk, 'vertel me eens over de kapel. Waarom ben je er zo in geïnteresseerd?'

Adam zucht en neemt een slok koffie. Over de rand van zijn beker heen kijkt hij me aan. Het spelletje dat we spelen – jij eerst – hangt tussen ons in. We voelen allebei dat de ander geïnteresseerd is in de geschiedenis van de school, en dat we, om andere redenen, geïnteresseerd zijn in elkaar.

'De kapel vormt een belangrijk aspect van het verhaal waarnaar ik onderzoek doe.' Om de een of andere reden aarzelt hij. 'Daar hebben de moorden plaatsgevonden. Eén in het bijzonder.' Zoals hij het zegt klinkt het als folklore, alsof alles niet echt is gebeurd. 'Nu wil ik mensen spreken, plaatselijke bewoners die het zich nog kunnen herinneren.'

Met een ruk til ik mijn hoofd op. Heeft hij iemand gevonden die een boekje open kan doen? Ik brand van nieuwsgierigheid.

'Ik ben er vandaag geweest omdat ik de kapel met eigen ogen wilde zien. Ik...' Hij schraapt zijn keel. 'Ik wilde de sfeer zelf proeven. Het was vreselijk, Frankie. Ik kon de angst bijna ruiken,' fluistert hij met zijn hoofd gebogen. 'Háár angst.'

'Echt waar?' Geen wonder dat de dorpelingen hebben geëist dat de kapel dichtgetimmerd zou worden.

'Daarom draaide ik me zo plotseling om en stootte ik een grote kandelaar omver.' Adams gezicht verraadt het verdriet dat hij voelt; hij is niet zomaar een historicus die research doet.

'Waarom Roecliffe?' informeer ik voorzichtig.

Hij denkt even na, haalt diep adem. 'Heb je ooit het gevoel gehad dat een plek grote aantrekkingskracht op je heeft? Dat je iets moet ontdekken wat zo belangrijk voor je is dat je bereid bent van de andere kant van de wereld te komen om het helemaal uit te pluizen?'

Mijn hart begint sneller te kloppen, mijn lippen gaan vaneen, maar ik kan het juiste antwoord niet bedenken.

'Ik ben helemaal vanuit Australië naar Roecliffe gekomen, Frankie, tegen wil en dank. Het is begonnen als een zoektocht op internet, een behoefte om te weten en mijn verleden te ontrafelen, en nu is het een obsessieve missie geworden om zelfs de kleinste details op te diepen. Er zijn dingen die ik moet zien te achterhalen, voor mijn eigen gemoedsrust.'

Ik kijk hem aan, smeek hem met mijn blik om verder te gaan.

'Ik ben op zoek naar mijn zus,' bekent hij, opeens weer zonder enige emotie in zijn stem, alsof hij een boek of een stropdas kwijt is, vermoedelijk uit zelfbescherming. 'Ze heeft hier lang geleden gewoond, toen Roecliffe een kindertehuis was.' Hij drinkt zijn beker leeg alsof het antwoord in het laatste restje koffie te vinden is.

Eindelijk vind ik mijn stem terug, en ik klink ijl en onecht. 'Je zus?' Ik ga staan. Ik tril zo erg dat ik me aan de muur moet vasthouden als ik naar de deur loop. Ik moet weg. 'Ik betwijfel of je haar hier zult vinden.'

Op de laatste zondag van de herfstvakantie wordt de school overspoeld door rumoer, stemmen, bagage, huilende moeders en opgewonden meisjes. De eersteklassers vinden het gelukkig leuk om terug te zijn; ze barsten van nieuwe energie. Voor de oudere meisjes is het een bekend ritueel; ze wisselen verhalen uit, zwaaien zonder tranen hun ouders uit.

Lexi's vader komt niet met haar mee naar binnen. Hij blijft zelfs niet wachten totdat ze haar koffer de trap naar de hoofdingang op heeft gedragen. Ze werd pas de dag na haar angstige ervaring opgehaald. Daarna heeft niemand meer vreemde gezichten voor de ramen gezien.

'Hoi,' zeg ik. 'Heb je een leuke vakantie gehad?'

'Ging wel,' zegt ze. 'Ik ben bijna de hele tijd in mijn eentje geweest.'

Ik loop met haar mee naar de slaapzaal en help haar bij het uitpakken van haar koffer. Boven op haar kleren ligt een cadeauverpakking met een dure shampoo en conditioner.

'Voor jou,' zegt ze, en ze geeft me de zilverkleurige doos aan. 'Het spul dat jij me had gegeven was vreselijk.' Ze grijnst. 'Ik heb gedaan wat je zei en het in de shampoofles van mijn vaders vriendin gegoten.'

'En?' Ik haal de dop eraf en snuif de geur op. Die doet me denken aan de verzorgingsproducten die ik vroeger zelf kocht. Ik bedank haar met een dikke knuffel.

'Mijn vader zei dat ze zo lekker rook en daarna heb ik ze uren niet meer gezien. Dat heb ik weer. Hij wilde dat ik niet bestond.'

'Onzin,' zeg ik tegen haar. In stilte vraag ik me af wanneer iemand onzichtbaar wordt, zelfs als die persoon helemaal niet weg is gegaan.

Ik heb de blauwe haarband, de beugel en het lange blonde haar in mijn geheugen geprent; een geheugensteuntje om de volgende keer dat ik haar zie vragen te stellen. Het is alweer een tijd geleden dat ik in het computerlokaal ben geweest – toen Lexi ziek was – maar de beelden op het scherm van de twee meisjes staan op mijn netvlies gebrand. Ik heb zelfs geprobeerd om op de computer in de gemeenschappelijke zitkamer de website te vinden, maar ik kreeg geen toegang. Waarschijnlijk heeft een of andere computertechneut het onmogelijk gemaakt, of anders was het een vingerwijzing van het lot.

'Gaat u het aan Mr. McBain vertellen?' De beide meisjes slaan vrijwel simultaan hun ogen neer – een tienertruc waar ik dwars doorheen kijk.

'Dat hangt ervan af,' zeg ik. Ik vind het niet leuk om dit te doen, maar er is een gapend gat in mijn leven geslagen en ik verlang er wanhopig naar om mijn verdriet, mijn vreselijke pijn, te verzachten, al is het maar een klein beetje. En dit zou een pleister kunnen zijn.

'Waar hangt het van af?' vraagt het tweede meisje. Ze staan allebei voor me, met hun handen over elkaar voor hun buik.

'Of ik het mag proberen.' Ik zeg het alsof het de gewoonste zaak van de wereld is dat een vrouw van mijn leeftijd zoiets wil. Ze kijken elkaar aan, en ik zie het aarzelende begin van een glimlachje op hun gezicht. Opluchting.

'Meent u dat echt?' vraagt de langste van de twee.

'Waarom niet?' Ik probeer het verontwaardigd te zeggen. 'Jullie willen toch niet dat Mr. McBain te horen krijgt dat jullie tijdens zijn les een spel aan het spelen waren?'

'Natuurlijk niet. Maar als u hem vertelt wat we aan het doen waren, ontkennen we het gewoon.'

'En jullie denken dat hij jullie zal geloven, en niet mij?'

Een knikje. 'Technisch gezien is het namelijk onmogelijk om door de firewall van de school heen te komen. Al dat soort sites zijn geblokkeerd.' De meisjes trekken een gezicht, zijn duidelijk nerveus. Zij vinden het even naar om gechanteerd te worden als ik om ze te chanteren.

'Hoe komt het dan dat ik het op jullie computer heb gezien?'

'Omdat we erg handig zijn.'

'We zijn nerds,' legt de blonde uit. 'Computertechneuten.'

'Dus jullie hebben een manier gevonden om de firewall van de school te omzeilen zodat jullie toch op de site kunnen komen?' Ik zeg het op ongelovige toon, want zelf heb ik de ballen verstand van techniek. Als ik geen toegang krijg tot een bepaald netwerk, dan leg ik me daar gewoon bij neer.

'Precies. We hebben onze eigen proxyserver. Zolang de it-administratie het adres niet kent, komen wij niet in de problemen. Als

Lexi niet ziek was geworden, zou u niet in het lokaal zijn gekomen en dan had niemand geweten wat we doen. Mr. McBain staat altijd voor de klas, hij loopt nooit tussen de tafels door.' Het meisje leunt tegen de muur. 'Nou, gaat u ons verlinken?'

'Verlinken?' herhaal ik.

'Gaat u het aan Mr. McBain vertellen?'

Ik neem hen goed op. Het zijn mooie, aardige meisjes, en ze zien er fris en netjes uit in het schooluniform – de korte stropdas zit keurig recht, de kraag van hun blouses is opgezet en de mouwen zijn opgerold. Mijn hart bloedt; elk tienermeisje op de school doet mijn hart bloeden. Ik zucht.

'Nee, dames,' zeg ik, 'wees maar niet bang. Ik zwijg als het graf. Maar ik wil heel graag op die site en daar heb ik jullie hulp bij nodig.'

Ze kijken elkaar aan en knikken. 'Deal,' zegt het grotere meisje. 'Ik heet Fliss en dit is Jenny. Welkom op Afterlife.' Fliss steekt haar hand uit en na een lichte aarzeling druk ik die. Het duurt nu niet lang meer, troost ik mezelf.

34

Nina liet een bord vallen, het bovenste van de stapel in haar handen. Het tuimelde in slow motion op de tegelvloer in de keuken. Scherven vlogen in het rond. Ze zag elke scherf stuiteren en schuiven en onder de tafel, het buffet en de koelkast verdwijnen.

'Ik ruim het wel op', zei Mick, die opnieuw uit het niets leek op te duiken. 'Hoe loopt het volgens jou?' Hij trok Nina tegen zijn borst en omhelsde haar alsof hij haar weken niet had gezien. Hij kuste haar op haar mond. Ze reageerde niet. 'Gaat het een beetje?' Hij trok een scherf uit haar vingers.

'Het gaat prima.' Nina schudde zichzelf wakker en bukte zich om de rest van het kapotte bord op te rapen. Een puntige scherf sneed in haar vinger, en ze begon meteen te bloeden, dikke, rode druppels die op de tegelvloer spetterden. Ze stak de vinger in haar mond.

'Hier', zei Mick en hij gaf haar een pleister aan uit de la. 'Je bent heel erg moe, schat. Ik kom zo koffie brengen. Josie is al naar haar kamer gegaan.' Zo te horen had hij ook even pauze nodig.

Nina slaakte een beverige zucht van verlichting nu ze wist dat haar dochter niet meer in de nabijheid was van die vreselijke man. Alleen leek Mick ervan uit te gaan dat zij terugging naar de kamer om met Burnett te praten. Hij had wel gelijk. Ze was zo moe dat ze staand in slaap zou kunnen vallen, maar zolang die man er was kon ze zich niet terugtrekken, zoals Josie had gedaan. Ze protesteerde zwakjes dat ze liever zelf koffie wilde zetten.

'Het is zo gebeurd', zei Mick.

Ze wist dat protesteren zinloos was. Ze moest Mick helpen. Hij wist het niet, maar ze verkeerden allebei in gevaar. Met lood in haar schoenen ging Nina terug naar de woonkamer. Burnett was opgestaan van tafel en bekeek een paar van Micks vroege werken die boven de schoorsteenmantel hingen.

'Deze doeken zijn heel anders dan ik had verwacht,' merkte hij op toen hij Nina nerveus in de deuropening zag staan. 'Niet zo... sensueel als het werk dat ik tot nu toe heb gezien.'

Nina haalde haar schouders op. 'Die zijn er ook,' zei ze kortaf. Het kon haar geen klap schelen wat Burnett van Micks werk vond. Ze wilde alleen maar dat hij weg zou gaan.

'Die wil ik dan graag zien.' Burnett wierp nog een laatste blik op de doeken en kwam toen naar haar toe. 'Ik heb al tegen je man gezegd dat jij me zijn werk moet laten zien. Kunstenaars zijn er heel slecht in om reclame te maken voor hun eigen werk.' Hij zweeg even. 'Hij was het volkomen met me eens.'

'Neem hem gewoon mee naar het atelier,' fluisterde Mick achter haar. Kennelijk had hij het gehoord. 'Als hij de schilderijen heeft gezien, gaat hij vast wel weg.'

Nee, alsjeblieft, smeekte ze in stilte. Laat me dat niet doen. Er woedde een storm in haar binnenste, hoewel ze blij was dat Mick de man zo te horen ook niet mocht. Ze zette zich schrap toen Mick zacht een duwtje tegen haar rug gaf om haar aan te sporen. Burnett stak zijn arm uit en legde die losjes rond Nina's schouders. Ze kreeg kippenvel.

'Ga jij maar voor,' zei Burnett met een stralende uitdrukking op zijn gezicht. Zijn lichtblonde haar viel voor zijn ene oog en hij streek het grijnzend weer naar achteren. 'Ik heb vandaag echt mijn geluksdag.'

Mick deed de deuren naar het terras open. Vochtige, warme lucht van de riviermond kwam hen tegemoet toen Nina en Karl naar buiten liepen. De zon was al weggezakt achter de bomen aan het eind van de tuin, dus deed Mick het buitenlicht aan om het pad naar het atelier te verlichten. Het licht ging vrijwel meteen weer uit.

Mick kreunde. 'Er is een stop doorgeslagen. Het zal wel kortsluiting zijn.' Hij draaide zich om en wilde al naar de kast onder de trap lopen, maar bedacht zich. 'Hier,' zei hij tegen Nina en hij wilde haar de sleutel van het atelier aanreiken. Er werden blikken uitgewisseld.

Nina slikte en keek naar de bevende hand waarmee ze de sleutel aanpakte. Het leek wel of het niet haar eigen hand was. O, wat verlangde ze ernaar om Micks hand stevig beet te pakken. Hij wist niet wat hij deed door haar met deze man het donker in te sturen.

'Bedankt,' zei ze zacht, en heel even meende ze te zien dat Mick aarzelde, meende ze twijfel in zijn ogen te lezen toen hij naar Burnett keek en weer terug naar haar. Maar nee, Mick liep weg naar de stoppenkast.

Koel gras streek langs Nina's enkels toen ze met Burnett naar het atelier liep. Ze wist precies waar de stenen lagen langs de rand van de bloembedden. Zij en Mick hadden ze vorige zomer samen neergelegd.

Ik zou er snel een kunnen pakken, dacht ze, en hem ermee op zijn hoofd slaan. Dan zou het afgelopen zijn, nog voor het was begonnen. Mick zou het zeker begrijpen. Ze zou hem alles vertellen en ze zouden met z'n drieën weggaan...

'Jullie hebben een prettige tuin,' merkte Burnett op. Nina wist niet hoe hij dat kon zien, want het was er behoorlijk donker. 'Ik durf zelfs te zeggen dat je een prettig leven hebt.' Zijn stem was nu lager, dikker, en had een sinistere ondertoon gekregen. Ze gaf geen antwoord.

Ze kwamen bij het houten atelier en Nina zocht het hangslot. Hoe ze er ook aan frunnikte en hoe ze het ook draaide, het lukte haar niet om de sleutel in het slot te steken.

Plotseling lagen zijn handen rond de hare. Behendig ontfutselde hij haar de sleutel en stak hij die in het hangslot. 'Zo,' zei hij in haar oor. 'Gepiept.'

Eenmaal in het atelier zocht Nina op de tast het lichtknopje. Gejaagd bewoog ze het op en neer, zonder dat er iets gebeurde. 'Kennelijk is dit dezelfde groep als de tuinverlichting. We kunnen net zo goed teruggaan, want in het donker kun je de schilderijen toch niet zien.' Nina liep al naar de deur.

'Ik kan alles zien wat ik wil zien.' Burnetts stem had weer die harde klank gekregen.

Nina bleef staan en keek hem aan. Het licht uit de keuken wierp een zwak schijnsel op zijn gezicht en accentueerde zijn scherpe neus en hoekige kaak. Ze zag zijn pupillen bewegen, op haar gericht; ongetwijfeld zag hij dezelfde spookachtige contouren als zij.

Zonder een woord te zeggen draaide ze zich om naar de deur, maar een onverwachte ring van pijn om haar bovenarm hield haar tegen.

'Ik zei: ik kan alles zien wat ik wil zien.' Burnett trok Nina naar zich toe. 'De kunst, de schoonheid, het overtuigende bewijs dat ik nodig heb. Je man heeft talent, maar dat heeft niets met de schilderkunst te maken.' Burnett lachte. Zijn adem rook zuur, zoals een modderpoel bij laagtij. 'En alles met de keuze van zijn echtgenote.'

Nina trok haar gezicht weg en keek omhoog. Ze kon niet huilen, zelfs niet gillen. Wat bedoelde hij met 'de keuze van zijn echtgenote'? Het was geen toeval dat hij bij hen thuis was gekomen, en het was ook geen toeval dat hij haar man gebruikte om haar te kunnen belagen. Hij had helemaal geen belangstelling voor Micks werk. Twintig jaar lang had ze geprobeerd haar ogen te sluiten voor de mogelijkheid dat dit moment zou aanbreken. Ze had een comfortabel leven, een liefhebbend gezin, haar eigen huis en een eigen bedrijf, zodat haar waakzaamheid zoetjesaan was ondergesneeuwd en ze niet op deze confrontatie voorbereid was geweest. Zelfs McCormack had haar in de steek gelaten.

'Ik... ik weet niet wat je bedoelt.'

Burnett lachte. Hij trok haar nog verder naar zich toe en draaide met een hand om haar kin haar gezicht naar het zijne. 'Heb je in al die jaren dan nooit aan me gedacht?'

Nina schudde haar hoofd. Woorden waren onbereikbaar.

'Ik heb wel heel vaak aan jou gedacht,' vervolgde hij. 'De afgelopen twintig jaar heeft je schattige kindergezichtje elke dag door mijn hoofd gespeeld.' Hij was zo dichtbij dat Nina het zweet op zijn gezicht kon ruiken, bijna kon próéven. 'Al die jaren heb ik me geprobeerd voor te stellen wat ik met je zou doen als ik je eenmaal had gevonden.'

Hij trok Micks stoel naar zich toe en ging zitten. De stoel kraakte onder zijn gewicht. Hij probeerde Nina op zijn schoot te trekken, maar ze rukte haar armen los en gaf een schop tegen zijn scheenbeen.

'Nee!' gilde ze, en ze dook op de deur af. Zelfs al voordat haar hand op de deurknop lag, pakte Burnett haar weer beet. Dit keer trok hij haar ruw op zijn schoot. Ze griezelde toen ze zijn benen onder de hare voelde.

'Ik heb al die eenzame nachten alleen maar aan jou gedacht,' mompelde hij zacht. Hij streelde haar haar, streek het achter haar oor. 'En het leven is goed voor je geweest, Mrs. Nina Kennedy.' Hij sprak haar naam nadrukkelijk uit. 'Je bent bijna geen spat veranderd.' Burnett ging met een vinger omhoog over haar wang, door haar haren, en hij hield het bij haar slaap omhoog alsof ze een schuifspeldje droeg. 'Ik hoop dat je blij was met het cadeautje dat ik je heb gestuurd. Aandoenlijk, vond je ook niet?'

Nina slikte, stikte bijna in haar eigen speeksel. Ze was bang dat ze flauw zou vallen.

'Weet je hoe het voelt als twintig jaar van je leven je wordt afgepakt vanwege...' Hij hijgde zijn onfrisse adem in haar gezicht. '... vanwege een *klein meisje*?'

Ze schudde haar hoofd. Ze kon niet naar hem kijken. Haar hele lichaam was verstijfd van angst.

'Door jouw toedoen heb ik negentien jaar, vier maanden en zeventien dagen in die teringgevangenis gezeten.' Onverwacht ging hij staan, en Nina werd tegen de muur van het atelier gedrukt. Er viel iets van een plank naast haar.

In het halfdonker streek Burnett over een doek dat op een ezel stond. 'Die schilderijen van je man interesseren me niet,' zei hij op volkomen normale toon, 'en die dweepzieke dochter van je interesseert me ook niet.' Hij tilde het grote doek van de ezel en liep ermee naar Nina. 'Maar jij interesseert me wél. Het is afgelopen met dat leuke leventje van je.'

Nina kreunde zacht. Haar stem klonk vreemd. Ze drukte haar nagels in de houten muur.

'Je gaat dood.' Hij zei het zacht, hoewel de woorden het hele atelier vulden en er rondzongen. 'Maar eerst gaat je dochter dood.'

Burnetts vinger maakte een denkbeeldige snee in zijn hals. 'Ze lijkt op jou,' voegde hij er peinzend aan toe.

'Blijf met je smerige handen van haar af.' Nina kon bijna niet praten.

'O, ze is nu toch te oud voor me. Dat zou je moeten weten, Nina.' Hij stak zijn hand uit en streelde haar gezicht. 'Als jij eenmaal dood bent, kan ik weer mijn gang gaan.'

Net op het moment dat het licht weer aanging, trapte Burnett een groot gat in het schilderij. Nina knipperde met haar ogen tegen het plotselinge felle licht en keek naar het doek. Het was het mooie portret dat Mick van haar had gemaakt. Burnetts wellustige ogen vergaapten zich aan elke centimeter naakte huid die niet door zijn schoen was vernield. Er zat een gat midden in Nina's hart.

'Zeg maar tegen Mick dat er een ongelukje is gebeurd.' Burnett gaf het schilderij een zet en het viel plat op de vloer.

'Je bent slecht,' snikte Nina. 'Door en door slecht.' Vechtend tegen de angst die haar spieren verlamde draaide ze zich om en ze rende het atelier uit naar de inmiddels verlichte tuin, en door naar het huis. Ze veegde de tranen weg die over haar wangen stroomden – tranen van angst en woede omdat haar mooie leventje werd verwoest. Ze smoorde de jammerkreet die zich vormde in haar keel en rende struikelend door het gras.

Hoe heeft hij me gevonden?

Toen ze bij de achterdeur kwam, zag ze Mick door het keukenraam. Nina wist nog maar één ding heel zeker: tegen de tijd dat ze naar binnen ging, moest ze een beheerste en kalme indruk maken, alsof er niets was gebeurd, alsof zij en Burnett in het atelier een onderhoudend babbeltje hadden gemaakt. Nina wist dat ze een totaal andere vrouw moest zijn als ze weer tegenover haar man stond.

35

Ik probeerde het te vertellen. Het duurde twee dagen voordat ik de woorden kon uitspreken. Ze dachten dat ik een keelontsteking had. Patricia gaf me een of ander drankje.

'En de kok was erbij,' vertelde ik haar. Ze keek me even aan en schudde haar hoofd. Ze had geen tijd of geen zin om naar de rest te luisteren.

Toen Miss Maddocks haar dienst begon, gaf ze me een standje omdat ik mijn kleren vies had gemaakt.

'Wat doen die gekreukelde en gevlekte kleren onder je bed?' Ze bukte zich en trok de kleren die ik had gedragen toen ze me meenamen onder het bed vandaan. Ze waren hard van het opgedroogde bloed. Miss Maddocks trok haar neus op.

'Die mannen hebben me pijn gedaan,' fluisterde ik. 'En de kok was erbij.'

Miss Maddocks keek me peinzend aan, en even later liep ze door de slaapzaal om vuile kleren te verzamelen en speelgoed op te rapen van de vloer. 'Wanneer leren jullie het nou een keer?' mopperde ze. 'Altijd die rommel, overal rommel.'

'Miss Maddocks, luister alstublieft naar me,' smeekte ik. 'Ze hebben gemene dingen met me gedaan. Dingen die niet mogen.' Ik begon te huilen. Het waren tranen van frustratie. Waarom wilde ze niet naar me luisteren? Waarom hadden de andere kinderen het niet verteld?

'Ava Atwood, wat zuig jij toch altijd een onzin uit je duim. Pas maar op, het hondje zal je bijten.'

Mensen van de gemeente kwamen een inspectie uitvoeren, liet Patricia ons weten. We moesten het hele huis van onder tot boven schoonmaken, zelfs de vieze stoffige kamers die nooit werden gebruikt. Het gebouw was heel erg groot en normaal gesproken mochten we alleen in de helft van de kamers komen. Betsy dribbelde achter me aan. Ze was te klein om te kunnen helpen.

'Wat is een spectie?' vroeg ze.

'Ik weet het niet,' gaf ik toe. 'Maar ik heb er een hekel aan, want nu moeten wij alles schoonmaken.' Ik haalde een natte mop over de planken vloer. Er steeg een warme, muffe geur op uit het oude hout. Betsy sprong op de natte planken en maakte voetafdrukken op de droge.

Het waren er zes, vijf mannen en een vrouw, en ze droegen allemaal donkere pakken. We moesten in de eetkamer op een rij gaan staan en een liedje zingen terwijl zij koffie dronken. Ik herkende een van de mannen, herinnerde me zijn rode neus en de bruine vlekken op zijn voorhoofd. Ik kneep mijn ogen tot spleetjes.

'Zeer prijzenswaardig,' zei een van hen tegen Mr. Leaby, de directeur van het tehuis. We zagen Mr. Leaby alleen als er iets aan de hand was of als er iemand van de gemeente kwam. 'U hebt de wind eronder.'

Er klonk gerinkel van aardewerk toen ze klaar waren. Een van de oudere verzorgers klapte in zijn handen, en wij liepen keurig in de rij de eetzaal uit. Daarna verspreidden de mensen van de gemeente zich als een plaag door het tehuis. Ze bleven drie dagen, observeerden alles wat er gebeurde en hoe het personeel met ons omging. De administratie werd gecontroleerd en ze maakten aantekeningen van wat we te eten kregen. Het waren de beste drie dagen die ik ooit op Roecliffe heb meegemaakt. We kregen beter eten, al het personeel was aardig voor ons, niet alleen Patricia en Miss Maddocks, en ze speelden zelfs spelletjes met ons. We mochten tv-kijken wanneer we maar wilden.

En toen kwam mijn vader.

'Ava, mijn kleine vogeltje,' zei hij, staand in de deuropening van de zitkamer. Er brandde vuur in de haard. Het was er warm en gezellig en de kok had cake voor ons gebakken. Ik zat met Betsy op de vloer. Vanwege de inspectie hadden we een nieuwe legpuzzel gekregen. Ik had een stukje in mijn hand met een deel van een gezicht en probeerde of het paste.

'Papa?' zei ik heel zacht. Zag ik ze vliegen?

Aan de andere kant van de kamer zaten twee mannen van de gemeente. Ik ging staan en hield mijn blik strak op hem gericht, uit angst dat hij weer zou verdwijnen. Mijn voeten sliepen.

'Papa, ben jij het echt?' Ik liep naar hem toe. Hij droeg nog steeds zijn oude nappa jas.

'Ava, vogeltje, wat ben je groot geworden!' Hij strekte zijn armen naar me uit en omhelsde me – een omhelzing waar ik jarenlang van had gedroomd.

'Ik heb op je gewacht,' zei ik. Op mijn vingers, die verstopt zaten onder de zachte voering, telde ik de jaren. 'Ik heb vijf jaar gewacht, pap.' Ik wilde hem slaan, maar ik kon mijn armen niet bewegen. 'Ben je gekomen om me mee naar huis te nemen?'

'Ik ben gekomen omdat ik Patricia wil spreken,' zei hij. Snel keek hij om zich heen.

Mijn hart zonk in mijn borst, naar mijn buik en door naar mijn voeten. Ik kon zelfs niet huilen.

'Ze is er niet,' zei ik. 'Het is haar vrije dag.' Ik kende het rooster van het hele personeel en wist precies wanneer de dienst van een gemene verzorger begon en ik me schuil moest houden.

'Verdomme,' vloekte mijn vader. 'Wanneer is ze er weer?' Hij haalde een pakje sigaretten uit zijn zak en stak er een in zijn mond. De sigaret bewoog op en neer terwijl hij praatte. 'Ik moet haar spreken.' Hij bleef maar om zich heen kijken, alsof Patricia daardoor opeens zou verschijnen.

Toen hij besefte dat hij de reis voor niets had gemaakt, nam hij me met tegenzin mee naar McDonald's. Ik kreeg een flesje cola en een cheeseburger. Hij vertelde me dat Patricia en hij twee jaar daarvoor waren getrouwd.

'Maar ze liet me al snel in de steek,' voegde hij eraan toe terwijl hij een derde zakje suiker door zijn koffie roerde. We zaten in het rookgedeelte en ik moest hoesten van de rook.

Ik zei niets toen hij het me vertelde. Ik werd niet boos dat hij het me niet had verteld, dat hij me zelfs niet naar de bruiloft had laten komen. Hij liet me een gekreukelde trouwfoto zien die in zijn portefeuille zat. 'Ziet ze er niet mooi uit?'

Ik bestudeerde haar kapsel, het opgestoken haar met de lange krullen opzij. Ik herinnerde me dat ze een keer met opgestoken haar naar haar werk was gekomen, alleen zat het toen minder netjes dan op deze foto. Ik herinnerde me zelfs haar blozende wangen. Er stond ook een jongetje op de foto, in een keurig pakje.

Braaf zei ik tegen mijn vader dat het een leuke foto was, dat Patricia er heel mooi uitzag, dat ik blij voor hem was, ook al was ze bij hem weggegaan. Wat is erger, vroeg ik me in stilte af, worstelend met een groot brok in mijn keel, wat is erger, dat je vader stiekem trouwt of dat je door een vreemde man wordt verkracht?

Ik wist het niet. Ik wist zelfs niet of ik echt was verkracht. Ik had wel eens dingen op tv gezien, en op school had ik de grotere meisjes met elkaar horen fluisteren. Wat ik niet begreep, was dat de meisjes over wie ik had gehoord altijd dood hadden gewild. Ik had van alles gevoeld en gedacht, maar dat niet.

Op een dag was Betsy zoek. Na een hele dag vonden ze haar in een boom. Ze was erin geklommen en durfde niet meer naar beneden. Ze klampte zich vast aan de knoestige stam van een appelboom, met haar armen en benen eromheen geslagen. Haar wang was tegen de schors gedrukt.

'Ik had trek in een appel,' zei ze snikkend. Patricia gaf de tuinman opdracht om een ladder te gaan halen. 'En ik wilde er ook een voor jou plukken,' zei ze tegen mij. In plaats van een appel kreeg ze een ongenadig pak slaag van een van de gemene verzorgers, en ze moest zonder eten naar bed. Ik bewaarde een plakje worst en een boterham voor haar.

Ik zat op de rand van haar bed en haalde het eten uit mijn zak. Er zat stof op de worst, maar dat vond Betsy niet erg. Ze at het brood en huilde, en ze vertelde me dat ze naar huis wilde, waar dat ook was. Ik kon niets voor haar doen en dat maakte me boos. Ik kropte mijn boosheid op. Als ik niets voor mezelf kon doen, hoe kon ik haar dan helpen? Niemand van ons kon iets doen, behalve wachten tot de ene dag overging in de andere. Na de worst en de boterham weigerde Betsy nog te eten; een jaar lang at ze bijna alleen maar snoepjes.

Op een winteravond was ze opnieuw verdwenen, voor de tweede keer. De volgende ochtend lag ze weer in haar bed. Zo te zien mankeerde ze niets, dus ik stelde geen vragen, deed geen pogingen om de geheimen uit haar te trekken terwijl ze met doffe ogen, zonder een hap te nemen, naar een bord pap staarde. Tegen die tijd wist ik wel beter, en bovendien viel er niets te zeggen. Wat viel er te zeggen over de kinderen die werden meegenomen? Ze werden meegenomen, ze kwamen terug, en het leven ging door. Wat moesten we doen? En als ze niet terugkwamen was het helemaal beter om niets te zeggen, dan deed iedereen alleen maar mee aan de jacht op hun kleren, hun speelgoed en, als we geluk hadden, een paar snoepjes in hun kast.

Toen ik Miss Maddocks vertelde dat Betsy niet meer at, dat ze steeds magerder werd, keek ze me alleen aan, en vervolgens ging ze door met het invullen van een of ander formulier. Sommige verhalen, had ik door de jaren heen geleerd, kon je net zo goed niet vertellen.

36

Ik zet mijn baan op het spel, en Fliss en Jenny kunnen worden geschorst. Maar ze willen me graag helpen, vooral als ik beloof dat ik ze allebei twintig pond zal geven om hun mond te houden. 'Zelfs als Mr. Palmer jullie ophangt aan jullie polsen en jullie blote rug geselt met een wilgentak?'

'We zijn niet gek.' Jenny spreekt kordaat, zonder geaffecteerd accent. Fliss ruikt naar een duur parfum en ze heeft de nieuwste iPod.

De meisjes kijken elkaar aan alsof ik hun moeder ben, alsof ik zo oud ben dat ze zich niet kunnen voorstellen dat ze zelf ooit mijn leeftijd zullen hebben. Ja hoor, mam, zouden ze schamper zeggen, en dan zouden ze naar hun kamer gaan om hun vriendinnen te sms'en.

'We kunnen waarschijnlijk het beste nu naar het computerlokaal gaan. Het is bijna studietijd, dus dan valt het niet op als we er zitten. Als iemand vraagt waarom u er bent, zegt u gewoon dat een van ons tweeën u is gaan halen omdat de ander zich niet lekker voelde.'

'Ik ben keigoed in zogenaamd flauwvallen,' voegt Fliss er glimlachend aan toe. Haar ouders zijn ongetwijfeld een vermogen kwijt aan de orthodontist.

'Jullie hoeven me maar één keer te helpen,' zeg ik. 'Daarna val ik jullie niet meer lastig.' Ik glimlach terug, want ik wil niet dat ze denken dat ik gestoord ben of iemand stalk via internet. Ze hoeven het waarom niet te weten en ik betwijfel of ze vragen zullen stellen nu ze allebei twintig pond in handen hebben.

Het is warm en vochtig in het lokaal en gelukkig zijn wij de enige aanwezigen. Jenny zet een computer aan en Fliss haalt twee extra stoelen zodat we alle drie het scherm kunnen zien. Fliss kijkt me een beetje medelijdend aan. 'Er zijn speciale sites voor volwassenen, waar ze mensen van hun eigen leeftijd kunnen ontmoeten. Wilt u dat ik zo'n soort site voor u opzoek?'

Ik schud mijn hoofd. 'Nee. Jullie weten al naar welke site ik wil.' Ik kijk naar de deur en zie een paar docenten langslopen die door het glas in de deur vluchtig een blik naar binnen werpen. 'Schiet maar een beetje op.' Als Mr. McBain het lokaal binnenkomt zijn er pijnlijke vragen te verwachten, zelfs als we alle drie flauwvallen.

'Oké.' Fliss stoot Jenny aan. Als de computer is opgestart maakt Jenny verbinding met internet. Ze tikt razendsnel, haar vingers dansen naar een onbekende website, en ze toetst een gebruikersnaam en wachtwoord in als er een inlogvenster verschijnt.

'U moet een account aanmaken,' vertelt Jenny met een zucht. 'U moet een bijnaam voor uzelf verzinnen en allerlei gegevens invoeren. Dat duurt wel even.' Ondanks hun bravoure beginnen de meisjes nerveus te worden.

'Kan een van jullie misschien inloggen, zodat ik even rond kan kijken?' Als dit lukt, wil ik zelf een personage creëren, en dan zal ik een manier moeten vinden om zo vaak mogelijk online te zijn. Ik probeer mijn opwinding te beteugelen als ik me vooroverbuig naar het scherm, probeer rustig te blijven ademen.

'Best,' zegt Jenny, en haar vingers vliegen al weer over de toetsen.

'O mijn god!' gilt Fliss, en ik lijk opeens niet meer te bestaan. 'Kijk, hij heeft je bloemen gestuurd.'

'Hij is zó leuk.' Jenny bloost en haar wangen krijgen dezelfde kleur als de rozen voor de deur van haar virtuele huis.

'Die kosten een hele hoop punten. Hij vindt je dus echt leuk.'

Ik kijk naar de twee meisjes, die helemaal opgaan in de o-zo-echte-wereld die alleen in hun fantasie bestaat. Voor Jenny betekenen de bloemen evenveel, nee meer, dan als de jongen ze haar persoonlijk was komen brengen. Ze klikt om de bloemen in ontvangst te nemen. Een figuurtje, kennelijk een loopjongen, vraagt of ze iets terug wil sturen.

'Nee, laat hem maar wachten,' luidt het advies van Fliss. 'Hij moet denken dat hij je niet kan krijgen.'

Ik schraap mijn keel en ze draaien zich naar me opzij. 'Is het mogelijk om een specifieke persoon te vinden?'

'Tuurlijk. Er zijn allerlei zoekopties.' Jenny gaat met het pijltje over de bloemen. Twee klikken later staan ze in een virtuele slaapkamer in een vaas.

'Maar om een vriendin van die persoon te kunnen worden moet u eerst worden geaccepteerd. Dat heeft met veiligheid te maken.'

Ik knik, glimlach, probeer mijn tranen weg te slikken. 'Best.'

Fliss kijkt me een beetje raar aan en vist dan een pakje zakdoekjes uit de zak van haar blazer. 'Alstublieft,' zegt ze. Ik zie aan de manier waarop Fliss en Jenny naar me kijken dat ze medelijden met me hebben.

Jenny tovert een zoekopdracht op het scherm. 'Weet u de gebruikersnaam die ik moet zoeken?'

Ik pijnig mijn hersenen, snuit mijn neus. 'Nee, sorry.' Was dit het? Een korte glimp van een andere wereld, een wereld die zo'n sterke aantrekkingskracht op me uitoefent dat mijn hele hart ervan lijkt op te zwellen.

'Je kunt ook op een echte naam zoeken. Maar als die naam veel voorkomt, zoals Jane Smith, dan ben je wel een tijdje bezig.'

Hoe aardig de meisjes ook zijn, ik kan hun ongeduld voelen. Jenny's vingers liggen roerloos op de toetsen, de cursor knippert. Ik kijk van de een naar de ander, vraag me af of hun moeders op dit moment aan hen denken, of ze hopen dat hun dochters het leuk vinden op school, dat ze goed eten, dat ze fijne vriendinnen hebben, dat ze hun huiswerk maken, maar vooral dat ze gelukkig zijn.

'Wat vinden jullie ervan om straks even naar huis te bellen?' stel ik in een opwelling voor. 'Laat jullie moeder weten dat jullie van haar houden.'

Fliss en Jenny barsten niet in lachen uit, maar ik kan zien dat ze het bijna uitproesten. Toch zie ik dat ze het diep in hun hart even overwegen, alsof het nog niet zo'n gek idee is.

'De mijne is op vakantie in Florida. Die ligt nog lekker te slapen.'

'En mijn moeder heeft altijd besprekingen. Ze wordt boos als ik haar stoor.' Fliss pulkt aan haar nagel. De nagellak bladdert af.

'Ik durf te wedden dat ze heel veel van jullie houden,' zeg ik droefgeestig.

'Miss, ik wil niet vervelend zijn, maar als een van de docenten binnenkomt...' Jenny trekt een gezicht. 'Kunt u me een echte naam geven die ik moet zoeken?'

'Ja. Ja, dat kan ik.' Ik ga staan en buig me over Jenny's schouder om het scherm beter te kunnen zien. Nu gaat het gebeuren, denk ik. Dit is het moment waarop het verleden samenkomt met het heden, waarop een stukje van alles wat ik verborgen heb gehouden aan het licht komt. Ik hou mijn adem in, doe mijn ogen dicht. Dan, met mijn lippen vlak bij Jenny's oor, fluister ik: 'Ik wil graag dat je Josephine Kennedy zoekt.'

37

Nina deed twee keer de afwas. Ze maakte de tafel schoon en veegde de vloer. Ze zocht in de bezemkast naar boenwas en poetste de tafel totdat het hout glansde. Ze bracht de vuilnis naar buiten, leegde voor de tweede keer de vaatwasmachine, stofzuigde het kleed in de woonkamer, en vervolgens ook het bankstel, en met een veren plumeau veegde ze een beetje spinrag van het plafond. De deurknoppen kregen een behandeling met koperpoets, en ze schrobde de wc-pot met bleekwater. Ze deed het tafellaken en de servetten die ze voor het eten hadden gebruikt in de wasmachine en stelde een kookwas in.

Om twee uur 's nachts ging ze op een rieten stoel zitten, met uitzicht op de tuin. De verlichting langs het tuinpad brandde nog.

'Hé, waarom ben jij nog op?'

Ze draaide zich om. Mick stond naast haar, alleen gekleed in een geruite boxershort. Zijn gezicht was dik van de slaap. Ze was blij hem te zien en wilde hem tegelijkertijd wegduwen. Haar hoofd leek wel de centrifuge van de wasmachine, met alle gedachten die erin rondtolden. Het was de ergste avond van haar leven geweest – bíjna de ergste – en ze had geen idee wat ze moest doen om haar gezin te beschermen. Dat was belangrijker dan al het andere.

'Ik heb schoongemaakt.' Ze herkende haar eigen stem niet. Door als een witte tornado tekeer te gaan had ze geprobeerd te vergeten wat er gebeurde. Diep in haar hart wist ze dat het altijd onvermijdelijk was geweest, alleen had ze haar ogen ervoor gesloten. Ze had een blinddoek gedragen, zichzelf, haar man en haar dochter voor de gek gehouden.

'We hadden toch al afgewassen?' Mick keek om zich heen in de blinkend schone kamer en fronste zijn wenkbrauwen. 'Heb je op dit uur van de nacht schoongemaakt?'

'Ik moest het van me af...' Nina wendde haar hoofd van hem af en keek weer naar buiten. 'Ik moest het gewoon doen.'

Mick legde een vinger onder haar kin en draaide haar gezicht naar zich toe. Hij ging naast de stoel op zijn hurken zitten. 'Ben je van streek?' Hij haalde adem in hetzelfde ritme als zij, schokkerig, gespannen, oppervlakkig.

Nina schudde haar hoofd. Ze kon hem niet aankijken, ze wilde zijn bezorgdheid niet zien, dan zou ze breken. 'Er is heus niets,' zei ze met een geforceerd glimlachje. 'Ik ben gewoon moe.'

'Je hebt je vanavond veel te druk gemaakt.' Mick zuchtte. 'Het was stom van me om hem uit te nodigen voor het eten.' Hij richtte zijn blik op de tuin, net als Nina. Toen draaide hij zich weer opzij en hij drukte en kus op haar wang, traag, een beetje verdrietig, verontschuldigend. 'Hopelijk is het een troost voor je dat ik een paar schilderijen voor hem ga maken.'

'O!' Haar wangen begonnen te gloeien. 'Nou... geweldig.' Ze voelde zich schuldig omdat haar enthousiasme niet gemeend was, maar voor haar was het vreselijk nieuws.

'Hij zegt dat hij klanten heeft die in de rij staan voor kunstwerken die eh... een beetje anders zijn, zoals de mijne.' Mick ging verzitten. 'Het is een gat in de markt.'

'Geweldig,' herhaalde Nina toonloos. Ze wilde zijn blijdschap niet bederven, maar dit was de slechtst mogelijke uitkomst. Ze kon het hem niet uitleggen, dat was geen optie. Normaal gesproken sliep ze er een nachtje over als ze een probleem had, maar ze wist dat ze deze nacht geen rust zou vinden, dat ze niet de volgende ochtend als herboren zou opstaan om haar man en haar dochter met pretlichtjes in haar ogen van haar nieuwe plannen te vertellen. Wat een vuile rotstreek van Burnett om Mick als pion te gebruiken in zijn smerige spel. Die man was niet alleen zwaar gestoord maar ook nog laf.

Mick sloeg zijn armen om haar heen, in een innige omhelzing die voor Nina zowel het begin als het einde symboliseerde. Tranen vertroebelden haar zicht, wisten het leven waar ze zo gelukkig mee was uit. 'O Mick...' Ze onderdrukte een snik.

'Wat is er, liefje?' Hij hield haar een eindje bij zich vandaan.

Voelde hij aan hoe wanhopig ze was? Nina verlangde ernaar om volkomen eerlijk tegen hem te kunnen zijn, maar ze zei niets, kon geen woord uitbrengen. Ze voelde zich als wrakhout in een woest golvende zee; elk moment kon ze door een draaikolk naar de donkere diepten worden gezogen. Elk moment kon ze verdrinken. Ze wist dat ze in haar eentje ten onder zou gaan.

'Kom mee naar bed. Ik kan niet meer slapen nu ik weet dat jij beneden bent. Het spijt me dat je zo gestrest bent geraakt.' Mick ging staan en trok Nina mee. Met trillende handen hield hij haar tegen zich aan.

Nina reageerde niet. Haar rug bleef stijf en ze staarde glazig in het niets. 'Mick, ik moet je iets vertellen.'

'Wat dan?'

Ze zuchtte. 'Ik weet dat je heel erg boos zult worden, maar...' Ze drukte haar handen tegen haar gezicht, maar met openingen tussen haar vingers om verstaanbaar te blijven. Ze wilde het geen twee keer hoeven zeggen. 'Het was een ongelukje en...' De snik die opwelde was niet geforceerd. 'Toen ik in het atelier was om Karl je werk te laten zien... Nou ja, het was donker en ik struikelde, en daardoor stootte ik tegen de ezel. Dat prachtige portret van mij viel eraf, en toen ik het probeerde op te vangen, ging mijn voet dwars door het doek heen.' Snikken regen zich aaneen, recht uit haar hart. 'O, Mick, ik vind het zo erg. Ik wilde de avond niet verpesten door het eerder te vertellen.'

'Nina, Nina, Nina.' Hij trok haar in zijn armen en hield haar heel stevig vast. Hij voelde het schokken van haar ribben. 'Nu begrijp ik dat je zo van streek was toen je uit het atelier kwam. Je zag eruit alsof je een geest had gezien. Ik dacht dat Karl iets vervelends had gezegd of je misschien zelfs had aangeraakt.' Mick lachte bijna van pure opluchting. 'Maak je alsjeblieft niet druk om dat doek. Ik kan het herstellen en dan zie je er bijna niets meer van.' Hij kuste haar in haar hals en zei dat ze niet zo raar moest doen, dat ze zich geen zorgen hoefde te maken, dat alles goed zou komen.

'Bedankt, Mick,' fluisterde ze tegen zijn schouder, wetend dat hij ongelijk had.

Kennelijk had ze even geslapen, want ze herinnerde zich het daglicht niet. Ze had het eerste ochtendlicht langs de randen van de gordijnen zien verschijnen, ze had de melkboer gehoord, en ze voelde het bewegen van de matras toen Mick uit bed stapte. Hij kwam niet terug, dus nam Nina aan dat hij vroeg aan het werk was gegaan.

Toen wist ze het weer.

De vertroosting die ze in die paar uur slaap had gevonden was als sneeuw voor de zon verdwenen. Ze stond op en ging naar de badkamer. Ze zette de douche aan en keek in de spiegel terwijl ze wachtte tot het water warm werd. De badkamer vulde zich met stoom en geleidelijk verdween haar gezicht.

'Weg,' fluisterde ze. Ze schoof de glazen deur open en stapte onder de warme straal.

Nina liet het water over zich heen stromen. Haar natte haar kleefde aan haar schouders. Ze wreef met haar handen over haar gezicht in een poging om de vermoeidheid weg te wassen. Het hielp niet.

Het voedsel van de vorige avond – niet dat ze veel had gegeten – lag haar zwaar op de maag. Ze was misselijk. Nina drukte haar handen tegen de tegels en leunde naar voren. Ze staarde naar haar voeten terwijl het water langs haar lichaam stroomde.

Na de douche stond ze gewikkeld in een handdoek voor de beslagen spiegel. Geleidelijk trok het waas op. Geleidelijk zag Nina haar gezicht verschijnen. Geleidelijk probeerde ze zich voor te stellen dat ze een heel andere persoon zag, alsof ze werd herboren.

38

Er hangen schilderijen in de bibliotheek, portretten. De kille ogen kijken op me neer als ik langs de muur loop en de gezichten bestudeer. Ik vraag me af of zij net zo veel hebben gezien als ik.

'Er schijnen waardevolle stukken bij te zijn.'

Ik schrik me wild, maar ik draai me niet om, ik slaak geen kreet, ik leg niet uit dat ik het druk heb, ik verontschuldig me niet omdat ik er zo plotseling vandoor ben gegaan.

'Mr. Palmer is een enthousiaste kunstverzamelaar.' Adam staat vlak achter me. Mijn huid tintelt door zijn nabijheid. Ik verroer me niet.

'Er is tijd voor nodig om een schilderij echt te kunnen waarderen.' Ik was helemaal niet van plan geweest om dat te zeggen. Ik had weg willen draven met mijn stapel wasgoed.

'Ga verder,' zegt Adam alsof hij een leerling wil aanmoedigen om antwoord te geven. Hij beseft niet hoe moeilijk ik het vind om met hem te praten. Ik begin me ervan bewust te worden dat het verleden sneller loopt dan het heden, veel sneller dan ik. Uiteindelijk wordt het de toekomst.

'Een schilder is er heel lang mee bezig om het te maken. Daarom zou kijken ook een langzaam proces moeten zijn. Zo kun je pas echt waarderen wat de kunstenaar heeft gedaan.' Langzaam, omdat ik niet weet hoe dichtbij Adam staat, draai ik me om. Ik sta oog in oog met hem, zelfs met mijn rug tegen de muur.

Ik barst in lachen uit. 'Wat zie jij eruit!'

Hij trekt een teleurgesteld gezicht, het gezicht van een trieste clown met een geschminkte glimlach. 'Vind je mijn pakje niet mooi?'

'Dat zeg ik niet. Ik vraag me alleen af waarom je een gele maillot draagt, een tuniek met roze strepen en een wollige blauwe pruik.' Ik houd een hand voor mijn mond. 'En malle schoenen.'

'Dit zijn mijn gewone schoenen,' grapt hij. 'Hoe komt het dat je van niets weet? De school houdt vandaag de Lollige Loop. Heb je de e-mail niet gehad?'

'Nee. Ik heb geen computer en geen e-mailadres.'

'Hoe lang?'

'Wat?' Ik ben de draad kwijt.

'Hoe lang heeft de kunstenaar ervoor nodig gehad om zo'n portret te schilderen?' Zijn gedachten switchen net als de mijne van het heden naar het verleden.

'Het zijn werken van verschillende kunstenaars.' Mijn blik gaat over het tiental portretten. 'Ik herken vier verschillende stijlen. Het laatste portret is uniek. Ik vind het prachtig. Helemaal Matisse, de kleuren, de compositie, de lichtval. Als ik ooit geld zou investeren in kunst, zou het in zoiets zijn.'

'Je kennis is indrukwekkend, maar er zijn vijf kunstenaars.' Adam zegt het ernstig, maar het is moeilijk om hem serieus te nemen met die pruik en zijn clownsgezicht.

'Ik geloof niet dat...'

'En je hebt wel een e-mailadres. Iedereen op school heeft er een. Het zijn je initialen gevolg door je achternaam, dan de domeinnaam van de school punt net.'

'Echt waar?' Adams uitdossing is zo kleurig dat het haast pijn doet aan mijn ogen. Hij heeft donkere eyeliner rond zijn ogen gesmeerd en nu lijkt zijn iets scheve neus nog groter. De clownsmond beslaat zijn halve gezicht.

'Op Roecliffe is het belangrijk om regelmatig je mail te checken. Denk je eens in, als je je e-mails had gelezen, zou jij er net zo uit kunnen zien als ik en zou je nu ook op pad gaan om de zeven kilometer rond het dorp te rennen, te lopen of te kruipen, allemaal voor het goede doel.' Hij verschikt zijn pruik. 'Dan zou ik je nu niet hoeven smeken om mee te gaan.'

Mijn geamuseerde glimlach verbleekt. De snee in mijn wang heeft veel tijd nodig om te helen, en glimlachen doet nog steeds pijn. 'Jammer dat ik het mailtje niet heb gezien,' zeg ik, en ik neem me voor om te controleren of ik echt een e-mailadres heb.

'Dus je houdt van Henri Matisse,' stelt hij vast. 'Ik heb een punt gescoord door iets nieuws over je aan de weet te komen.'

'Hou je een score bij?' vraag ik ongelovig.

'Heb je zin om dit weekend mee te gaan naar een galerie? Er is een tentoonstelling in Leeds die je volgens mij heel mooi zult vinden.'

'Ik ben geen kunstkenner. Bovendien moet ik uniformen opbergen en sportkleren uitzoeken en...' Ik schud mijn hoofd en loop weg. Maar ik blijf staan als ik de leegte voor me zie, het uitgestrekte lege landschap van mijn leven. Ik draai me weer om. 'Oké, ik ga mee.' Ik doe mijn ogen dicht. 'Het lijkt me leuk.' Ik vertel hem niet hóé leuk ik het vind.

'Als je mee wilt doen aan de loop mag je mijn pruik lenen,' roept hij me na.

Ik schud glimlachend mijn hoofd en ben niet in staat om verder bij hem weg te lopen.

Fliss en Jenny hebben beloofd dat ze niemand iets zullen vertellen, zelfs al zijn ze behoorlijk geschrokken toen ik me niet langer groot kon houden en in snikken uitbarstte.

'Miss? Miss, gaat het?'

Ik tilde mijn hoofd op. Ze stonden in de deuropening, erop gebrand om zo snel mogelijk weg te lopen, voordat iemand ons betrapte.

'Ga maar,' zei ik. Ik knikte bij wijze van bedankje en ze gingen weg. Ik bleef achter in het lege lokaal, huilend op het toetsenbord. Elke pees, elke spier, elke cel in mijn lichaam was gesmolten door wat ik had gezien. Ik was slap van verdriet.

Nadat Jenny met een gilletje van blijdschap de bloemen in ontvangst had genomen die een of andere jongen haar had gestuurd, zocht ze de naam die ik opgaf. Er verschenen acht Josephine Kennedy's op het scherm – de naam kwam vaker voor dan ik had gedacht. De derde op de lijst was het meisje dat ik zocht.

'Die,' zei ik ademloos, trillend. Ik bekeek het piepkleine fotootje, verbaasd dat ze me haast onbekend voorkwam. Ik wilde slikken maar mijn mond was te droog. Onder haar naam stond de plaats waar ze woonde: Portishead. Mijn hart begon wild te galopperen bij het vooruitzicht dat ik een glimp kon opvangen van haar voor mij onbereikbare wereld.

Jenny klikte op de naam. 'Ze is al twee weken niet online geweest.'

'Hoe weet je dat?' Ik greep me vast aan de rand van de tafel. Het was al meer informatie dan ik had verwacht.

'Hier staat het, kijk maar.' Jenny bewoog de cursor naar de menubalk. 'Ze heeft op 10 oktober voor het laatst ingelogd.'

Ik wist nu wat Josephine Kennedy die dag had gedaan. Ik stond versteld van dat simpele feit.

'Wat betekenen die?' vroeg ik, wijzend op de rij icoontjes naast haar naam.

Fliss en Jenny keken elkaar zuchtend aan. 'Die hebben met het spel te maken. Ze geven informatie over hoe ze speelt, wat ze doet, wat ze heeft.'

'Het hartje betekent dat ze op zoek is naar liefde.' Fliss glimlachte.

'O ja? En wat is dat?'

'Het betekent dat ze haar profiel beschermt. Je kunt haar gegevens alleen zien als je met haar bevriend bent.'

'En om vrienden te kunnen worden moet ik zelf meespelen. Ja toch?'

Jenny keek op haar horloge en toen naar de deur. 'Klopt.'

Ik stond op het punt om het op te geven, om de meisjes voor hun moeite te bedanken, maar toen lichtte Josephine Kennedy's naam opeens op en begon er een groen rondje te knipperen.

'Wat gebeurt er?' vroeg ik. Ik boog me voorover naar het scherm, met mijn ogen wijd opengesperd en mijn hand met gespreide vingers tegen de tafel gedrukt. Ik durfde niet zelf de muis te pakken.

'U hebt geluk,' zei Fliss. 'Ze heeft net ingelogd. Er is altijd wel iemand die je kent online. Daarom is Afterlife zo cool.'

'Zit ze nú achter haar computer?' Ik haalde hijgend adem.

'Ja, natuurlijk,' zei Jenny, stomverbaasd over mijn onwetendheid.

'Wilt u misschien hallo zeggen? Ik kan een *smile* of een *hug* sturen, daar zit verder niets aan vast. Het is gewoon een manier om hallo te zeggen.'

'Nee! Nee, doe maar niet.' Ik zat naar het scherm te staren en zag dat er opnieuw iets gebeurde.

'Kijk,' zei Jenny, 'ze heeft net haar stemming en persoonlijke boodschap veranderd.'

'Wat bedoel je?' De kleine lettertjes zwemmen voor mijn ogen.

'Haar stemming is vandaag "wankel",' zei Fliss.

'En achter haar *tag* staat alleen: "Waarom?"' voegde Jenny er met gefronste wenkbrauwen aan toe. 'Vreemd. Meestal gebruiken mensen een spreuk of een citaat of zoiets.'

Mijn hand ging omhoog naar het scherm en mijn gespreide vingers vormden een vangnet rond Josephine Kennedy's virtuele wereld. Ik zag alles om me heen door een waas, met het scherm als een stralenkrans rond haar woorden.

Ik kreeg een brok in mijn keel. Omdat ik geen keus had, antwoordde ik in stilte.

Mijn hoofd zakte op de tafel toen de eerste tranen over mijn wangen rolden. Toen ik mijn hoofd weer optilde, zag ik dat Josephine Kennedy weer had uitgelogd, alsof ze nooit echt had bestaan.

De dorpelingen zijn allemaal uit hun huis naar buiten gekomen om naar het jaarlijkse spektakel te kijken. Er hangen spandoeken en de huizen zijn met vlaggetjes versierd. De mensen juichen als de meisjes langs rennen en ze gooien munten in hun emmertjes.

'Ik... wist niet... dat mijn... conditie... zo slecht was.' Ik wist ook niet dat mijn bespottelijke tenue een prima vorm van afleiding zou zijn, maar het is wel zo. Ik draag een roze tutu en engelenvleugels uit de verkleedkist van de toneelclub. Een meisje uit de zesde heeft me lange gestreepte kousen geleend. Lexi heeft felblauwe cirkels rond mijn ogen getekend en mijn lippen knalrood geverfd. Het lijkt niet op professionele schmink, maar zo ben ik de ideale partner van Adam als we door het dorp joggen. 'Waar gaat de... opbrengst... naartoe? Ik hoop dat het alle moeite waard is.'

'Een kindertehuis hier in de buurt,' antwoordt hij. Hij is helemaal niet buiten adem. 'We doen dit elk jaar. De kinderen gaan een dagje naar zee. Hiermee wordt de touringcar betaald, de lunch, de ijsjes, dat soort dingen.'

Ontzet blijf ik staan. 'Een kindertehuis?'

'Ja. Het is in Harrogate. Het is van de gemeente en er is veel te weinig geld.' Adam is ook blijven staan. Hij lijkt niet eens meer te beseffen hoe mal hij eruitziet. 'Ik heb het er graag voor over.'

Ik hijg en probeer mijn gedachten op een rijtje te krijgen.

'Nadat het tehuis in Roecliffe werd gesloten, wilde de plaatselijke bevolking geld inzamelen voor andere kinderen die niet thuis kunnen wonen. Ik heb begrepen dat de dorpelingen diep geschokt waren over alle verschrikkingen, en ook nog eens zo dicht bij huis. Het was hun manier om iets goed te maken. Tegenwoordig is het een traditie.'

'Alsof je door alleen maar een paar munten in een emmertje te gooien...'

Adam luistert niet naar me. Hij trekt me mee naar het trottoir als er een stuk of zes mannen verkleed als verpleegsters langs joggen. Toeschouwers joelen en klappen.

'In het begin zamelden alleen de dorpelingen geld in, maar toen het gebouw werd verkocht en de nieuwe school werd geopend, kregen de leerlingen het verzoek om mee te doen.'

'Aha,' zeg ik, blij dat mijn hart niet meer zo bonkt. 'Dus het kindertehuis in Harrogate heeft niets te maken met...' Ik gebaar over mijn schouder naar de school.

Adam schudt zijn hoofd. 'Geen van de leerlingen of de docenten associeert de gebeurtenissen uit de jaren tachtig met de huidige school. Je denkt toch niet dat de rector er ooit iets over zegt. Hij kijkt wel beter uit.'

'Dus Mr. Palmer weet dat er... moorden zijn gepleegd?' Ik vind het moeilijk om de woorden hardop te zeggen.

'Uiteraard,' zegt Adam verbaasd. 'Hij was destijds leraar op de dorpsschool. Hij is hier geboren en getogen.'

De juichkreten van de menigte verstoren mijn gedachten. Mr. Palmer gaf les op de dorpsschool, een lagere school. Het is alsof ik in een fotoalbum blader. Ik zie beelden van kinderen, van een school, van versleten schoenen, zuurtjes met een papiertje erom, een tandeloze grijns, een zweep en een bloederige rug. Ik ruik de rook van een houtvuur, proef het smerige eten, voel de eenzaamheid... en ik zie de man zonder gezicht.

Mr. Palmer. De naam blijft door mijn hoofd spoken, maar zegt me niets.

'Vanwaar opeens die belangstelling? Heeft mijn boek je nieuwsgierig gemaakt?'

'Ik ben gewoon achterdochtig als het om goede doelen gaat. Ik wil graag weten waar mijn geld terechtkomt.' Ondanks het bizarre clownsgezicht kan ik zien dat Adam me niet gelooft.

'En ik maar denken dat je me wilde helpen met het interviewen van de dorpelingen.' Hoopvol trekt hij zijn wenkbrauwen op.

'Kom op,' zeg ik. 'We lopen achter.'

Het is waar. De carnavaleske groep van de school is door de hoofdstraat getrokken en we zien nu alleen nog maar de vlaggetjes van een deinende, kleurige vlek in de verte. Adam slaakt een theatrale zucht en begint weer te rennen, niet half zo snel als toen we weggingen van school. Tegen de tijd dat we bij de cottage van Frazer Barnard zijn, blijft hij midden op straat staan en slaat hij zijn armen over elkaar.

'Wat is er? Geef je het nu al op?' Ik blijf joggend op de plaats staan. Ik wil dit achter de rug hebben, ik wil terug naar de school en het monotone ritme van lakens tellen en kleding merken.

'Zullen we iets gaan drinken in de pub?' stelt hij voor.

'Ik dacht dat je mee wilde doen voor het goede doel. Dat steun je niet door iets te gaan drinken in de pub.'

'Als ik nou beloof dat ik namens ons vijftig pond geef, ga je dan wel mee?'

De groep renners is nu bijna uit het zicht verdwenen. Ik hoor alleen nog heel vaag het geluid van munten die in emmers worden geworpen. 'Dus je belooft dat je geld zult geven?' Ik stel me de zingende kinderen voor in de touringcar, zie ze in gedachten aan ijsjes likken, ik hoor het rinkelen van de flipperkasten waar ze de muntjes uit onze emmers in werpen. Dat geeft me een goed gevoel.

'Als het moet, breng ik de kinderen zelf naar de kust.' Hij trekt de pruik van zijn hoofd. 'Om je eerlijk de waarheid te zeggen, ik haat hardlopen.' Zijn haar is statisch en staat recht overeind. Hij strijkt het glad als hij me ernaar ziet kijken. Hij lijkt zich helemaal thuis te voelen in dit dorp in Yorkshire, hoewel hij door zijn accent, zijn zandkleurige haar en gebruinde huid meer weg heeft van een Australische surfer. Weer gaat hij met een hand door zijn haar, plotseling verlegen.

'Even dan.' Mijn hand gaat naar mijn mond. Ik heb er net in toegestemd om met Adam naar de pub te gaan. Het voelt goed, ondanks de schuldgevoelens. 'Ik verwacht een chaos in de slaapzalen als de meisjes terugkomen.'

Adam wil roken, dus gaan we buiten zitten. Het is zacht voor eind oktober en er staan een paar tafeltjes op de stoep voor de Duck and Partridge. Ik ga schrijlings op een bank zitten met het glas bier dat Adam voor me heeft gehaald. Hij rolt een sigaret. De zon schijnt door de herfstbladeren van een boom heen; naast ons zit een jong stel, en ik steek mijn hand in een zakje chips. Zelfs in mijn idiote kostuum voel ik me honderd procent normaal.

'Ik loop vast,' zegt Adam. De niet brandende sigaret bungelt tussen zijn lippen. Achter zijn intens blauwe ogen gaat een storm van gedachten schuil. Hij denkt dat ik weet waar hij het over heeft.

'Waarin?' Ik zet mijn tanden in een chipje.

'Met mijn boek natuurlijk. Alles gaat altijd over mijn boek. Ik kan me nergens anders op concentreren.'

'Denk je dat het boek zal helpen om je zus te vinden?'

Hij kijkt me boos aan, alsof alleen hij het recht heeft om haar ter sprake te brengen, en negeert mijn vraag. 'Dus je gaat mee naar die tentoonstelling in Leeds? Ik heb er een advertentie van gezien. Hij is nog maar een paar dagen te bezichtigen. "Het expressionisme voorbij." Klinkt goed, vind je niet?'

'Geef antwoord op mijn vraag, Adam.' Mijn stem klinkt zacht en gelaten. Ik zie zijn pupillen groter worden. Ik weet niet wat me bezielt.

Hij haalt zijn schouders op. 'Ik hoop te ontdekken wat haar is overkomen, niet waar ze is.' Ook zijn toon is zacht, inschikkelijk, alsof hij begrijpt dat we allebei op eieren lopen. 'Vertel me nu eens waar je belangstelling voor kunst vandaan komt.'

'Heb je mij horen zeggen dat ik belangstelling heb voor kunst?' Het ligt in Adams aard om te graven. Anders zou hij geen historicus zijn.

'Ik maak het op uit de manier waarop je naar de schilderijen in de bibliotheek keek. Je had je handen vol wasgoed, keek met één oog naar het portret en met het andere naar de kunstenaar. En het is waar wat je zei, dat je tijd nodig hebt om een kunstwerk te kunnen waarderen. De meeste mensen kijken heel vluchtig naar schilderijen. Als je bedenkt hoeveel uren werk erin...'

'Wil je me helpen om op school op internet te gaan?' Ik val hem doelbewust in de rede. Dit moet afgelopen zijn.

'Natuurlijk,' zegt hij. De sigaret wipt op en neer in zijn mond.

'Ik ben ook naar iemand op zoek,' flap ik eruit. 'Alleen is die persoon niet verdwenen.'

Adam haalt de sigaret uit zijn mond en houdt hem tussen zijn duim en wijsvinger. Hij ademt uit alsof hij heeft geïnhaleerd, kijkt me door denkbeeldige rook heen aan en neemt een slok bier. 'Je doet me denken aan de pagina's van een boek, Frankie.' Zijn vinger strijkt over mijn wang, vlak onder het litteken. 'Aan elk verhaal zitten meer dan twee kanten.'

39

In 1984 kreeg Kindertehuis Roecliffe een speciale onderscheiding van de gemeente. Veel tehuizen in de regio waren volgens Patricia gesloten nadat inspecties hadden uitgewezen dat ze niet aan de eisen voldeden, maar Roecliffe was het vlaggenschip van de gemeente. Het was een lichtend voorbeeld voor andere instellingen waar kinderen werden opgevangen.

Die zomer werd de onderscheiding officieel uitgereikt. De burgemeester kwam naar het tehuis, behangen met zijn glimmende ambtsketen, om de penning plechtig aan Mr. Leaby te overhandigen. Mr. Leaby glimlachte als een boer met kiespijn – ik had hem nooit eerder zien glimlachen – toen hij ons waarschuwde dat we met onze tengels van de penning af moesten blijven. Hij wilde niet dat er vieze vingers op zouden komen, zei hij.

'Vraag of er een paar kinderen bij u komen staan, meneer,' riep een van de fotografen. Mr. Leaby stond stram naast de burgemeester. Ik werd bij mijn arm gepakt en tussen hen in geduwd. 'Lach eens naar het vogeltje,' zei de man met de camera. Mr. Leaby's hand gleed langs mijn rug omlaag en bleef liggen op mijn billen. Net op dat moment werd ik verblind door het flitslicht van de camera's.

'O, Ava, kijk, je hebt je ogen dicht,' zei Miss Maddocks grinnikend toen we drie dagen later de grote foto in de *Skipton Mail* bekeken.

Ik had mijn ogen expres stijf dichtgeknepen. Ik was vijftien. Ik wist wat alles betekende. Na bijna acht jaar in het tehuis had ik door hoe het zat. Het was opgebouwd uit laagjes, een beetje zoals de trifle die we alleen met Kerstmis kregen. De kinderen waren het fruit op de bodem, de overrijpe bananen en perziken met bruine plekjes. Wij waren de vergeten restjes; niemand wilde ons, maar weggooien was zonde.

Betsy verdween zo regelmatig dat het bijna begon te wennen. Ze was zes. Ze babbelde honderduit, voornamelijk brabbeltaal. Ze woonde in een andere wereld dan wij – een fantasieparadijs waar ze zich allang voordat ze naar Roecliffe was gekomen had teruggetrokken.

Ze ging niet naar school, althans niet meer na de eerste twee dagen. Ik zat inmiddels op de middelbare school. Onderweg naar mijn eigen bushalte bracht ik haar naar het dorp, ik gaf haar een kusje bij het hek van de school en stopte een extra snoepje in haar zak voor in de pauze. Wat ik ook deed, ze plaste nog in haar broek, wiegde heen en weer op een stoel, ze trok de haren uit haar hoofd en beet de andere kinderen.

Betsy was asociaal, beweerden ze. Ze werd van school teruggebracht naar het tehuis, waar ze een pak slaag kreeg van een van de wrede mannelijke verzorgers. Toen ik thuiskwam lag ze opgekruld op haar bed. Ze zag eruit als een beurse appel met haar blozende wangetjes en blauwe plekken. Ook haar benen zaten onder de blauwe plekken, zodat de huid eruitzag als een dode vis. Ik deed haar in bad en vroeg waarom ze nog steeds in haar broek plaste.

Betsy haalde haar magere schouders op tot aan haar oren. 'Omdat ik het kan doen,' zei ze. Ik wist precies wat ze bedoelde.

Na haar bad gingen we een eindje wandelen. Het was warm. Ik had zin om madeliefjes te plukken en er kransjes van te vlechten, gezellig met z'n tweetjes. Alsof alles normaal was.

'Mijn moeder ging dood,' vertelde ik haar. Er stonden koeien in de wei langs het pad. Als ze met mij was, was Betsy precies als alle andere kinderen. Stil, maar ze gedroeg zich netjes en ze was heel aanhankelijk. Ik had haar net zo hard nodig als zij mij – verbondenheid met iemand die het wist. 'Lang geleden. Ik kan me haar niet meer echt herinneren.'

Betsy rende naar het hek dat ons scheidde van de koeien. Ze zei boe, hield haar vingers als horentjes tegen haar voorhoofd en deed alsof ze tegen het hek stootte. We waren hetzelfde: ouderloze verschoppelingen die wachtten op het voorbijgaan van onze jeugd. We ramden met ons hoofd tegen een denkbeeldige muur. Alleen wíst ik dat, en dat was het verschil tussen ons. Ik had mijn jeugdige onschuld allang verloren.

'Ze had kanker,' zei ik. Betsy vond een lange stok en stak die door het hek. Ze prikte in een koeienvlaai en kirde toen de vliegen opschrokken en gonzend om ons heen zwermden. 'Ik heb mijn vader al heel lang niet gezien. Een tijd geleden trouwde hij met Patricia. Wist je dat, Betsy?' Ze luisterde niet, maar ik vond het toch prettig om te praten. 'Maar toen gingen ze weer uit elkaar.' Ik had me altijd afgevraagd waarom Patricia nooit over haar huwelijk met mijn vader praatte. Volgens mij schaamde ze zich ervoor dat ze mijn stiefmoeder was, dat ze zelf een kind had dat vrij was en een normaal leven leidde. Het was doodzonde; ik had niets en niemand, terwijl we een gezin hadden kunnen zijn.

Op de terugweg vonden we James. Hij hing aan een boom in de boomgaard, met zijn nek helemaal paars van het touw en een knalrood hoofd.

Betsy zag hem het eerst. Ze staarde voor zich uit, haar lippen op elkaar geperst, haar ogen zo groot als die van de koeien. Het was alsof James' lichaam was uitgerekt. Langzaam draaide het heen en weer aan de dikste tak van een appelboom. Zijn voeten hingen niet ver boven de grond. De zon scheen door de bladeren, zodat zijn gezicht er vlekkerig uitzag. Ik gilde en liet de madeliefjes vallen.

'Néé, néé, o nee!'

Terwijl Betsy naar het lichaam stond te kijken, veranderde de ongelovige uitdrukking in haar grote, ronde ogen in verwondering. Het was alsof ze een fee had ontdekt in die boom, alsof James opeens heel mooi en sprookjesachtig was geworden. Misschien dacht ze wel dat hij naar de wereld was gegaan waar zij vandaan kwam.

We bleven een tijdje naar hem kijken, en ik denk dat we allebei een beetje jaloers waren dat hij er niet meer was, dat hij aan zijn demonen was ontsnapt. Hij had altijd vreselijke nachtmerries gehad, maar nu, op zijn zestiende, was hij oud genoeg geweest om te beseffen dat het geen dromen waren.

Toen we dapper genoeg waren om, gedreven door nieuwsgierigheid, dichterbij te komen, konden we de diepe striem zien die het touw in zijn nek had gemaakt. Het touw was wittig, alsof hij het zelf had gevlochten van het dunne touw waarmee ze pakjes dichtbinden. We konden onze ogen niet van hem afhouden.

'Dit heeft hij van tevoren gepland,' zei ik. Ik raakte een van zijn schoenen aan. Het zwarte leer glom in de zon. Hij droeg grijze sokken en een blauwe korte broek. Zijn schenen zaten onder de blauwe plekken, net als die van Betsy. Ik keek naar zijn gezicht. Het zag er heel anders uit dan normaal. James was bleek en verlegen en zo stil als een muis. Iedereen dacht dat hij een jaar of elf was, terwijl hij al bijna een jongeman was. Zijn stem was meisjesachtig hoog en hij had nog geen haar op zijn bovenlip. James was niet sterk geweest; het getuigde dan ook van een enorme wilskracht dat hij zichzelf in die boom had weten te hijsen.

'Dag, James,' zei ik.

'Dag, James,' papegaaide Betsy. Ze gooide de stok naar hem maar miste. 'Wat doet James?'

'Hij is dood,' legde ik uit.

'Net als jouw mama?'

'Ja.'

We bleven nog even naar hem kijken. Een vlieg streek neer op zijn knie en ik joeg het insect weg. Rood speeksel droop vanuit zijn mondhoek omlaag, en zijn dode ogen waren gericht op een appel vlak voor zijn gezicht.

'Kom,' zei ik tegen Betsy, 'laten we teruggaan.'

Ik vertelde niemand wat we hadden gezien. Na al die jaren had James recht op rust.

'Gaan wij ook dood?' vroeg Betsy voordat we weer naar binnen gingen.

'Op een dag wel,' zei ik, en ik vroeg me af waarom ik daar nooit aan had gedacht.

40

In ruil voor zijn hulp met de computer stem ik er schoorvoetend mee in om met Adam mee te gaan als hij met een vrouw uit het dorp gaat praten. Een klein stemmetje waarschuwt me dat ik niet roekeloos mag worden, maar dat sla ik in de wind. Adam wil meer aan de weet komen over zijn zus, en ik eerlijk gezegd ook. Bovendien vind ik hem aardig en wil ik hem graag helpen.

Hij zit gebogen over zijn laptop en geeft er een klap op als het ding voor de derde keer vastloopt. 'Ik heb een nieuwe nodig,' mompelt hij. Dan grijnst hij alsof hij me lachwekkend vindt. Ik balanceer op het puntje van zijn bed en hij zit achter zijn bureau. Overal liggen stapels boeken en papieren. Zelfs in het halfdonker kan ik zien dat de kamer enorm stoffig is.

'Driemaal is scheepsrecht.' Hij gaat staan, loopt over de oude houten vloer naar me toe en verrast me door zijn handen stevig op mijn schouders te leggen. Hij lijkt er zelf van te schrikken. 'Ik zal je de eenentwintigste eeuw binnenslepen, al wordt het mijn dood.'

'Ik kom niet van een andere planeet,' protesteer ik. 'Ik kan heus wel met internet omgaan.' Ik grijns terug. Hij wil me helpen. Er groeit vriendschap tussen ons, en hoewel dat gevoelens met zich meebrengt waar ik niet goed mee kan omgaan, vind ik het wel erg fijn.

'Eindelijk!' Hij klikt om verbinding te maken met internet en wenkt me. 'Ga zitten,' zegt hij, wijzend op zijn stoel. 'Internet, Miss Gerrard, is een technologisch hoogstandje dat de gebruiker in staat stelt om verbinding te maken met mensen in China, in Australië, en zelfs, denk ik persoonlijk, in de ruimte.' Hij doceert alsof ik een complete digibeet ben en schenkt intussen thee in. 'Ja, we drinken thee in bananenland,' voegt hij eraan toe. 'Zo, dan gaan we je nu registreren op het intranet van de school.'

Adam buigt zich over me heen terwijl zijn hand op de rugleuning van de stoel steunt. 'Dan kun je alle gemiste e-mails lezen. Er is elke dag een bulletin met schoolnieuws.' Hij ruikt naar sandelhout, naar bos, naar pas gevallen regen. Het zijn dingen die ik niet wil opmerken. 'Alleen het personeel en de leerlingen hebben toegang tot het intranet. Dus als je met vrienden wilt kletsen op Facebook of koopjes wilt scoren op eBay, geen probleem. Alle websites zijn toegankelijk. Voor de leerlingen zijn er beperkingen, die hebben alleen toegang tot educatieve sites.'

'Wat zei je?' Ik heb geen behoefte aan een lesje internet, maar nu is mijn belangstelling gewekt. 'Zijn álle websites toegankelijk?'

'Voor het personeel wel.' Adam torent boven me uit. Hij draagt jeans in plaats van de grijze broek waarin hij voor de klas staat, en geen net overhemd maar een verschoten t-shirt met de naam van een rockband die ik niet ken. Hij heeft zich niet geschoren en zijn baardstoppels zijn donkerder van kleur dan zijn haar. Maar in de eerste plaats valt me op dat hij er moe uitziet, alsof hij het zat is. Maar wat?

Ik kijk toe terwijl hij me registreert en uitlegt hoe de e-mail van de school werkt. 'Een fluitje van een cent, zie je wel?' Ik zeg dat ik het graag een keer zelf wil doen, om zeker te weten dat het goed gaat. Onze handen raken elkaar boven het toetsenbord.

'Je kunt mijn laptop gebruiken wanneer je maar wilt. De computers van de school zijn niet altijd beschikbaar.'

'Bedankt,' zeg ik. Ik vraag me af of ik nu meteen moet proberen of het lukt. Achteraf gezien was het sowieso geen goed idee om samen met Jenny en Fliss stiekem de firewall te hacken, terwijl zij over mijn schouder meekeken en zich afvroegen waarom een volwassen vrouw met tieners wilde chatten. 'Mag ik er nu meteen even gebruik van maken?' vraag ik, in de hoop dat mijn trillende stem niet verraadt dat ik van plan ben om iets ontzagwekkends te gaan doen.

'Natuurlijk,' zegt Adam. 'Ga je gang.'

Opeens heb ik de hele wereld binnen handbereik. Een ander leven is in een paar klikken te bereiken. Adam zit op het bed met een beker thee. Hij bladert door een paar boeken, maar leunt al snel achterover op zijn ellebogen. Ik hoor hem zijn thee neerzetten, ik hoor hem zuchten, zijn kussen opkloppen, verder naar achteren schuiven op de krakende matras.

Ik slik en kijk om. Hij leest een boek, heeft niet in de gaten wat ik doe. Via Google ga ik naar de startpagina van Afterlife. Ik aarzel alsof ik voor een gesloten deur sta, alsof ik niet ben uitgenodigd voor het feest.

Nieuw – Demo – Registreer – Login – Contact – Privacy

'Adam,' zeg ik. Ik heb behoefte aan een virtueel kneepje van zijn hand voordat ik naar binnen ga; ik moet weten dat er iemand bij me is, vooral iemand die zo merkwaardig geïnteresseerd is in Roecliffe. 'Heb jij ooit iets gedaan wat zo onherstelbaar is, zo schadelijk en zo ingrijpend dat je het bijna niet aankunt om 's ochtends wakker te worden? Iets wat je nooit meer ongedaan kunt maken of terugnemen – niet zonder je dierbaren te kwetsen?' Mijn schouders gaan hangen. 'Heb jij wel eens zoiets ergs gedaan dat je liever dood was?'

Met ingehouden adem wacht ik op zijn antwoord. Dat komt niet, en ik draai me om. Hij ligt te slapen, zachtjes snurkend, het boek opengeslagen op zijn borst. Om de paar seconden gaan zijn lippen een eindje van elkaar.

De zucht ontsnapt uit mijn longen.

Het duurt tien minuten om een simpele account aan te maken. Dat is gratis, tenzij ik een account met meer toeters en bellen wil, of meer wil kopen dan de standaardinrichting voor mijn virtuele woning. Ik kies een naam voor mezelf, voer een paar persoonlijke gegevens in – allemaal verzonnen natuurlijk – en tot slot bevestig ik mijn identiteit door het e-mailadres van de school op te geven.

Ik voel me een ander mens als ik een icoontje creëer dat me in deze vreemde nieuwe wereld gaat vertegenwoordigen. Ik geef aan dat ik een vrouw ben en vijftien jaar oud, kies een postuur, haarkleur en gezichtstrekken. Mijn icoontje verandert in een leuke tiener met knalrood haar en nagellak. Als ik eenmaal kleren heb toegevoegd – jeans, t-shirt, sandalen – weet ik dat ik er net zo uitzie als alle andere meisjes van vijftien die hun tijd verdoen met chatten, flirten en roddelen.

chimera_girl28 is geboren.

'Oké,' fluister ik. Ik hoop dat ik Adam niet wakker maak met mijn onhandige manier van typen en onregelmatige ademhaling. Intussen tovert Afterlife mijn nieuwe woonomgeving. Ik sta in een eenvoudig ingerichte woning. Diverse icoontjes aan de boven- en onderkant van het scherm flikkeren. Een simpele upgrade kost maar 2,99 pond per maand.

Nadat ik enkele links heb aangeklikt en een beetje heb geëxperimenteerd, bevind ik me in een openbare ruimte. Dan ontdek ik hoe ik een bepaalde persoon kan zoeken, en er verschijnt een lijst met alle deelnemers die Josephine Kennedy heten. Ik klik op de Josephine uit Portishead, en ik zie meteen dat haar figuurtje er anders uitziet dan de vorige keer, verdrietig, slonzig, alsof de mens erachter de moed heeft opgegeven. Alsof ze het niet meer ziet zitten.

Ik kan een knuffel sturen of hallo zeggen. Er zijn nog allerlei andere mogelijkheden – ik kan deze persoon uitbannen, toevoegen als vriendin, een bepaalde waarde toekennen of uitnodigen. Geconcentreerd kijk ik naar het scherm. Ik wil niet alleen hallo zeggen tegen Josephine Kennedy, ik wil haar fijnknijpen in mijn armen. Ik wil haar niet uitbannen, bedenk ik met tranen in mijn ogen, want dat heb ik al gedaan.

Ik kies voor 'toevoegen als vriendin', klik, en bijt gefrustreerd op mijn lip als me wordt gevraagd hoe ik deze persoon ken. Er zijn een paar standaardopties – samen op school gezeten, vriendin van een vriendin, familie – maar de reden waarom ik contact met haar zoek staat er niet bij. Er is ruimte voor een bericht om de andere persoon te laten weten hoe je elkaar kent.

'Hallo, Josephine,' typ ik. 'Niet te geloven dat ik je na al die tijd terugvind. Ik wil heel graag weer vriendinnen zijn.'

Ik blijf een hele tijd naar de tekst kijken, met de cursor op 'bevestig'. Dan voeg ik eraan toe: 'We waren vriendinnen op de lagere school.' Nu maar hopen dat ze op mijn uitnodiging ingaat. Ik klik en wacht af, alsof haar armen uit het scherm zullen komen om me te omhelzen, om me dolgelukkig tegen haar aan te trekken, alsof ze me van het ene op het andere moment zal vergeven.

Na twintig minuten is Josephine Kennedy nog steeds niet online, dus log ik uit en sluit ik het venster. Ik klap Adams laptop dicht. Vandaag ga ik niet naar huis.

Adam wordt zelfs niet wakker als de bel voor het avondeten gaat. Ik laat hem slapend achter. Ik eet niet veel. Sylvia straalt en vertelt me van haar avondje uit. Een paar meisjes komen naar haar toe omdat ze zich ziek willen melden voor sport, zonder dat ze er een goede reden voor hebben. 'Wees niet zo lui,' zegt ze streng. 'Op het hockeyveld gaat het vanzelf weer over.' De meisjes schudden hun lange haren naar achteren en lopen verontwaardigd weg.

Ik prak de broccoli op mijn bord en glimlach geforceerd naar Sylvia. 'Zeg, heb je me vanavond nodig?'

Ik ben bekaf en helemaal leeg. Sinds ik op Roecliffe ben, ben ik alles geweest, van schoonmaakster tot maatschappelijk werkster, van wasvrouw tot coach. Ik heb ijskompressen op ontelbare verstuikte enkels gelegd, meisjes gevonden die spijbelden, met bezorgde ouders gepraat en klitten uit lange haren gekamd. Ik heb hele nachten bij zieke leerlingen gewaakt, en naast meisjes geslapen die heimwee hadden. Ik heb onze slechte eters in de gaten gehouden en eindeloos veel uniformen gestreken. Ik heb Katy's verliefdheid en Lexi's driftbuien in goede banen geleid. Maar het zwaarst van alles weegt de voortdurende angst dat ik ontmaskerd zal worden.

Sylvia legt haar hand op de mijne. 'Nee, ik heb je niet nodig. Ga maar lekker een paar uurtjes weg en vergeet eventjes dat Roecliffe bestaat.'

Dat zal nooit gebeuren, weet ik, maar ik knik instemmend.

Later, als de meisjes bezig zijn met hun avondactiviteiten, komt Adam naar de bibliotheek, waar ik nogmaals naar de portretten kijk. Ik was nieuwsgierig naar het doek dat apart van de rest aan het eind van de lange ruimte hangt. Het is groot en met krachtige penseelstreken geschilderd, in een heel andere stijl dan die van de negentiende-eeuwse portretten aan de rest van de muur.

'Wie zijn het allemaal?' vraag ik.

Adam haalt zijn schouders op. 'De man op dit portret heeft Roecliffe Hall laten bouwen. Het was een of andere graaf.' Peinzend strijkt hij over de stoppels op zijn kin. 'Hij is jong gestorven. Zijn weduwe kon niet zonder hem en pleegde zelfmooord.'

'Wat afschuwelijk.'

'Volgens de geruchten is ze niet echt dood, ze zou haar dood in scène hebben gezet. De geest die hier nog rondwaart is dus geen geest. Ze zou het zelf zijn, ze zou zich nog stilletjes in de gangen van Roecliffe schuilhouden.'

Mijn mond gaat open, maar er komt geen geluid uit.

'Ze zou nu natuurlijk sowieso dood zijn, maar...'

'En de anderen?' val ik hem in de rede. Ik wilde dat ik niet naar die stomme portretten was komen kijken. Grote gezichten kijken naar ons omlaag.

'Geen idee. Bijna allemaal negentiende-eeuws. Behalve dit.' Adam wijst op het portret waar ik voor sta.

Het bleke gezicht van een jong meisje is half afgewend. Ik kan niet beoordelen of ze glimlacht of huilt. Ze draagt een nachtjapon en staat aan het eind van een lange gang.

'Dit is natuurlijk modern, dat zie je alleen al aan de kleuren.'

'Ik vind het mooi,' zeg ik. Het raakt me; ik wil het meisje bij de hand nemen en haar wegvoeren uit de duisternis die haar omringt. Ik draai me om en loop langs de stoelen om een paar vergeten kledingstukken mee te nemen. 'Enfin, ik moet deze kleren terugbrengen voordat ik van mijn vrije avond kan genieten. Eindelijk,' voeg ik eraan toe. Met een gemaakt lachje probeer ik al het andere te verbergen.

Adam legt een hand op mijn schouder. 'Zullen we om half acht afspreken?'

'Half acht?' Ik was vergeten dat hij heeft gevraagd of ik met hem mee wil gaan naar het dorp. Ik had me verheugd op een rustige avond in mijn eentje, maar ik wil hem niet teleurstellen. Adam is mijn enige bondgenoot.

'Om met die vrouw in het dorp te gaan praten, weet je nog? Ze heeft hier gewerkt toen dit nog een kindertehuis was. Ze heeft getuigd tijdens de rechtszitting.'

'Heeft ze hier gewerkt?' Mijn adem stokt. Dat heeft hij me niet verteld.

'Daarom wil ik haar spreken. Ze moet iets over mijn zusje weten. Misschien heeft ze haar zelfs wel gekend.'

Opeens ben ik duizelig en ik heb het gevoel dat ik val. Ik zuig mijn longen vol lucht. Mijn armen en benen branden, zo veel inspanning kost het om beheerst te blijven. De val blijft uit.

'Ik... ik denk niet dat ik tijd heb.'

Hij fronst zijn wenkbrauwen. 'Jezus, Frankie, maak het toch niet zo moeilijk. Waarom doe je de hele tijd zo verdomde raadselachtig?' Hij draait zich om, zijn handen gebald, zijn schouders gebogen. Hij is kwaad. 'Ik mag je graag. Ik heb... ik heb het gevoel dat je me begrijpt.' Eerst aarzelde hij, maar nu trekt hij me aan mijn schouders naar zich toe. 'Ga je alsjeblieft met me mee? Je had het beloofd.'

Met tegenzin knik ik, want ik weet dat ik dit niet moet doen. Ik stem alleen toe omdat ik weet hoeveel het voor hem betekent.

'Bedankt. Tot straks.' Hij geeft een kneepje in mijn schouders en beent weg, met de laptop onder zijn arm.

Het is precies half zeven – dat weet ik doordat ik de computer voor het personeel net uit heb gezet. Ik tril nog na van wat er is gebeurd, maar ik heb nu eenmaal een afspraak.

Bij de eikenhouten voordeur wacht ik hem op, met mijn jas over mijn arm. Ik strijk met mijn vinger over het ijzerbeslag en er komen herinneringen boven.

'Stipt op tijd. Fijn dat je meegaat.' Adam loopt naar me toe met een klembord en zijn dictafoon in de hand. 'Het zou wel eens een interessant gesprek kunnen worden.'

'Zeker,' antwoord ik. Ik zet een gebreide baret op mijn hoofd en doe mijn jas aan. Mijn ogen zijn zwaar opgemaakt en met blusher heb ik de vorm van mijn jukbeenderen veranderd. In de verkleedkist heb ik een bril met gewoon glas gevonden. Adam trekt zijn wenkbrauwen op als hij me aankijkt, maar zegt niets over de bril. Ik zet de kraag van mijn jas op, blij dat ik met het oog op de koude wind in mijn kleren kan wegkruipen.

'Laten we dan maar gaan,' zeg ik voordat ik me kan bedenken. Ik leg mijn hand op de klink en opeens ligt Adams hand op de mijne. Heel even lijkt de tijd stil te staan.

Het is onmogelijk om in zijn stokoude barrel onopgemerkt het dorp binnen te rijden. De uitlaat braakt zwarte rook uit. 'Ik maak er nooit lange ritten mee,' zegt hij luid, en hij draait het raampje open omdat het ook ín de auto naar uitlaatgassen stinkt. Het raampje blijft halverwege steken.

'Dat lijkt me heel verstandig,' schreeuw ik om het motorkabaal te overstemmen. De koplampen zijn verkeerd afgesteld; de berm aan de linkerkant en de boomtoppen aan de rechterkant zijn zichtbaar, maar de weg zelf wordt nauwelijks verlicht. Het doet me aan de rest van mijn leven denken.

Een paar minuten later tuffen we het dorp binnen. In de straatverlichting zie ik mensen naar de pub lopen, dik ingepakt tegen de kou van deze herfstavond. We komen bij het hart van het dorp, met een door een gazon omringde vijver. Adam gaat langzamer rijden en remt. De motor van de oude Fiat slaat onmiddellijk af.

'Ik wil je iets laten zien,' kondigt hij aan. Hij buigt zich opzij om het handschoenenvak open te maken en grabbelt tussen de rommel. Hij haalt het blikje met shag eruit en een rolletje pepermunt. 'Wil je er een?'

Ik pak een pepermuntje en steek het tussen mijn lippen om te voorkomen dat ik iets zeg waar ik later misschien spijt van heb. We stappen uit de auto en Adam loopt voor me uit naar het grasveldje, dat door een paar straatlantaarns wordt verlicht. Het gras is nat en zo te zien sinds de zomer niet meer gemaaid. In de perkjes langs de randen staan dode leeuwenbekjes en geraniums. Alles heeft de verkeerde kleur in het oranje licht. Twee paadjes voeren naar het midden van het grasveld, waar een of ander gedenkteken staat. Langs de vijver staan bankjes. De vorige keer dat ik in het dorp was, zwommen er eenden in de vijver.

'Wat wil je me laten zien?' Ik kijk om me heen maar zie niets bijzonders.

'Kom maar mee.' Ik hoor dat hij zijn pepermuntje doormidden

bijt. Hij volgt het pad en blijft naast het monument staan, rolt een sigaret terwijl ik rondkijk. 'Toe dan,' zegt hij, gebarend naar de stenen obelisk.

Op de brede onderkant van het gedenkteken zijn aan weerszijden gedenkplaten bevestigd, met rijen namen die in het metaal zijn gegraveerd. 'Plaatselijke bewoners die in de twee wereldoorlogen zijn omgekomen,' zeg ik, turend naar de inscripties. Ik doe mijn bril af, stel me de kransen voor die hier in november worden gelegd. De namen van de gevallenen zijn in alfabetische volgorde onder elkaar gezet, de achternaam eerst. Boven elk groepje namen staat een jaartal. 'Veel slachtoffers voor zo'n klein dorp.'

'Heel triest,' beaamt hij. 'Kijk hier eens.' Hij stapt over het lage hekje heen en loopt naar de achterkant van de obelisk. 'Er is in de gemeenteraad eindeloos gesteggeld over het toevoegen van deze extra namen.' Adam wacht met een verbeten uitdrukking op zijn gezicht totdat ik ook over het hekje heen ben gestapt. 'Het maakt me zo kwaad dat het voor zo veel opschudding heeft gezorgd om ze te gedenken.'

Als mijn blik over de lijst met namen gaat, voel ik het bloed wegtrekken uit mijn gezicht. Ik sta naast Adam en probeer te focussen op de namen die zo achteloos op een gedenkplaat aan de achterkant zijn gezet, alsof ze er niet toe doen. Mijn voeten zakken weg in de zachte aarde, dorre planten strijken langs mijn enkels. Ik kan de vijver ruiken en een laatste restje uitlaatgassen.

'Waarom laat je me dit zien?' Ik slik. Ik knipper met mijn ogen. Ik slik nog een keer.

'Het zijn de dode kinderen,' zegt hij zacht.

Ik hoor hem nauwelijks. Nogmaals drinken mijn ogen de namen in, voor de zekerheid. Elke naam gaat in mijn gedachten een eigen leven leiden; ik hoor hun gelach en gehuil, ik voel hun pijn, ik zie hun ijle leven verdampen, terwijl alle anderen doorgaan alsof er nooit nare dingen zijn gebeurd, alsof ze nooit hebben bestaan.

TILLY BROADY, ABIGAIL NICHOLLS, OLIVER EN KEN, OWEN FISHER, JANE DOCKERILL, SAMUEL SEABRIGHT, MEGAN SEABRIGHT, JONATHAN, JAMES MCVEY, ALAISTER PE-

TERS, DAWN COATES, ANDY J.R., MICHAEL PRICE, CRAIG KNOTT...

De lijst gaat nog door maar ik kan er niet meer tegen.

'Hoe... hoe zijn ze...' Mijn mond is zo droog dat mijn tong aan mijn lippen blijft plakken. 'Wie... Wat is er gebeurd?' hakkel ik, hoewel ik het antwoord op de vragen zelf weet.

'Ze zijn allemaal vermoord, Frankie,' zegt hij ernstig. 'Ze werden seksueel misbruikt en vermoord toen Roecliffe Hall nog een kindertehuis was.' Hij stapt over het bloembed heen en loopt naar de vijver. Ik loop achter hem aan.

We gaan op een bankje zitten. Ik stel me eendjes voor, spelende kinderen, ik stel me het verleden voor, de toekomst. Een niet brandende sigaret bungelt aan Adams lip. 'Het komt allemaal in mijn boek.'

In gedachten zie ik mezelf weglopen, vluchten naar een andere stad, een ander land, een ander continent, wetend dat ik de rest van mijn leven over mijn schouder zal blijven kijken.

'In de jaren tachtig van de vorige eeuw ontdekte de politie een pedofielennetwerk met het kindertehuis in Roecliffe Hall als spil,' vervolgt Adam. 'Alle kinderen die op de gedenkplaat staan, zijn vele jaren lang systematisch misbruikt en uiteindelijk vermoord. Jarenlang wist niemand wat er gebeurde. Nadat het tehuis was gesloten, werden er op het terrein van de school stoffelijke resten van talloze kinderen gevonden. Sommige kinderen zijn nooit teruggevonden. De politie heeft nog jarenlang geprobeerd om de verdwenen kinderen op te sporen, voor het geval ze niet waren vermoord maar op de een of andere manier hadden kunnen vluchten. De administratie van het tehuis deugde niet. Van sommige kinderen was de achternaam of de geboortedatum niet eens vermeld.'

Adam haalt het shagje uit zijn mond en rolt het tussen zijn vingers heen en weer. 'Ik denk dat de lijst van de dode kinderen bij lange na niet compleet is. Sinds ik terug ben ik Engeland, heb ik de plaatselijke politie gesproken en zelfs gepensioneerde agenten die aan het onderzoek hebben meegewerkt geïnterviewd. Ik ben niet ver gekomen; deuren werden in mijn gezicht dichtgesmeten. Ik vraag me af wie ik kan vertrouwen.'

Niemand.

Hij zwijgt even, fronst zijn wenkbrauwen en vraagt zich misschien wel af of hij mij kan vertrouwen. 'Ik ben naar Roecliffe gekomen omdat ik wil weten wat er met mijn zus is gebeurd, Frankie. We zijn uit elkaar gehaald toen zij nog maar een baby was. Ik heb haar nauwelijks gekend, maar ik heb wel haar geboorteakte en de adressen van een paar tehuizen waar ze is gedumpt. Ze is net als ik vanaf het moment van haar geboorte van het ene tehuis naar het andere gesleept.' Hij slaakt een diepe zucht. 'Sommige mensen zouden geen kinderen mogen krijgen.'

Ik leg mijn hand op Adams arm, voorkom hiermee dat hij nerveus blijft bewegen. 'Trek het je niet zo aan,' zeg ik. 'Als je het verleden probeert te veranderen, verander je logischerwijs ook het heden. Dan wordt de toekomst opeens heel anders dan je had gedacht. Weet je zeker dat je dat wilt?'

Hij kijkt me doordringend aan en krijgt tranen in zijn ogen. 'Waarom, Francesca Gerrard, krijg ik toch steeds het gevoel dat je meer weet dan je loslaat?'

Ik verzet me tegen het verlangen om hem naar me toe te trekken, om me vast te houden aan iemand die zich bekommert om hetzelfde verleden als het mijne. Die ene schakel overbrugt veel meer dan de paar centimeters die ons van elkaar scheiden.

'Misschien omdat ik weet wat het is om iemand kwijt te raken.' Ik geef automatisch een cryptisch antwoord; het is mijn tweede natuur geworden. 'Als je blijft zoeken, zul je je zus uiteindelijk vinden, misschien niet in het echte leven, maar in elk geval in je hart.' Het is tegenwoordig de enige troost die ik zelf heb.

'Ik weet precies waar ze is,' zegt hij terwijl hij een aansteker uit zijn zak haalt. Het vlammetje wordt naar zijn sigaret gezogen. 'Ze is dood.'

Ik doe mijn mond open om hem te condoleren, maar zeg niets. Om tijd te rekken buig ik me voorover en ik pluk een dode bloem die ik tussen mijn vingers heen en weer beweeg. 'Ik dacht dat je niet rookte.'

'Klopt,' zegt hij zuur. Hij blaast rook uit en trekt een vies gezicht. 'Zal ik je iets vertellen?'

Ik knik.

'Jij bent de enige die ik ooit van mijn zus heb verteld. Niemand weet dat ik een zus had. Zelfs Claudia niet.' Hij zuigt de sigarettenrook diep in zijn longen. As valt van de punt.

Ik heb ongelofelijk met Adam te doen. 'Hoe heette ze?'

'Elizabeth,' antwoordt hij. Hij drukt de half opgerookte sigaret uit in het gras. 'Maar we noemden haar altijd Betsy.'

Niemand gebruikte de computer. Er was niemand in de personeelskamer, afgezien van de schoonmaakster die vuile kopjes verzamelde, prullenbakken leegde en stofzuigde. Ze was oud en bewoog zich traag, en uit haar beide oren stak een wit draadje. 'Wat vindt u van m'n oordoppen?' vroeg ze te luid, en ze knipoogde naar me. Zelfs van de andere kant van de kamer kon ik de muziek horen. 'Van m'n kleindochter gekregen.' Ze glimlachte trots.

Ik draaide me weer om naar de computer. Wat was communicatie met al die nieuwe technologie toch makkelijk geworden, terwijl mensen waarschijnlijk minder vaak persoonlijk met elkaar praatten dan ooit. Ik dacht aan de sms'jes die ik altijd verstuurde en ontving. Wat miste ik die korte berichtjes. 'Waar ben je?' 'Kun jij brood halen?' 'Wat wil je vanavond eten? Liefs x'

Ik meldde me volgens Adams instructies aan op het netwerk van de school en maakte verbinding met internet. Nu ik mijn eigen account had was inloggen op Afterlife zo gepiept, en zodra ik een voet in de andere wereld had gezet, zag ik dat ik twee berichten had: 'Josephine Kennedy accepteert je uitnodiging.' 'Je hebt 1 nieuw bericht.'

Mijn hart maakte rare sprongen. Het betekende dat ze mijn tekst had gelezen, en ze had zich ongetwijfeld afgevraagd wie het vriendinnetje van de lagere school was dat zich chimera_girl28 noemde. Twee klikken later las ik het bericht van dramaqueen-jojo.

'Dramaqueen,' fluisterde ik, en als een echo hoorde ik in gedachten haar stem.

*Hi chimera girl. Tnx voor uitnodiging maar ken ik jou? Kan je ech-
te naam niet zien. Jojo.*

'Jo-Jo,' herhaalde ik een paar keer achter elkaar. De schoonmaakster duwde de stofzuigermond naar mijn voeten en ik draaide mijn
benen opzij. Toen ze wegging, zachtjes neuriënd, bewoog ik het pijltje van de muis over diverse icoontjes en knoppen om een beetje
wegwijs te worden. Ik hoefde niet goed te worden in dit gecompliceerde spel; ik wilde alleen bij Josephine Kennedy in de buurt zijn.

Ik klikte op 'vriendenlijst' en er verscheen één naam, dramaqueen-jojo, met een figuurtje ernaast en een paar gegevens. Mooi.
Zij had ervoor gekozen om haar echte naam en haar nickname te
geven, terwijl ik anoniem was gebleven.

Ik dacht na over namen die in aanmerking kwamen, ik dacht aan
kinderen op de basisschool, aan lunchtrommeltjes en geschramde
knieën, aan kniekousen en huiswerk, aan vriendschappen en ruzies,
aan proefwerken en muzieklessen, de balletschoenen en de ver-
kleedkleren. In gedachten telde ik de knuffels op de vensterbank.

Opeens herinnerde ik me een klein meisje met sluik bruin haar,
Amanda Wandsworth. Ze was met iedereen vriendinnen, maar op
een gegeven moment was ze verhuisd. Ik controleerde of er niemand geregistreerd was onder die naam en ging naar de profiel-
schets van mijn personage om de nieuwe gegevens toe te voegen.
Toen klikte ik op 'toon echte naam', in de hoop dat Josephine zou
toehappen als ze het las.

Mijn blik ging naar de hoek rechtsonder op het scherm, waar een
groen icoontje in de vorm van een poppetje was gaan knipperen.
Ik ging erheen met de muis en las dat een van mijn vrienden online
was.

Ik greep de muis beet en stelde me voor dat dramaqueen-jojo
precies op dát moment aan haar bureau zat. Haar schouders zouden
een beetje gebogen zijn en ik nam aan dat ze zich niet had opgemaakt. Haar kleren zouden gekreukeld zijn en ze had haar haar
misschien al dagen niet gewassen. Waarschijnlijk had ze al in geen
tijden meer behoorlijk gegeten. Ik had geen idee wat ik moest doen,
totdat er een felblauw venster verscheen, met de tekst:

-Mand! Hoessie? Ernaast stond een klein fotootje van dramaqueen-jojo, en eronder kon ik mijn antwoord typen.

-Hallo! Hoe gaat het met je? Mijn woorden sloten totaal niet aan op Josephines afkorting. Ze klonken raar en onhandig. Het duurde een paar minuten voordat er weer een bericht verscheen. Misschien had mijn formele antwoord haar achterdochtig gemaakt.

-kben :(zie t niet meer zitten. Mj?

-wazzup? kben ok. Ik hoopte dat ik nu wel de juiste taal gebruikte en wachtte met ingehouden adem op antwoord. Ik stelde me voor dat Josephines vingers op de toetsen rustten. Of misschien had ze al iets getypt en weer gewist.

-mn moeder is dood

Ik greep me vast aan de rand van het bureau en snakte naar adem terwijl ik de woorden las. Met bevende vingers typte ik een antwoord.

-omg... was ze ziek?

Er gebeurde een hele tijd niets.

'Nou, alvast welterusten voor straks,' zei de schoonmaakster. Ze had het snoer opgerold en er bungelden vier bekers aan de vingers van haar ene hand. Een van de oordopjes hing over haar schouder. 'Werk maar niet te hard.' Ze glimlachte en trok de stofzuiger de docentenkamer uit.

-niet ziek. wast maar waar

Ik reageerde niet. Ze moest het me vertellen als ze er zelf aan toe was. Na een hele tijd verschenen er weer een paar woorden op het scherm.

-ze heeft zelfmoord gepleegd

De lucht werd uit mijn longen geperst alsof er iemand op mijn borst was gaan staan.

-kben nog nooit zoooo low geweest :(

-arme jij. kvoel met je mee. hoest met je pa? Ik kon me niet voorstellen hoe het voor een meisje van vijftien moest zijn om haar moeder te verliezen. Zou ze zich haar lach herinneren, haar knuffels? Zou ze de klerenkast van haar moeder opendoen, haar favoriete trui tegen haar gezicht drukken? Zou ze haar make-up gebruiken om zo

veel mogelijk op haar te lijken? Of zou ze alleen maar op haar bed liggen en naar het plafond staren en blijven denken: waarom?

-*niet goed. we houden t net vol. waar woon je nu?*

-*Londen. bij m'n vader. ik heb ook geen moeder meer. ze is nu 3 jaar dood. kanker.* Het liegen ging me makkelijk af. Zittend achter de computer, verbonden met een andere wereld, was ik niet langer Francesca Gerrard.

-*o mand u2. wat rot voor je*

Er viel een pauze terwijl we de informatie tot ons lieten doordringen. Zo werden we virtuele zussen.

-*wordt de pijn na een tijd minder? is t dan niet meer t 1ste waar ik aan denk als ik wakker word?*

Wat ik ook zei, ik kon haar verdriet niet verzachten.

-*voor mij hielp t om te denken dat mn moeder niet zou willen dat ik verdrietig was. ik weet dat ze van me hield. ik weet dat ze niet bij me weg wilde.* Ik typ het impulsief en besef meteen dat ik stom ben geweest.

-*nou de mijne wel. daaraan weet ik dat ze niet van me hield*

-*NEE!* antwoordde ik. *je mama hield van je. je moet niet denken dat t jouw schuld was.*

-*alles staat op zn kop. ik snap er nix meer van. dacht dat ze gelukkig was. dacht dat ze van ons hield. pa is gek geworden*

Ik reageerde niet en staarde een hele tijd naar het trieste figuurtje dat Josephine Kennedy voor zichzelf had gekozen. Zou zij hetzelfde doen, staren naar het figuurtje dat ik voor Amanda heb gecreëerd? Toen verscheen er een vraag op het scherm.

-*wil je niet weten hoe ze t heeft gedaan?*

-*nee*, typ ik. Ik zou er niet tegen kunnen om het van haar te horen.

-*iedereen wil t weten. vragen ze niet naar jouw moeder?*

-*yep*, loog ik. *ik vertel t gewoon, dan houden ze hun mond*

-*mn vriendinnen wisten niet wat ze tegen me moesten zeggen. nog steeds niet. ik ben anders*

-*praat je met je vader?*

-*nee. hij werkt alleen maar. alsof-ie dwangarbeid doet. hij is veranderd. niet de pa die ik kende*

-zwaar klote. je moet hulp zoeken. kun je niet naar de dokter?
Ik wilde haar helpen maar wist niet hoe. Het liefst wilde ik mijn armen om haar heen slaan en nooit meer loslaten.

-nah. helpt niet

-je moet met iemand praten. je kunt hulp krijgen maar dan moet je t vragen. ga bij een praatgroep of naar een psy. zo te horen kan je pa ook wel hulp gebruiken. je moet ermee leren leven. je zult je moeder nooit vergeten. onthou gewoon dat ze van je hield. jij hebt je hele leven nog voor je, je moet ermee dealen. dat zou je moeder willen

Pas toen mijn bericht op het scherm verscheen besefte ik dat ik een heel verhaal had geschreven en dat ik niet klonk als een tiener.

-g heen! je bent mn moeder niet

Het volgende moment werd het groene icoontje van dramaqueen-jojo grijs. Ze had de verbinding met internet verbroken.

De tranen stroomden over mijn wangen. Mijn hoofd zakte op het toetsenbord en ik schreeuwde wat ik tegen haar wilde zeggen, wetend dat ze me niet kon horen.

41

Het begon allemaal als een normale dag. De tuin baadde in de zomerzon. Mick kon het aantal opdrachten niet bijhouden en was al in zijn atelier. Josie zou pas over een paar uur boven water komen, met slaperige ogen en een rammelende maag. Op het aanrecht lag een stapel werk, belangrijke informatie over het nieuwe project die ze moest doornemen. Ze hield van haar werk, het was uitdagend en creatief. In principe was haar leven volmaakt.

Waarom begon Nina dan te trillen toen de telefoon ging? Waarom had ze dan het gevoel dat haar hele wereld zou instorten als ze opnam?

'Hallo?' Ze hield het toestel tussen duim en wijsvinger, een eindje bij haar hoofd vandaan, alsof ze zo afstand kon scheppen tussen haar en iemand die ze misschien niet wilde spreken.

'Mrs. Kennedy? U spreekt met Jane Shelley. Stoor ik?'

Het duurde even voordat Nina doorhad dat het de vrouwelijke agente was die bij haar thuis was geweest toen ze de politie had gebeld. 'Nee, hoor.' Koortsachtig vroeg ze zich af of de politie misschien iets had ontdekt. Misschien geloofden ze haar uiteindelijk toch. Dan zat ze nu met een nieuw probleem en moest ze de agente vertellen dat ze zich had vergist, dat er helemaal geen indringer was geweest. Betrokkenheid van de politie was een veel te groot risico.

'Ik bel eigenlijk alleen om te vragen of er geen andere dingen zijn gebeurd die u verontrustend vond.'

Om de een of andere reden had Nina het gevoel dat de agente niet ambtshalve belde. De nummermelder liet een mobiel nummer zien, en het leek haar niet waarschijnlijk dat een nummer van de politie zomaar herkenbaar zou zijn. Nee, Jane Shelley belde privé.

'Wat attent van u,' zei Nina vaag, 'maar alles is in orde.' Onthullingen over Burnett stonden gelijk aan het schrijven van haar eigen overlijdensakte.

'Ik geloofde u,' zei Jane Shelley. De verbinding was slecht en Nina wist niet of ze het goed had verstaan. 'Over de indringer en uw auto. Ik denk niet dat u het had verzonnen.'

'Waarschijnlijk was er niets aan de hand,' zei Nina. 'Fantasie.'

Er klonk een zucht aan de andere kant van de lijn. 'Ik heb het eerder meegemaakt. Het is zo triest. Ik wil niet dat er nog een keer zo'n zaak door mijn vingers glipt.'

Nina had het gevoel dat de agente nog niet zo lang bij de politie werkte, maar zelfs gedurende haar korte carrière moest iets haar heel diep hebben geraakt. Wat het was kon Nina niet schelen. Ze wilde het gesprek beëindigen, want ze moest nadenken.

'Er was een vrouw, iets jonger dan u,' vervolgde de agente. Nina hoorde geluiden op de achtergrond, giechelen en hoge kreten, alsof er een hele groep kinderen in de buurt was. 'Ze had een zoontje. Hij was pas vier. Ze werd bijna elke avond in elkaar geslagen door haar partner. Dat jochie zag het allemaal gebeuren.'

Nina fronste haar wenkbrauwen. Ze wilde dit helemaal niet horen. Door het raam zag ze Mick uit het atelier komen en heel diep ademhalen. Hij rekte zich uit, legde zijn handen in zijn nek en rolde zijn hoofd heen en weer. Toen boog hij zich naar voren en liet hij zich op zijn knieën vallen. Als Nina niet wist dat dit zijn manier was om even bij te komen als hij keihard aan het werk was, zou ze hebben gedacht dat hij wanhopig was.

'Dat is natuurlijk heel naar,' zei Nina, 'maar het heeft niets met mij te maken.'

'Ik heb haar lichaam gevonden,' zei Shelley. Haar stem klonk nu luid en duidelijk, zonder kinderstemmen op de achtergrond. Nina meende vaag de motor van een auto te horen. 'Om precies te zijn, haar zoontje van vier had haar lichaam gevonden. Hij trok aan haar arm en vroeg of ze alsjeblieft wakker wilde worden toen ik erbij kwam. Haar partner had haar doodgeslagen.'

Nina liep heen en weer door de keuken. Als dit een truc was om haar aan de praat te krijgen, dan had de agente zich behoorlijk verkeken. Ze was niet van plan om de politie ook maar iets over Burnett te vertellen. Wilde ze een kans maken om in leven te blijven, dan moest ze Mark McCormack zien te vinden en hem om hulp vragen, of anders zelf de touwtjes in handen nemen.

'Ze had de politie diverse keren gebeld, maar dan beweerde ze dat ze door een indringer of een inbreker was toegetakeld, terwijl haar eigen man het had gedaan. We vroegen haar om aangifte te doen, maar ze ontkende alles. Zei dat ze was gevallen.'

'Mijn man slaat me niet,' protesteerde Nina verontwaardigd.

Weer een zucht. 'Ik heb een zoontje,' zei Shelley. 'Ik heb hem net opgehaald van het kinderdagverblijf.'

'Wat leuk voor u.'

'Ik ben alleenstaande moeder,' vervolgde ze. 'Ik ben vorig jaar weggegaan bij zijn vader. Hij sloeg me.'

Nina moest bijna lachen. 'Maar u bént de politie.'

'In dit spel is iedereen gelijk. U hebt mijn nummer. Als u wilt praten, bel me dan.' En de verbinding werd verbroken.

Als onderdeel van haar opleiding had Nina een keer aan een productie meegewerkt, een korte film die werd gemaakt door studenten van de filmacademie, als onderdeel van hun examen. Enkele professionals uit de filmindustrie waren erbij gehaald om de studenten adviezen te geven – bovendien was het voor hen een mooie kans om talent te spotten. Alle theateropleidingen hadden eraan meegewerkt.

Nina was vooral onder de indruk geweest van Ethan Reacher, stuntman en special effects coördinator, die een workshop van een dag had gegeven. De hele dag had ze aan zijn lippen gehangen en uitgebreid aantekeningen gemaakt, vol bewondering voor de man wiens naam ze ontelbare keren in de aftiteling van films had gezien. Hij was inmiddels dik in de zestig, en het leek Nina niet waarschijnlijk dat hij nog steeds zelf stunts deed. Zijn lichaam had een zekere stijfheid, misschien doordat hij in het verleden iets te vaak ongelukken had gehad. Toch beschikte hij nog steeds over fenomenale kennis en hij was een perfectionist tot en met.

'Laten we *Silent Dreams* als voorbeeld nemen,' bulderde hij. Een normaal volume was kennelijk te gewoontjes voor deze grootheid. 'De regisseur heeft voor de sterfscène geen gebruik gemaakt van een stuntteam, en toch is het hem gelukt om een film te maken die zo geloofwaardig en zo ongelofelijk eng was dat sommige acteurs niet bij de première aanwezig wilden zijn.'

Reacher deed de feiten uit de doeken, en Nina zat gefascineerd te luisteren. Ze leerde dat je met kleine details een groot effect kunt bereiken. Zo, dacht ze, is mijn hele leven geweest.

'De arm was voor een groot deel een prothese,' vervolgde hij, 'maar we hebben ervoor gezorgd dat de vingers echt waren. De close-ups waren adembenemend.' Haastig nam hij een paar grote slokken water. 'Minuscule spierbewegingen zijn van cruciaal belang voor opnames, zoals de val van de rotsen. Als de acteur uiteindelijk wordt gedwongen om los te laten, is de kijker in zijn hoofd gekropen. De close-ups zuigen de kijker als het ware naar binnen.'

Er werd gegrinnikt. De meeste studenten waren alleen maar gekomen omdat het verplicht was, niet omdat ze het onderwerp boeiend vonden. Nina en nog een paar anderen waren echter volledig in de ban van deze beroemdheid. Al vanaf het moment dat ze aan de opleiding was begonnen, had ze het gevoel gehad dat ze haar levensdoel had gevonden. Dát wilde ze doen in het leven: het uiterlijk van mensen veranderen.

'Dan moest die scène op de rotsen zeker als laatste worden opgenomen,' zei een van de studenten. 'De acteur kan zo'n val nooit hebben overleefd.' Er ging een golf van gelach door de zaal.

Aan het begin van de workshop had Ethan Reacher de scène een paar keer laten zien, als klassiek voorbeeld van simpele effecten die tot in het extreme waren doorgevoerd.

'Ga eens staan, jongeman.' Reacher beende naar de voorkant van het podium, legde zijn stompe vingers rond zijn kin en keek naar de paar studenten die nog lachten. 'Dat is helemaal geen stomme vraag. De acteur heeft bij zijn val zijn beide benen gebroken.' Dit keer klonk er ongelovig geroezemoes. Opeens was iedereen een en al oor.

'De acteur weigerde de val door een stuntman te laten doen. Voor zo'n soort val, van zo'n grote hoogte, is veel ervaring nodig, zelfs als je in het water valt. Jullie hadden de stapels papierwerk moeten zien die hij moest ondertekenen voordat de producent hem die scène wilde laten doen.' Reacher lachte bulderend, het enige geluid in de muisstille zaal. 'De regisseur heeft de gevolgen gefilmd. Het bloed, de pijn, alles.'

Nina's gezicht vertrok bij de gedachte. Ze had altijd een beetje hoogtevrees gehad en nooit begrepen waarom iemand zulk gevaarlijk werk wilde doen. Zelf bleef ze liever achter de schermen.

'Hoe overleef je een val als deze?' vroeg een andere student.

'De meeste mensen overleven die niet,' zei Reacher droog. 'Daar moet je dus een truc op verzinnen.' Hij liet een pauze vallen. 'Je bedenkt een andere stunt of je bidt tot God.'

Na afloop van de workshop verdrongen enkele studenten zich rond Ethan Reacher. Ze hadden een glimp opgevangen van de wereld van special effects en een van de beste stuntmannen uit de filmbusiness hun eigen kunsten kunnen demonstreren. Nu wilden ze hem persoonlijk bedanken. Nina sloot zich aan bij de rij om hem de hand te drukken.

'Je werk is me opgevallen,' zei Reacher tegen haar. Hij dronk meer water, en van dichtbij kon Nina zien waarom. Zijn gezicht droop van het zweet. 'Je bent erg goed. Ben je van plan om carrière te maken in de theater- of filmwereld?'

'Nou, en of,' antwoordde ze. Nina was twintig, en nog nooit zo diep van iemand onder de indruk geweest. De meeste mensen die ze tot dan toe had ontmoet, hadden haar bitter teleurgesteld. 'Ik leef voor dit vak.'

'Je komt er wel.' Hij nam haar van hoofd tot voeten op. 'Hier heb je mijn kaartje. Bel me maar als je bent afgestudeerd. Hoe lang moet je nog?'

'Een jaar,' zei ze. Haar hart klopte razendsnel. Ze kon nauwelijks bevatten dat de grote Ethan Reacher belangstelling had voor haar werk. Wat had ze de pest in dat ze nog een jaar moest studeren!

'Hoe heet je?'

'Nina Brookes,' zei ze ademloos. 'Bedankt voor de fantastische dag, meneer. Ik heb heel veel geleerd.'

Lachend noteerde hij haar naam. 'Je hebt in elk geval geleerd hoe je níét van een klif moet vallen.' Hij knipoogde naar haar en liep weg, gevolgd door een groepje studenten.

Ze bleef het proberen. Josie sliep nog en Mick was druk aan het werk in zijn atelier. Nina zocht nummers op internet en belde elke politiedienst die ze kon verzinnen. Door eerst 141 te draaien, zorgde ze dat haar eigen nummer niet werd weergegeven. Ze wilde niet dat iemand haar terug zou bellen. Zolang ze Mark McCormack niet had gevonden, of in elk geval iemand die kon bevestigen dat hij of zij Marks werk had overgenomen, was Nina niet van plan om haar persoonlijke gegevens bekend te maken.

'Het spijt me, maar ik kan u alleen met iemand van de CID doorverbinden als u me uw naam en een referentienummer geeft. U kunt via de plaatselijke politie...' Nina hing op.

'Mark wie? Kunt u de achternaam spellen?'

'Die afdeling is verhuisd. Het hoofdkantoor zit nu in Londen.'

Ze belde Scotland Yard en werd met wel zes verschillende afdelingen doorverbonden voordat ze eindelijk de secretaresse van de afdeling Getuigenbescherming aan de lijn kreeg. Het woord alleen al bezorgde haar de rillingen. 'Naam en referentienummer, graag,' zei de vrouw.

'Miranda Bailey.' Nina verzon de naam ter plekke. 'Ik heb geen referentienummer.'

Het bleef een tijdje stil. 'Het spijt me. Ik kan geen Miranda Bailey vinden in het systeem. U hebt dus geen toegang.'

Voor de zoveelste keer hing Nina op. 'Geen toegang,' fluisterde ze. Verslagen liet ze haar hoofd op de tafel zakken. Hoe kan ik ze vertellen wie ik ben? vroeg ze zich wanhopig af. Mark had herhaaldelijk tegen haar gezegd dat ze niemand mocht vertrouwen die hij niet persoonlijk had goedgekeurd, dat het voor haar een kwestie van leven of dood was. Hoe kan ik iemand van de politie vertellen wie ik ben, terwijl een aantal daders zelf bij de politie zat?

'Nina?' klonk Micks stem achter haar. 'Wat is er?'

Met een ruk tilde Nina haar hoofd op en tegelijkertijd klapte ze haar laptop dicht. Ze probeerde te glimlachen. 'Jij ziet er net zo slecht uit als ik me voel,' merkte ze op. 'Hoe laat ben je vanochtend opgestaan?'

'Ik ben helemaal niet naar bed geweest,' gaf hij toe. 'Ik snak naar koffie.' Met driftige gebaren deed hij water in het koffiezetapparaat en pakte hij de koffie. Het doosje filters liet hij uit zijn handen vallen.

'Is het niet beter om tegen die galeries te zeggen dat je meer tijd nodig hebt?' Nina vond het vreselijk als Mick zo moe was. Het was belangrijk voor haar dat hij alert was, klaar om in actie te komen. Zoals hij nu was, kon hij niet eens koffie in de filter scheppen zonder te knoeien. 'Je bent bekaf. Je kunt niet in dit tempo werk in elkaar blijven flansen.'

Mick draaide zich om en smeet het lepeltje door de keuken. Het miste op een haar na Nina's wang. 'In elkaar flansen?' Hij ramde het deksel op de glazen kan en schoof die ruw in het apparaat. 'We kunnen het ons financieel niet permitteren om te kiezen of we wel zin hebben om te werken. Jij neemt met het grootste gemak een middagje vrij, maar iemand moet de hypotheek betalen, Nina.' Mick maakte een snuivend geluid en gaf een klap op het koffiezetapparaat alsof hij het wilde aansporen, zodat hij zo snel mogelijk terug kon naar zijn atelier.

'Ik weet dat je onder zware stress staat...'

'Jij weet niet eens wat stress is,' schamperde hij. 'Niet dit soort stress.'

Nina wist niet wat ze moest zeggen om hem te kalmeren. Ze had hem nooit eerder zo meegemaakt.

'Wat vind je ervan om die man...' Ze kon de naam niet over haar lippen krijgen. 'Wat vind je ervan om tegen die man van de nieuwe galerie te zeggen dat het je niet lukt om de schilderijen te maken? Concentreer je gewoon op de Marley Gallery. Zij waren per slot van rekening de eersten die je vroegen.'

Mick bleef roerloos staan. Zijn spieren waren zo gespannen dat zijn gezicht een uitdrukking kreeg die Nina niet herkende. 'Dat het me niet lukt om de schilderijen te maken?' Opeens was hij doodkalm.

Nina dacht dat hij begon te bedaren en inzag dat ze gelijk had. Als hij besloot om niet langer voor Burnett te werken, bestond er misschien een kans dat ze hem voorgoed uit hun leven konden bannen, zonder dat Mick of Josie iets wist. We kunnen verhuizen, dacht Nina. Misschien onze achternaam veranderen. Dat zou Mick begrijpen als ze een excuus verzon, maar hij zou niet begrijpen dat ze achttien jaar lang tegen hem had gelogen over haar ware identiteit.

'Dat het me niet lukt om de schilderijen te maken?' schreeuwde Mick.

Nina schrok ervan. 'Ik dacht gewoon...'

Hij kwam heel dicht bij haar staan. 'Je moet niet denken. Je hebt verdomme geen idee wat mijn werk voor me betekent.'

'Natuurlijk begrijp ik dat het belangrijk voor je is. Ik weet hoe lang je ervoor hebt moeten knokken om de erkenning te krijgen die je toekomt. Jezus, ik heb het toch zelf meegemaakt!' Nina deinsde achteruit, maar Mick kwam weer op haar af. Ze voelde angst opkomen, maar haar hart verzette zich tegen haar instinct. Dit is je mán, hield ze zichzelf voor, en ze stak haar hand uit om hem aan te raken.

'Raak me niet aan!' Nu deinsde Mick achteruit voor haar. Hij trok de kan met koffie uit het apparaat voordat al het water was doorgelopen en schonk een plens in een beker. 'Laat me met rust,' snauwde hij voordat hij weer naar buiten ging.

Nina keek hem na toen hij door de tuin liep, met zulke grote stappen dat de koffie over de rand van de beker gutste. Opeens smeet hij de beker uit alle macht tegen een boom. De scherven regenden in slow motion neer op de struiken.

'Wat is er aan de hand, mam?' Josie stond slaperig in de deuropening. 'Ik hoorde papa schreeuwen.'

'Niets belangrijks,' zei ze, en ze knipperde haar tranen weg. 'Zeg, wat is dit voor tijd om op te staan?'

'Het is vakantie. Ik had zin om uit te slapen.' Josie pakte de cornflakes en fronste haar wenkbrauwen toen ze het gewicht van het pak melk voelde. 'Is er geen melk?'

'Je weet waar de winkel is,' bitste Nina, maar ze had er meteen spijt van. Ze wilde niet dat Josie alleen over straat ging, niet zolang zij geen oplossing had gevonden om uit de ellende te komen.

'Best. Dan ga ik wel bij Nat ontbijten. Haar moeder bakt eieren of pannenkoeken.'

In gedachten zag Nina het voor zich. Laura zou beslag maken waar nog klontjes in zaten, dan zou ze het in een koekenpan gieten en een pannenkoek met aangebrande randjes op een bord kieperen. Laura kon niet koken. Ze leefde haar frustraties uit in de keuken.

'O, Josie.' Nina stak haar armen naar Josie uit, maar haar dochter weerde haar af alsof ze een vreemde was. 'Ik bak wel eieren voor je.'

Josie schudde haar hoofd, liep weg en sloeg de deur met een knal achter zich dicht.

Dat is de tweede, dacht Nina. In vijf minuten tijd hebben mijn man én mijn dochter me afgewezen. Ze liet zich tegen de muur omlaag zakken. Misschien proberen ze me iets duidelijk te maken.

42

Vierentwintig uur na mijn dood werd ik duizelig en begon ik wazig te zien. Ik had mijn hoofd ernstig bezeerd, al had ik de adviezen precies opgevolgd en research gedaan – voor zover ik daar de tijd voor had gehad. Ik wist niet precies wat er mis was gegaan, wat ik verkeerd had beoordeeld. Toch leefde ik nog, wonder boven wonder. Dat was althans wel volgens plan gegaan. De rest had ik niet in de hand.

Langsgaan bij de eerste hulp was uitgesloten. Die eerste avond zat ik in een motelkamer rillend naar een quizprogramma te kijken. Ik kon niet één van de simpele vragen beantwoorden en ik bracht zelfs niet genoeg concentratie op om de bloemen op de groezelige, foeilelijke gordijnen te tellen. Als ik over alles nadacht, kreeg ik bijna geen lucht. Ik kon bijna niet geloven dat ik dood was.

Was mijn brief al door iemand gelezen? vroeg ik me af.

Ik beet in een appel. Die had de vrouw die ik nog niet helemaal was geworden uit een koelvak in de supermarkt gepakt en in haar mandje gelegd, bij de haarverf, de schaar, koekjes, fruit, chocola en water. Ik had mijn boodschappen afgerekend en de tas in de kofferbak van mijn nieuwe auto gezet – een Ford Escort van twintig jaar oud die ik bij een dealer aan de rand van de stad had gekocht en contant had betaald. Hij stelde geen vragen. Ik hoopte dat ik in het barrel mijn bestemming zou kunnen bereiken. Over niet al te lange tijd zou ik hem langs de kant van de weg achterlaten, met de sleutel in het contactslot.

Er werd op mijn deur geklopt en ik verstijfde. Zelfs door het samentrekken van mijn spieren werd de pijn in mijn ribben erger.

'Hallo? Bent u er?' Er werd harder geklopt. Ik drukte het knopje van de afstandsbediening een paar keer in om het volume te dempen en deed het nachtlampje uit, maar het was al te laat. 'Doe eens open, moppie.' Het was een vrouwenstem.

Ik stond op van het bed en deed de deur op een kier, met de ketting er nog op. Het was de vrouw van de receptie en ze stonk naar sigaretten. 'Ja?'

'Ik wilde even weten of alles in orde is.'

Ik fronste mijn wenkbrauwen. Ik wilde mijn haar achter mijn oor strijken, maar mijn haar was er niet meer. 'Ja, hoor, alles is in orde.' Ik was duizelig en misselijk. Ik wilde niet weten waarom ze zich zorgen maakte. Ik wilde de deur weer dichtdoen, maar ze zette haar voet ertussen. Het was een grote vrouw.

'U was een beetje van streek toen u incheckte. Hoe zal ik het zeggen, opgewonden. Alsof er iets niet in orde was.'

'Nee, hoor, er is niets aan de hand.' Ik glimlachte en duwde tegen de deur, maar ze haalde haar voet niet weg.

'Bent u bij de dokter geweest voor de snee in uw wang?' Ze raakte haar eigen wang aan.

'O, dat stelt niets voor,' zei ik. 'Die is over een paar dagen weer helemaal genezen.'

'O, oké. Als u het zegt.' Ze draaide zich om maar bedacht zich. 'Ik vraag het alleen omdat we hier soms vrouwen krijgen die eh... zijn geslagen door hun man, en...'

'Daar heeft het niets mee te maken. Ik ben van mijn fiets gevallen. Goedenavond.' Dit keer knikte ze en liet ze me de deur dichtdoen.

Ik ging naar bed maar sliep niet. Ik luisterde naar de langsrijdende auto's, naar de stemmen van voorbijgangers die onder mijn raam langsliepen. Ik luisterde naar de dronken mensen op straat toen de pub dichtging, en ik luisterde naar de radio om het geluid van mijn eigen snikken te overstemmen.

De volgende ochtend sprak ik mezelf voor de spiegel streng toe, kijkend naar mijn nieuwe gezicht, en daarna pakte ik de telefoon. Ik moest de rest van mijn leven op poten zetten.

De vrouw is een jaar of vijfenzestig. Als ze de voordeur opendoet, neemt ze ons van hoofd tot voeten onderzoekend op. Haar blik blijft even rusten op de dictafoon in Adams hand en op de tas die over mijn schouder hangt.

Ze kijkt van mij naar Adam en terug en lijkt even te aarzelen. Haar blik blijft net iets te lang op mijn gezicht gericht, maar zonder dat ze iets prijsgeeft. Op de een of andere manier komt ze me bekend voor, maar ik kan haar gezicht niet plaatsen. Ze kijkt met dezelfde stille verbazing naar mij als ik naar haar.

'Bedankt dat u ons wilt ontvangen,' zegt Adam, en hij geeft haar een hand.

Haar grijze haar is pijnlijk strak naar achteren getrokken en vastgezet in een knotje dat zelfs bij windkracht tien nog zou blijven zitten, en haar gepoederde gezicht is merkwaardig rimpelloos. Ondanks haar hoekige gelaatstrekken, het strenge haar en het kleine mondje boven een kaak die zo breed is als die van een man, heeft ze iets zachts over zich. Het is dankzij die zachte kant, neem ik aan, dat ze opzij gaat om ons binnen te laten.

'Hierheen.' Ze gaat ons voor naar een kleine woonkamer. Er brandt vuur in een kolenkachel. Het is verstikkend warm in de kamer. Ze wijst op een smalle canapé. Adam en ik gaan naast elkaar zitten, met onze knieën tegen elkaar. Zelf neemt ze plaats op de enige stoel in de kamer, bij de kachel.

'Hebt u er bezwaar tegen dat ik het gesprek opneem?' Adam houdt de kleine bandrecorder omhoog.

De vrouw schudt haar hoofd en werpt opnieuw een blik op mij. Ik meen een flikkering in haar ogen te bespeuren, een spiertje dat trilt in haar wang. Ze vouwt haar handen in haar schoot en drukt haar enkels tegen elkaar. 'Ik heb niet lang de tijd,' kondigt ze aan.

Adam is onrustig, nerveus, maar ook opgewonden. Hij praat heel snel, alsof deze vrouw de sleutel van het raadsel is. Ik zou hem kunnen vertellen dat het ijdele hoop is, dat hij veel dieper zal moeten graven dan hij ooit heeft kunnen vermoeden om de zaak tot op de bodem uit te zoeken. Maar dat doe ik niet. In plaats daarvan kijk ik hem bemoedigend aan, waarop hij de dictafoon aanzet.

'Kunt u ons vertellen wanneer u in Kindertehuis Roecliffe bent gaan werken en welke functie u bekleedde?'

Ze schraapt haar keel. 'Ik ben begonnen op 5 juni 1971. Ik ben gebleven totdat het tehuis in 1987 werd gesloten. Ik heb voor de kinderen gezorgd alsof ik hun eigen moeder was.'

Ik kijk haar doordringend aan. Dan begint het me te dagen. Mijn onderarmen worden koud en mijn voeten gevoelloos. Ik buig mijn hoofd.

Waarom ben ik in godsnaam meegegaan?

'Ik heb hier een lijst met namen. Kunt u de lijst bekijken en me vertellen of u bepaalde namen herkent?'

De vrouw houdt het vel papier op armlengte en knijpt haar ogen tot spleetjes alsof ze een bril nodig heeft. Even later knikt ze. 'Ja. Ik herinner me de meeste namen. Ze zaten in het tehuis. Sommige kinderen werden al als baby afgeleverd.'

'En kunt u vertellen wat er met deze kinderen is gebeurd?' Adam trilt zichtbaar. Zijn hals is rood aangelopen vanaf het boordje van zijn overhemd tot aan zijn haarlijn.

'De arme schapen zijn allemaal overleden.' Nu hoor ik de vrouw uit het verleden – een rauwe stem met een ondertoon van vermoeidheid en minachting. Weg is het geforceerde accent, de sluier van hoogmoedigheid, en er is iemand anders voor in de plaats gekomen. 'Dat zei de politie althans. Ik heb ze destijds alles verteld wat ik wist.'

'U weet dus ook dat er drie mannen van een pedofielennetwerk zijn veroordeeld wegens het misbruiken en vermoorden van kinderen uit het tehuis. Later bleek pas dat het netwerk veel groter was.'

Niemand zegt iets. Het vuur sist en de hitte van de kachel is zo fel dat mijn linkerwang begint te gloeien. De vrouw wil opeens niets meer zeggen. Adams dictafoon ruist in zijn hand. 'Ja.'

'Maar waren er niet vier mannen betrokken bij de laatste moord op Roecliffe? Een van de mannen wist te ontkomen en is nooit geïdentificeerd. Hij heeft niet gevangengezeten, zoals de anderen. Klopt dat?' Adams borst rijst als hij diep inademt, en hij blijft zijn adem inhouden. Ik merk dat ik hetzelfde doe. Ik concentreer me op mijn hand, pulk een velletje van een vinger, om niet te hoeven denken aan het walgelijke, met bloed besmeurde monster met de kap over zijn hoofd die zich over het altaar boog als een chirurg over de operatietafel.

Ze knikt opnieuw. 'Als de politie het zegt.' De neuzen van haar schoenen wrijven onophoudelijk tegen elkaar. 'Dan zal het wel waar zijn.'

'Weet u wie die vierde persoon was?' vraagt Adam. Zijn stem is als een snaar zo gespannen.

'Als ik dat had geweten, had ik het destijds toch wel aan de politie verteld,' snuift ze. 'Ik heb tijdens de rechtszitting alles verteld wat ik wist.' Haar stem krijgt een ongeduldige klank, en ze kijkt met samengeknepen ogen naar mij, misschien wel omdat ze me herkent. Haar vingers bewegen rusteloos in haar schoot, net als de mijne.

'Soms,' zegt Adam aarzelend, 'zijn mensen te bang om alles te vertellen wat ze weten.'

De vrouw draait haar hoofd naar de kachel. Haar donkere irissen weerspiegelen de gloed van het vuur. 'Het was een komen en gaan van mensen,' bekent ze. 'Er werden bijeenkomsten gehouden. Er kwamen regelmatig mannen uit het dorp naar het tehuis. Ze vormden een soort club. Die vierde man had iedereen kunnen zijn.'

Adam en ik durven ons niet te bewegen – hij omdat hij bang is dat ze dicht zal klappen als hij aantekeningen maakt of de dictafoon dichterbij houdt, en ik omdat ik niet wil horen wat ik al weet.

'Ik heb me erbuiten gehouden. Voor mij stond voorop dat ik voor de kinderen moest zorgen. Er waren zulke zielige gevallen bij.' Ze buigt zich voorover en port met een pook in het vuur. Ik zie haar er woest mee zwaaien, tierend, dan zie ik haar in alle rust en tevredenheid, omringd door kinderen die luisteren naar het verhaal dat ze voorleest. 'Er gebeurden smerige dingen in die gangen. Daar kon je maar beter niets van weten. Ik bemoeide me er niet mee, deed mijn werk, kreeg betaald. Ander werk was hier niet te krijgen.'

'Kunt u zich een klein meisje herinneren dat Betsy heette?' Adam schraapt zijn keel en kucht. Het kan zijn verdriet niet verhullen.

'Zij was de laatste die doodging.' Ze maakt de zin af die Adam zelf niet kon uitspreken. Ze krijgt een glazige blik in haar ogen, spijtig, angstig.

'Ja.'

'Het arme ding. Het kwam door haar dat al die smeerlappen achter de tralies verdwenen. Wat een smerige toestanden, schandelijk was het.'

'Wat voor meisje was het?' Adam buigt zich gretig naar voren, met zijn ellebogen rustend op zijn knieën en de dictafoon zo ver mogelijk naar voren als mogelijk is zonder haar af te schrikken.

Opeens kan ik het allemaal lezen in zijn ogen. Roecliffe Hall of de mensen die er hebben gewoond interesseren hem helemaal niet. Adam wil bewijzen dat zijn zusje niet voor niets heeft geleefd. Het boek gaat niet over het verleden van Roecliffe, hij probeert zijn eigen geweten te sussen. Hij heeft haar niet kunnen redden toen ze hem nodig had, dus probeert hij dat nu alsnog te doen. Hij wil dat de vierde man – de man die Betsy heeft omgebracht – wordt gevonden en veroordeeld. Hij probeert het goed te maken.

De vrouw denkt na, zoekt naar woorden. 'Er werd goed voor de kinderen gezorgd,' zegt ze. 'Er waren natuurlijk een paar probleemgevallen. De meesten waren in de steek gelaten door ouders die hen niet wilden, of het waren wezen.'

Ik knijp mijn ogen halfdicht.

'Wat kunt u me over Betsy vertellen?' herhaalt Adam ongeduldig.

'Het was een grappig klein ding. Ze had grote ogen en een dikke bos krullen en ze was heel stil.'

'Gaat u verder.'

Ik kijk haar aan en laat haar met mijn blik weten dat ik aandachtig luister. Het is alsof er in haar hoofd een knop wordt omgezet om haar geheugen uit te schakelen. Ze tuit haar lippen alsof iemand een koord heeft aangetrokken. 'Ik herinner me verder niets.'

'Had ze vriendinnetjes?' dringt hij aan. Hij hoopt misschien dat hij ze kan opsporen om meer aan de weet te komen. Maar de vrouw is al gaan staan, laat er geen twijfel over bestaan dat ze er genoeg van heeft.

'Ze had één vriendin,' zegt ze, kijkend naar mij. Adam kijkt zichtbaar opgelucht. 'Maar niemand weet wat er van haar is geworden.'

'En hoe zit het met die vierde man? Die nooit is geïdentificeerd.' De paniek slaat toe; Adam wil niet dat het gesprek is afgelopen, want een tweede kans krijgt hij waarschijnlijk niet. Ik kan haast zien hoeveel vragen er door zijn hoofd spoken. 'Ze zeggen dat hij degene was die...'

'Die met de kap?' Opeens is haar belangstelling weer gewekt. 'De anderen wilden niet vertellen hoe hij heette. Ze boden hun een mildere straf aan in ruil voor zijn naam, maar ze hielden hun kaken stijf op elkaar. Zo zijn die kerels, ze houden elkaar de hand boven het hoofd. Ik denk niet dat ze hem nu nog zullen vinden.'

Ik ga staan. Ik ben misselijk en duizelig. Ik moet hier weg. Het was stom van me om het terrein van de school te verlaten. Ik voel me niet veilig.

'Dag, Patricia,' zeg ik. Ik houd mijn hoofd gebogen om aan te geven dat we klaar zijn en dat ze ons nooit meer terug zal zien. Adam komt met tegenzin achter me aan, ontgoocheld maar ook opgelucht. Bij de deur nemen we met zwijgende knikjes afscheid.

Adam slaat het portier dicht en rijdt weg.

Ik druk mijn nagels in mijn handpalmen en druk mijn voorhoofd tegen het zijraampje, zeg geen woord. Opeens geeft Adam een ruk aan het stuur en komt de auto tot stilstand. Hij pakt me ruw bij mijn schouders en kijkt me zo doordringend aan dat ik niet weet of hij me gaat kussen of slaan. Hij doet geen van beide.

'Hoe wist je haar voornaam?'

'Die had jij me toch verteld?'

'Nee,' zegt hij, zo fel dat ik ineenkrimp. 'Ik wist helemaal niet dat ze Patricia heette. Hoe weet jij het? Ken je haar? Vertel het me, Frankie, vertel me in godsnaam wat je weet.'

Ik kijk Adam aan, ervan overtuigd dat hij me vast zal blijven houden totdat ik alles heb opgebiecht. Pas als ik begin te huilen rijdt hij zwijgend terug naar de school. Zijn vingers roffelen ongeduldig op het stuur – op mijn hart.

43

Soms maakten Betsy en ik een wandeling over het terrein en vertelde ik haar verhalen over toen mijn moeder nog leefde. Dat ik op de rand van haar bed ging zitten zodat zij mijn haar kon vlechten; dat ik de garde af mocht likken als ze een taart bakte; dat ze me de knobbel in haar nek liet voelen.

Betsy had ook verhalen te vertellen, maar ze sprak in onsamenhangende zinnen, van pijn en verdriet doortrokken flarden waar ik geen touw aan vast kon knopen. Ze sloeg de smerigste taal uit, grove woorden die, begreep ik nu ik oud genoeg was, eenzelfde vorm van protest waren als de ontelbare keren dat ze in haar broek plaste of poepte.

Tijdens een wandeling door het bos boog ik me voorover. 'Zie je de knopjes? Dat worden grasklokjes. Ze zijn zo mooi. Als ze uitkomen, verandert het bos in een blauwe zee.'

Betsy deed haar best om zo veel mogelijk planten te vertrappen en uit de grond te rukken, totdat ik haar beetpakte om haar tegen te houden.

'Laat me los!'

'Betsy, waarom doe je dat nou?' Zelfs op haar achtste gedroeg ze zich nog steeds als een stoute peuter. Ik probeerde haar het verschil tussen goed en kwaad te leren, maar telkens als ik dacht dat ik ergens kwam, telkens als ik dacht dat ze het begon te begrijpen, sloegen ze het weer uit haar. Ik kon niets doen om te voorkomen dat ze werd meegenomen, om te voorkomen dat haar ziel uiteen werd gereten. Ik was bang dat ze zich nooit normaal zou leren gedragen.

'Ik haat ze,' zei ze, en ze rukte haar arm los uit mijn greep. 'En ik haat jou ook!' Ze spuugde naar me en een schuimende klodder speeksel vloog tegen mijn trui. Er schitterde een boosaardige fonkeling in haar ogen. Stout zijn was haar manier om macht uit te oefenen. Het was haar manier om iedereen te laten zien waar ze toe in staat was om hun de vreselijke dingen betaald te zetten.

'Nee, Betsy.' Ik hees haar broekje weer op. 'Wacht maar tot we weer terug zijn.' Ze gehoorzaamde met tegenzin en we zetten onze wandeling door het bos voort. We kwamen op het pad naar de kapel waar we elke zondag liepen, voortgedreven door de verzorgers.

'Ik wil picknicken!' krijste Betsy. Ze ging op de met bladeren en twijgjes bedekte grond liggen en deed alsof ze een sandwich at. Het was de plek waar we onze laatste picknick hadden gehad en dat leek eeuwen geleden. De laatste tijd namen de verzorgers niet meer de moeite om leuke dingen met ons te doen. Sinds het tehuis een onderscheiding had gekregen en niet, zoals veel andere tehuizen, was gesloten, was het alsof de verzorgers een enorme zucht van verlichting hadden geslaakt omdat ze niet langer hun best hoefden te doen.

Ik telde de dagen tot aan het moment dat ik weg mocht. Ik was zeventien, en over niet al te lange tijd kon ik weg uit het tehuis, mijn eigen leven beginnen en werk zoeken. Desnoods zou ik op straat gaan leven. Een leven na Roecliffe had altijd onbereikbaar geleken, lichtjaren ver weg, alsof er geen andere keus was dan verdwijnen of iets ergers. Ik had al besloten dat ik Betsy mee zou nemen.

Zo snel als er nieuwe kinderen kwamen, zo snel verdwenen ze ook weer, als een fluistering – er bleef niets van ze over, afgezien van hun spulletjes in een kastje. Uiteindelijk besefte ik dat de kinderen die verdwenen niemand hadden die zich om hen bekommerde. In het weekend maakten sommige kinderen uitstapjes met hun moeder of hun grootouders. Andere kinderen logeerden soms wel een week bij een pleeggezin. Een paar keer kwam het voor dat een kind voorgoed terug mocht naar huis.

Die kinderen werden 's nachts zelden meegenomen; zij werden niet door mannen met kappen misbruikt, ze wisten niet wat het was om stokslagen te krijgen en vernederd te worden. Misschien was dat onbewust eerder tot me doorgedrongen dan ik het verstandelijk had beseft. Misschien had ik daarom wel jarenlang elk weekend uitgekeken naar de auto van mijn vader, om te bewijzen dat er iemand was die me zou missen als ik op raadselachtige wijze verdween. Dat ik geen goede keus was omdat er iemand om me gaf.

Eigenlijk geloofde ik zelf niet dat ik op mijn vader wachtte omdat ik van hem hield en hij van mij. Gedurende mijn tienerjaren waren zijn bezoekjes op de vingers van één hand te tellen. Meestal was hij dronken. Hij viel een keer in een café van zijn stoel en werd in een ambulance afgevoerd. Ik liep zeven kilometer terug naar Roecliffe, terwijl ik ook zeven kilometer de andere kant op had kunnen lopen.

Betsy gilde. Ze keek naar de kapel en plaste in haar broek. Ik tilde haar op, hijgend onder haar gewicht. Ze was groot voor een meisje van acht. Ik voelde mijn eigen trui vochtig worden. 'We gaan niet naar binnen,' zei ik tegen haar. Alle kinderen hadden een hekel aan de diensten die we er moesten bijwonen. We moesten liederen zingen en dan hield Mr. Leaby een preek waar geen eind aan kwam. Er was geen dominee of predikant, Mr. Leaby deed alles zelf, geholpen door een man uit het dorp.

'Onreine gedachten leiden vaak tot daden,' hield hij ons op een dag voor. 'Onthoud dat het lichaam onrein wordt geboren; alleen door Gods vergiffenis kunnen we het zuiveren. Zuivere gedachten leiden tot een zuiver lichaam.'

Ook hield hij een keer een relaas over een jongetje dat altijd van alles uit zijn duim zoog. 'Zo iemand noem je een fantast,' zei hij. 'Het is een zonde om verhalen op te hangen.' Mr. Leaby's gezicht was heel rood; hij zag eruit zoals mijn vader vlak voordat hij buiten westen raakte. 'Bovendien zal niemand je geloven.' Hij bleef erop hameren dat we kletspraat voor ons moesten houden en dat onze tong uit onze mond zou worden gerukt als we het waagden om zelfs maar met één woord over onze zondige gedachten te reppen.

Op een ochtend kreeg ik te horen dat mijn vader dood was. Mr. Leaby vertelde het me, en Patricia stond naast hem alsof ze naar de andere kant was overgelopen. Kennelijk was het drie weken daarvoor gebeurd en hadden ze nu pas bedacht dat ik het moest weten. Terwijl ik wachtte op mijn tranen, vertelden ze me dat er geen geld was, dat zijn spullen waren weggehaald, dat zijn bankrekening was opgeheven en dat het huis werd verkocht. Hij was nog niet definitief van Patricia gescheiden geweest, en zij was zo aardig om zijn zaken te behartigen, dus ik hoefde me nergens zorgen over te maken.

De tranen kwamen niet en ik liep langzaam terug naar de slaapzaal. Betsy zat op mijn bed en knipte haar eigen haar. Goudkleurige krullen dwarrelden omlaag. Ze giechelde. Ze had zich gesneden met de schaar en haar voorhoofd bloedde.

'Ben je verdrietig?' vroeg ze.

'Mijn vader is dood.'

'Dan ben je nu net als ik.'

Ik knikte en boog me met mijn hoofd omlaag naar haar toe zodat ze mijn haar ook kon knippen. Betsy liet de schaar vallen en sloeg haar armen stevig om me heen. 'Ik zal op je passen,' zei ze, en ik viel op het bed en snikte het uit totdat ik buiten adem was. Ik huilde niet om mijn vader. Ik huilde omdat er nu niemand meer was die me zou missen; niemand die kon voorkomen dat ze me 's nachts zouden komen halen.

44

'Voor de draad ermee,' zegt hij. Zijn adem ruikt naar sigaretten en Polo's. Sinds we terug zijn, heeft hij bijna een heel pak Golden Virginia opgerookt en twee rollen pepermunt tussen zijn tanden vermalen. Alsof hij daarmee de stank in zijn kamer kan verdrijven.

Ik loop heen en weer over de oude houten vloer als een leeuwin in een kooi. Adam staat nog steeds met zijn rug tegen de deur en hij tikt de as af in een vuil koffiekopje op een bijzettafel. 'Je gaat niet weg voordat je het hebt verteld.'

'Dan ga ik gillen,' waarschuw ik hem. Het is warm in de kamer. Het tikt en ruist in de oude verwarmingsbuizen. 'Sylvia kan me horen.'

'Ik laat je niet gaan voordat je me hebt verteld hoe het komt dat jij de voornaam van Miss Eldridge kent.' Adam heeft me doodkalm ontvoerd, maar intussen is hij nog steeds kwaad. Hij stroopt de mouwen van zijn witte overhemd op; kennelijk heeft hij het ook warm. Met zijn schouder leunt hij tegen de deur. 'Als het moet, blijf ik hier staan tot ik een ons weeg.'

Ik vloek in stilte. Ik weiger hem te laten merken dat ik aangeslagen ben. Adam moet niet denken dat hij mijn verleden kan uitpluizen om het zijne mee op te lappen.

'Oké,' zeg ik uiteindelijk. Ik heb een vaag verhaal verzonnen dat ongetwijfeld een geloofwaardige vorm zal krijgen als ik eenmaal van wal steek. De afgelopen twintig jaar ben ik er erg handig in geworden om uit een kluwen van veel te veel leugens net genoeg waarheid te spinnen. Als je maar vaak genoeg hetzelfde verhaal vertelt, wordt het vanzelf de werkelijkheid. 'Ik zal het je vertellen.'

Van pure opluchting maakt Adam zich los van de deur. Hij ploft in een rookwolk neer op het bed en wacht af.

Het zit zo, hoor ik in mijn hoofd, hoewel ik de woorden niet uitspreek. Jaren geleden heb ik iemand gekend wier tante in Kindertehuis Roecliffe had gewerkt. Dat bleek dus Miss Eldridge te zijn. Ik heb haar een keer tijdens een of andere liefdadige bijeenkomst ontmoet en...

'Adam, ik...' Mijn mond is droog. Ik ga op de bureaustoel zitten. Er ligt een bobbelig los kussen op en ik trek het onder me vandaan en houd het tegen mijn borst. Ik heb ooit eens met iemand samengewerkt die in het kindertehuis was opgegroeid. Ze heeft Patricia Eldridges naam een keer genoemd. Dat is alles. Niets sinisters.

Ik druk mijn vingers in het kussen. Mijn mond gaat open, ik hap als een goudvis naar lucht, maar er komt geen geluid uit. Ik kijk hem onafgebroken aan. Met zijn korenbloemblauwe ogen trekt hij de leugens uit me weg. Ik ben volledig in zijn ban en verdrink in de waarheid die worstelt om een stem. Ik zie zijn zusje. Hoor haar roepen, door al die jaren heen. Ik ben de schakel tussen hen tweeën. Als ik weer een verhaal ophang, zijn ze elkaar voorgoed kwijt. Ik haal heel diep adem, spreek dan in slow motion.

'Adam, mijn vader heeft me toen ik acht was naar Kindertehuis Roecliffe gestuurd. Ik heb hier tien jaar gewoond.' Een orkaan raast door me heen, reinigt, vernietigt, zuivert. Het kabaal is oorverdovend. 'Ik heb je zus gekend. Ik heb voor Betsy gezorgd. Ik was zo ongeveer haar moeder.'

Adam blijft een heel lange tijd zwijgen. Hij rookt de ene sigaret na de andere, steekt al een nieuwe op voordat de vorige op is. Zijn hoofd steunt op zijn handen, as valt op de vloer. Ik zie alle opgekropte frustratie en woede uit hem wegsijpelen door het gat dat ik net in zijn leven heb geslagen.

Ik klem het kussen krampachtig tegen mijn borst, hunkerend naar bescherming. 'Jij bent de enige die het weet.'

Hij kijkt op van het koffiekopje met peuken dat hij tussen zijn knieën klemt. Hij hoest, maar alleen omdat hij niet weet wat hij moet zeggen.

Het gaat niet langer alleen om Adam en zijn zusje. Het gaat er ook om dat ik mezelf wil kunnen zijn. Ik wil niet langer liegen over mijn verleden en in kronkels denken. Ik wil het geluid van mijn eigen hartslag kunnen horen. 'Ik moet hier weg,' flap ik eruit als ik de consequenties begin te zien. 'Ik kan niet blijven nu ik het je heb verteld.' Ik sla een hand voor mijn gezicht. Wat heb ik gedaan?

'Je gaat zeker zeggen dat je me nu moet vermoorden.' Het is een misplaatst grapje. 'Doe niet zo idioot, Frankie. Je hoeft helemaal niet weg.' Hij gaat staan, stoot het kopje met peuken omver. Hij doet een kast open. Er staan nog meer boeken in, met ertussen een zo te zien dure fles whisky en een paar glaasjes. 'Voor noodgevallen. Dit is er een.'

Dankbaar pak ik het glaasje van hem aan. Mijn hand trilt.

Hij gaat weer zitten, nog geen halve meter bij me vandaan. 'Ik weet niet wat ik moet zeggen. Ik hoop dat je dat begrijpt.'

Ik knik.

'Ik hoop dat je ook begrijpt dat ik meer wil weten. Alles.'

Ik knik opnieuw. De whisky brandt in mijn keel, smeert mijn keel. Ik heb het gevoel alsof ik mijn hele leven zal uitbraken.

'Ik wil je iets laten zien,' kondig ik aan. Ik kan geen betere manier bedenken om het verleden te illustreren; nu ben ik er nog, nu kan ik het nog doen. Hij weet niet dat ik in groot gevaar verkeer. 'Kom mee.'

Adam drukt zijn sigaret uit en zet het raam open. Ik neem hem mee naar beneden, ga hem voor door de gangen, door de eetzaal en een andere zaal, door weer andere gangen, en dan twee trappen op. Hij raakt volledig de kluts kwijt.

'Ik ben nog nooit in dit deel van het gebouw geweest,' zegt hij achter me.

'Bijna niemand komt hier. Ik ga wel eens hierheen om was op te vouwen. Het is hier rustig en er is veel ruimte.'

'En het is hier koud,' vult Adam aan.

Hij heeft gelijk. De temperatuur is aanzienlijk gedaald. Via een bruine deur komen we in een ruimte met twee hoge ramen. Tegen een van de muren staan dozen en oude spullen opgestapeld en de andere helft van de ruimte wordt in beslag genomen door de tafel die ik erheen heb gesleept om wasgoed op te vouwen. Ik heb ook een strijkplank neergezet en er staat een oude leunstoel voor als ik pauze neem.

'Tjonge, heb je hier je bivak opgeslagen?' Adams blik dwaalt door de kamer.

'Blijf eens staan,' draag ik hem op. 'Een klein eindje naar achteren.'

Hij trekt zijn wenkbrauwen op, maar doet wat ik vraag.

'Daar stond haar bed, met het hoofdeinde onder het raam. Ze vond het fijn om de ochtendzon op haar gezicht te voelen. Ze zei dat de zon haar wakker kietelde.'

Adam draait zich om en legt zijn handen tegen de muur, alsof het pleisterwerk hem met zijn zusje in contact kan brengen. 'Hier? Echt waar?' Aan zijn stem kan ik horen hoe veel het hem doet.

'Ik heb je nog heel veel te vertellen,' zeg ik. Er woedt strijd in mijn hoofd. Een stemmetje zegt: Hou je mond! Ga ervandoor nu het nog kan! Een ander beveelt dat ik moet blijven praten totdat ik uitgeput in elkaar zal zakken, totdat ik eindelijk verlost ben van alle vuiligheid die ik zo lang met me heb meegedragen. 'Kijk hier eens.' Ik ga met mijn hand op en neer over de deurpost, die in al die jaren nooit is geschilderd. Als de school gaat uitbreiden, zullen ze alles eruit slopen om grotere ruimtes te krijgen, waar meer bedden kunnen staan.

'Wat is het?' Adam kijkt naar de kerfjes in het hout.

'Dit zijn Betsy en ik. Toen ze hier kwam, was ik twaalf en zij was nog heel klein, hooguit drie of vier jaar oud. Dit vond ze zo leuk. Kijk, deze kerfjes zijn de mijne en die waren van Betsy. Zie je dat ze me bijna had ingehaald naarmate we ouder werden?'

Plotseling richt Adam zich op en hij slaat zijn armen om me heen, zo strak dat hij me bijna fijnknijpt. Zijn omhelzing druipt van dankbaarheid en een diep gevoel van verdriet. 'Frankie, ik weet niet wat ik moet zeggen,' hakkelt hij. 'Ik ben nooit meer zo dicht bij haar geweest.' Hij hurkt weer neer voor de kerfjes, strijkt met zijn vingers over het hout.

'We mochten natuurlijk geen mes hebben op de slaapzaal. Ik had er een gepikt uit de keuken.'

Hij kijkt me weer aan. 'Dit is ontzagwekkend. Het is zo belangrijk voor me dat je me deze dingen vertelt, je hebt geen idee. Alleen weet ik niet wat we nu moeten doen.'

'We kunnen niets doen, Adam. Het is voorbij. Het is weg.' Ik denk aan al het andere in mijn leven dat ook weg is en vraag me af in hoeverre ik Adam daarbij moet betrekken. 'Het is verleden tijd.'

'Maar je wil me toch wel alles over haar vertellen, hè?' vraagt hij geschrokken. 'Je kunt me niet een kluif voorhouden en die dan weer wegtrekken.'

'Het is geen kluif, Adam. Het is de waarheid. Het valt me heel zwaar om erover te praten. Ik begrijp zelfs niet dat ik je deze dingen heb verteld.' Dan besef ik dat ik het heb gedaan omdat ik hem graag mag. Omdat ik hem heel graag mag. Maar dat zeg ik niet tegen hem.

Hij fronst niet-begrijpend zijn wenkbrauwen, maar zijn aandacht is nog bij Betsy. 'Ik ga het allemaal opnemen en ik maak aantekeningen. Ik moet vragen voorbereiden zodat ik je kan interviewen en...'

'Adam, hou maar op. Zo gaan we het niet doen.' Mijn hand gaat omhoog om mijn haar in een knoop te leggen – een automatisme als ik gestrest ben – en voor de zoveelste keer stel ik vast dat het er niet meer is. 'Ik heb tegen je gezegd dat ik hier niet kan blijven. Dat is geen grapje, ik meende het. Er zijn dingen die je niet van me weet. Niet wílt weten. Ik zal je helpen, echt waar, maar het gaat op mijn voorwaarden. En ik wil graag lezen wat je tot nu toe hebt geschreven.'

Adam knikt heftig. 'Natuurlijk.' Hij weegt de voors en tegens af, maar de informatie is te belangrijk voor hem. Hij moet deze kans met beide handen aangrijpen. 'Kom maar mee,' zegt hij bijna plechtig, 'dan geef ik je nu meteen mijn computer.'

Ik ben in mijn eigen kamer en Adams laptop rust op mijn benen. Hij heeft me de computer overhandigd alsof het zijn eerstgeboren kind was en uitgelegd hoe ik het bestand kan vinden. Maar eerst moet ik iets anders doen. Ik maak verbinding met internet en meld me aan bij Afterlife. Ik heb een hele lijst berichten.

Het eerste bericht vraagt wanneer ik weer online ben. Een uur later heeft dramaqueen-jojo me nog een berichtje gestuurd. De berichten volgen elkaar met regelmatige tussenpozen op. Telkens kijkt ze of haar oude vriendin Amanda al online is en elke keer laat ze een opmerking achter. Dan klik ik op de link die me vertelt dat ze me bonbons heeft gestuurd. *Thx, Mand. Ik ben zo blij dat je me begrijpt*, staat er op het virtuele kaartje.

Ik begin een antwoord te typen om haar te vertellen dat ik de rest van de avond online zal zijn, maar dan besef ik dat het erg laat is en dat ze waarschijnlijk al in bed ligt. Terwijl ik aan het typen ben, licht haar icoontje op en verschijnt er een venster met een bericht.

-*mand, eindelijk*

-*hoi*, typ ik nadat ik het andere bericht heb gewist. *Hoest?*

-*lol ik leef nog. jij?*

-*ik leef nog*, zeg ik. Was het maar waar, denk ik in stilte. Gelukkig zijn kinderen veerkrachtig.

-*keb gedaan wat je zei. ben naar de dokter geweest*

-*goed van je, josie!*

-*jojo*, corrigeert ze me. *kben nu jojo.* Ze wil kennelijk afrekenen met haar oude ik.

-*wat zeidie?*

-*kmoet naar een psy. allemaal dankzij haar*

-*dankzij wie?*

-*wie denk je? mn moeder*

Mijn vingers bevriezen en hangen bevend boven de toetsen. Ik kan niets zeggen om haar verdriet weg te nemen.

-*hoest met je pa?*

-*bezeten*

-*waarvan?*

-*die man blijft komen*

-*welke man?*

-*een type dat werk van mn vader koopt. hij heeft rust nodig*

-*leg s uit.* O, hemel, dat kan toch niet waar zijn?

-*hij maakt massa's stomme schilderijen voor die kerel*

-*kunnen jij en je pa er niet een tijdje tussenuit?*

-*laat me niet lachen*

-waarom niet? vraag ik.

-pa zegt dat-ie grote schulden moet afbetalen

Ik frons mijn wenkbrauwen. Ik begrijp het niet.

-Josie, luister goed naar me. Jij en je vader moeten een tijdje weg. Zeg tegen hem dat hij een huisje aan zee moet huren. In een leuke plaats. Daar kan hij werken. Het zal jullie allebei goed doen

-wat lul jij nou?

Ik vind het vreselijk van mezelf dat ik me er zelfs van een afstand nog mee probeer te bemoeien, dat ik blijf proberen om invloed uit te oefenen op het leven van twee mensen die ik zo veel verdriet heb gedaan. Snel verzin ik een leugen.

-dat hebben mn pa en ik gedaan toen mn moeder doodging. pa heeft 6 maanden vrij genomen van zn werk. we zijn weggegaan met z'n 2en. het hielp voor ons verdriet. voor jou misschien ook

-zo is mn pa niet. hij praat bijna niet meer. ik wil t liefst weglopen

'Ja,' zeg ik hardop, 'loop zo snel mogelijk weg. Maar neem je vader alsjeblieft mee.' Maar ze kan me niet horen. Ik hoop dat het niet allemaal voor niets is geweest.

-kan ik bij jou komen wonen? vraagt ze.

Dan zou alles weer goed zijn, denk ik. Toch dwing ik mezelf om iets heel anders te zeggen.

-nee

45

Later, toen Nina alleen was, besefte ze dat ze iets moest doen. Het zou nooit meer ophouden. Hij had Josie bedreigd! Dat soort mensen veranderden niet door twintig jaar achter de tralies te zitten.

Josie lag veilig in bed. Mick was uiteraard aan het werk. Hij had gezegd dat ze het niet begreep, dat ze het nóóit zou begrijpen. Ze had hetzelfde tegen hem willen zeggen. Ze was naar het atelier gegaan om sorry te zeggen, maar de deur zat op slot. 'Ik ben zo klaar,' had hij door de dichte deur heen geroepen. Dat was uren geleden.

Nina ging naar de slaapkamer en pakte de telefoon. In de bellijst zocht ze het nummer van Jane Shelley. Als ik haar alles vertel, redeneerde ze, namen, data en feiten, moet ze mijn telefoontje invoeren in het systeem. De computer kan misschien een verband leggen tussen de namen van de mensen die bij de zaak betrokken waren en de persoon die ik zoek. 'Vertrouw niemand,' had Mark gezegd. 'Het zijn er misschien meer...' Hoe, vroeg ze zich af, heb ik Mark durven vertrouwen?

Destijds had Nina niet kunnen bevatten hoe wijdvertakt het netwerk was geweest dat door de politie was opgerold. Er waren in het hele land arrestaties verricht en mensen van hoog tot laag veroordeeld – politie, leraren, rechters, vaders, artsen en broers. Als ze het wel had geweten, had ze misschien nooit iets durven zeggen.

'Hallo?' Het kleine stemmetje kwam uit de telefoon op haar schoot. Ze had niet beseft dat ze Shelleys nummer had gebeld. 'Hallo?'

Ze bracht de telefoon naar haar oor. 'Je spreekt met Nina,' zei ze zacht, 'Nina Kennedy.'

Even bleef het stil. 'Hallo, Nina. Wat kan ik voor je doen?' Shelley vroeg het rustig en geduldig; een professionele manier om Nina zover te krijgen dat ze alles zou vertellen, dat ze zich in de veilige arm der wet zou storten – alleen kon ze er niet zeker van zijn dat die arm haar niet zou wurgen.

'Ik wilde advies vragen.'

'Ga je gang.'

'Bescherming,' hakkelde ze.

'Ja?'

'Is er een speciale afdeling voor dat soort dingen?'

Jane Shelley slaakte een hoorbare zucht van verlichting. 'Natuurlijk, Nina. Daar zijn we voor.'

Eindelijk had Nina het gevoel dat ze ergens kwam. 'Ik heb eerder bescherming gehad. Lang geleden. Ik was in gevaar. Ik heb hulp gehad om te verhuizen.'

'Was dat met je huidige man?'

'Wat?' zei Nina.

'Was dat vanwege je huidige partner of ging het om iemand anders?'

'Waar heb je het over?' vroeg Nina gespannen.

'De mishandeling, Nina. Je kunt niet met die schaamte blijven leven. Ik ben zo blij dat je de eerste stap hebt gezet.'

'Nee, nee, je begrijpt het niet.'

'Ik begrijp het maar al te goed,' suste Shelley. 'Ik stuur iemand naar je toe. Iemand die erin is getraind om je te helpen en plannen te maken voor de volgende stap...'

'Nee, ik wil niet dat je iemand stuurt! Hij vermoordt me!' De gedachte bezorgde haar hartkloppingen.

'Dan moet je bij ons komen. Zullen we een afspraak maken...'

'Nee, ik wil geen afspraak maken. Ik had niet moeten bellen. Registreer dit gesprek alsjeblieft niet. Doe alsof ik niet heb gebeld.' Nina's handen trilden zo dat het haar moeite kostte om de verbinding te verbreken. Ze begroef haar hoofd in haar handen en huilde.

Ethan Reacher was een oude man. Hij was pas opgehouden met werken toen hij er fysiek niet langer toe in staat was. Zelfs nu hij dik in de tachtig was, vroegen de grote studio's hem nog steeds regelmatig om adviezen. Sinds de dag dat hij en Nina elkaar tijdens de workshop hadden ontmoet, had hij altijd een zwak voor haar gehouden. Dat leek nu een eeuwigheid geleden. Toen ze na een jaar hard werken met mooie cijfers was afgestudeerd, had ze contact met hem opgenomen, en hij had ervoor gezorgd dat ze naam had gemaakt. Voor diverse films had hij haar uitgenodigd om met hem en zijn team samen te werken.

'Met mijn naam op je cv zit je nooit zonder werk,' zei hij. En dat was ook zo. Nina's reputatie dreef op haar connectie met Reacher. Ze had hem altijd kunnen bellen als ze advies nodig had. Dit keer reed Nina echter helemaal naar Londen omdat ze hem persoonlijk wilde spreken. Ze zette Josie en Nat af bij een nabijgelegen bioscoopcomplex en drukte de meisjes op het hart dat ze het niet mochten verlaten. Ze wist zeker dat ze niet was gevolgd. Ze kon ongestoord met Reacher praten.

'Zo te horen is het een sentimentele zwijmelfilm,' snoof hij.

'Nee, echt, het wordt echt mooi.' Nina wist dat ze niet enthousiast klonk over de film waar ze zogenaamd aan ging werken. 'Ze hebben een groot budget, genoeg voor een prima cast. Het script is al klaar.'

Reacher reed in zijn rolstoel naar de koelkast. Hij haalde er een pak melk uit en hield het omhoog naar Nina. 'Wil je ook?'

Ze schudde haar hoofd en keek toe terwijl Ethan zichzelf een groot glas melk inschonk en het achter elkaar leegdronk.

'Ze hebben gezegd dat vet slecht voor me is.'

'Waarom drink je dan volle melk?'

'Om het proces te bespoedigen. Denk je dat ik het leuk vind om zo te leven?' Hij drukte op een knopje en de rolstoel zoefde de keuken uit. 'Het is al zo vaak gedaan,' verzuchtte hij, 'maar ze blijven het herhalen tot op de dag van mijn dood.'

Dat zal op deze manier niet lang meer duren, dacht Nina triest. Reacher hoestte terwijl hij zijn enorme verzameling dvd's bekeek. 'Daar staat *Leap*,' zei hij wijzend. 'Pak die eens. Er zit een scène in die ik je wil laten zien.'

Nina bekeek het doosje. Het bleek een lowbudgetfilm te zijn, de verfilming van een onbekende roman.

'Daar. Zie je het?'

Nina schudde haar hoofd.

'Mijn naam. "Adviezen special effects: Ethan Reacher". Hij deed de dvd in het apparaat en gebruikte de afstandsbediening om een bepaalde scène te zoeken. 'Ik heb die smeerlappen voor de rechter gesleept,' vervolgde hij met een zwaar Amerikaans accent. 'Het enige advies dat ik ze heb gegeven, was om de hele scène weg te laten als ze het niet behoorlijk konden doen. Als je geen stuntman hebt voor een zelfmoordscène, moet je uitgaan van *less is more*.'

'Er komt geen stuntvrouw in die film van mij,' zei ze ernstig. 'De eh... actrice staat erop om het zelf te doen.'

'Een vrouw?' Reachers belangstelling was gewekt. 'Een brug, zeg je? Hoe hoog?'

Nina slikte. 'Ongeveer vijfenzeventig meter. Misschien iets hoger.'

Reacher bulderde van het lachen. 'Je neemt me in de maling, hè?' Nina schudde haar hoofd. 'In dat geval wil ik bij de première een plaats op de eerste rij. Dat wordt een kaskraker.'

Hij drukte op play en nam de scène uitgebreid met Nina door. Hij zette de film een paar keer stil of ging terug, en illustreerde zorgvuldig wat je vooral níét moest doen als je wilde dat een zelfmoordsprong overtuigend overkwam. 'Deze cut is helemaal verkeerd. Heb je gemerkt dat de aandacht op het cruciale moment wordt afgeleid? Dat de blik naar de auto wordt getrokken, in plaats van naar het lichaam? Het shot met die auto had later moeten komen.'

'Maar kun je me vertellen hoe de stunt wordt gedaan, wat voor spullen je nodig hebt, waar je rekening mee moet houden?' drong Nina aan. Ze was niet gekomen om te leren hoe je het niet moest doen, of hoe je het moest filmen. 'Hoe kan de actrice deze stunt uitvoeren zonder dat ze écht doodgaat?'

Weer lachte Reacher luid, zijn handelsmerk, maar hij werd meteen weer serieus, en Nina wachtte gespannen op het pareltje van kennis dat ze nodig had om dit te laten slagen. 'De enige écht overtuigende zelfmoorden in deze business, Nina schat, zijn de echte.'

46

De laatste keer dat ik Betsy levend zag, was het alsof ze lentekriebels had. Zelfs al was het november, zelfs al stond er een snijdende wind die dwars door je kleren heen blies, zelfs al was er helemaal niets om naar uit te kijken, toch sprankelde ze van nieuw leven, als de ontluikende knop van een voorjaarsbloem. Betsy's blijdschap had alles te maken met een oude piano. Ik had hem gevonden in een kamer waar oude spullen waren opgeslagen, en Patricia overgehaald om hem door een paar sterke mannen naar de zitkamer te laten slepen.

'Dan heeft ze tenminste iets te doen,' betoogde ik.

'Ze zal me gek maken, bedoel je,' protesteerde ze.

'We kunnen met z'n allen liedjes zingen.'

'Niemand kan pianospelen.'

'Dat kunnen we toch leren,' zei ik.

'Alsof jij het geduld hebt om te oefenen.'

Ik liep weg, maar ik was vastbesloten om de piano naar de zitkamer te krijgen, al moest ik hem er zelf naartoe duwen. Ik wist dat Betsy ermee in de wolken zou zijn, en dat was ook zo. Na lang aandringen kreeg ik het eindelijk voor elkaar. Zodra Ted en zijn maat het stoffige ding zuchtend en vloekend op zijn plaats hadden gezet, begon Betsy aandachtig de toetsen uit te proberen, luisterend naar elke klank.

In het begin kwamen er de meest vreselijke geluiden uit die piano, maar Betsy zat met engelengeduld op een te lage eetkamerstoel, haar gekromde vingers op de vergeelde ivoren toetsen, en geleidelijk begonnen er simpele wijsjes te ontstaan. Wonderlijke vertolkingen van 'Mary Had a Little Lamb' en 'Oranges and Lemons' zweefden door de kamer. En een merkwaardig trieste versie van 'Happy Birthday' in mineur. Betsy wist dat ik over een week achttien zou worden, en ze wist ook dat ik binnenkort weg zou gaan. Wat dat betekende kon ze niet bevatten en ze had er geen idee van dat ik haar mee zou nemen. Het was ondenkbaar om haar achter te laten. Wie zou haar dan 's ochtends troosten?

Ik had geen idee waar we naartoe zouden gaan. Ik ging ervan uit dat ze me op straat zouden schoppen zodra de gemeente ophield voor me te betalen. Als ik geluk had, zouden ze me het adres van een pension geven en misschien een paar pond voor de bus, zouden ze me uitleggen waar het arbeidsbureau was. Hoe dan ook, Betsy en ik zouden samen een nieuw leven beginnen.

'Happy birthday... dear Aaava...' Betsy's broze stem zong een andere melodie dan die ze speelde. 'Happy birthday to you!' besloot ze triomfantelijk.

Iedereen klapte toen ze klaar was. Ze draaide zich om, stomverbaasd over haar eigen prestatie. Ze glimlachte aarzelend en grijnsde toen haar tanden bloot. Het was puur geluk, oprecht en onverwacht.

Toen ik de kamer verliet, sloeg zij innig tevreden elke toets van het klavier aan, van hoog naar laag. Er kwam niet altijd geluid uit en bijna elke noot was vals. Ik was weggestuurd om hout te halen voor de grote open haard. In de winter zaten we meestal in de gemeenschappelijke zitkamer als we van de bushalte naar het tehuis waren gelopen, zo dicht mogelijk bij de haard, en keken we naar kinderprogramma's op tv. Ik was de enige die doorleerde voor het eindexamen. Ik was van plan iets van mijn leven te maken.

Ik sleepte de grote mand de trap af naar de kelder. In het hok waar ik meestal hout haalde, lagen slechts twijgjes en stukken schors die alleen geschikt waren als aanmaakhout. Ik liep door naar een andere kelderkamer, op zoek naar de nieuwe voorraad. Het plafond was zo laag dat ik mijn kin tegen mijn borst moest drukken.

Toen ik bij de volgende donkere ruimte kwam, hoorde ik stemmen boven mijn hoofd. Ik keek tussen twee balken omhoog en streek de spinnenwebben uit mijn gezicht. Ik kon smalle streepjes licht zien die tussen de vloerdelen door schenen. Ik bevond me pal onder een kamer waar twee mannen met elkaar in gesprek waren.

'Het is allemaal klaar...' hoorde ik de een zeggen.

'Ik zal het aan de anderen doorgeven,' zei de ander.

In gedachten probeerde ik te bedenken welke kamer het was. Het was verwarrend, maar ik kwam tot de conclusie dat ik vermoedelijk onder het kantoor van Mr. Leaby stond, hoewel ik de stemmen boven mijn hoofd niet herkende. En dat terwijl ik de barse stem van Mr. Leaby natuurlijk maar al te goed kende van de zondagse preken. Ik wist niet wie die twee mannen waren, maar het maakte toch niet uit. Het was in het tehuis een komen en gaan van mannen, mannen die door de gangen slopen en naar ons gluurden. Mijn knieën begonnen altijd te knikken als ik zo'n griezel tegenkwam.

Luide voetstappen maakten het onmogelijk om te verstaan wat er verder werd gezegd. Het was ijskoud in de kelder. Ik wilde de mand vullen en dan weer lekker bij het vuur kruipen. Ik glimlachte bij mezelf toen ik aan Betsy en haar pianospel dacht. Had ik die piano maar eerder ontdekt. Ik wilde haar gelukkig maken.

'Tot straks,' zei de eerste stem. 'Zorg dat je op tijd bent.' Er viel een deur dicht en daarna hoorde ik niets meer.

Betsy was verkouden. Patricia vond het allang best dat ik voor haar zorgde, vooral 's nachts. Voor het slapengaan wilde ik haar een warme citroengrog met honing te drinken geven, alleen was er geen honing in de keuken. Ik behielp me met sinaasappelsap met suiker en een kneepje uit zo'n plastic citroen. Dat warmde ik op en ik liet Betsy op mijn schoot zitten terwijl ze het opdronk. Ze trok een vies gezicht omdat het drankje zo zuur was.

'Opdrinken,' zei ik streng. 'Het maakt je beter.'

'Komen ze me dan niet meer halen?' vroeg ze.

Mijn schouders zakten omlaag en ik deed mijn ogen dicht. Ik probeerde de hele nacht wakker te blijven om haar te beschermen, echt waar. Om de paar minuten schoot ik in paniek overeind en voelde ik naast me, of mijn hand ging, als ze flink genoeg was om in haar eigen bed te slapen, naar de matras naast de mijne op zoek naar haar warme lichaam. Als mijn hand op haar lag, kon ik me even ontspannen. Ik heb zelfs een keer haar pols met een riem aan de mijne vastgemaakt, maar de volgende ochtend lag de riem in tweeen gesneden op de vloer. Betsy lag verkeerd om in bed, zonder pyja-mabroek, en ze had knalrode striemen op haar dijen.

'Misschien wel,' zei ik.

'Als ik lief ben, komen ze me dan niet meer halen?'

Ik hield een zakdoek tegen haar neus en ze snoot.

'Je bént lief,' zei ik.

'Maar jij wordt nooit meegenomen. Het is niet eerlijk.'

Ze had gelijk. Het was niet eerlijk. 'Mij vinden ze niet leuk,' zei ik. 'Ik ben niet zo schattig als jij. Ik ben te groot.'

'Namen ze je wel mee toen je nog niet groot was?' vroeg ze.

Ik knikte. Allemachtig, wat voelde ik me schuldig. Wat had die man ook alweer gezegd? 'Deze hoeven jullie niet meer te brengen. Wat een lastig wicht.'

Betsy nestelde zich op mijn schoot, als een jong poesje dat tegen haar moeder aan kruipt. Toen ze eenmaal sliep, droeg ik haar met veel moeite naar haar eigen bed. Ik vouwde mijn hoofdkussen dub-bel en ging met mijn rug tegen de muur naast haar op bed zitten, terwijl Betsy zich uitstrekte. Ik vocht tegen de slaap en bleef haar hand vasthouden. Door haar verstopte neus haalde ze onregelmatig adem. Ik streek over haar haar en drukte kusjes op haar voorhoofd. Elke keer dat ik de houten vloer hoorde kraken, elke keer dat er een tak tegen het hoge raam van onze slaapzaal sloeg, elke keer dat ik geluiden hoorde in de slaapzaal van de jongens, stond mijn hart even stil en trok ik haar geschrokken tegen me aan.

Diep in de nacht werd ik wakker. Ik kon me niet herinneren dat ik in slaap was gevallen, maar kennelijk was dat wel zo, want zij was weggehaald uit de holte van mijn elleboog. Door de half openstaan-de deur viel een baan licht uit de gang op het bed, het lege bed. In het schijnsel zag ik het gekreukelde laken waar ze net nog op had gelegen.

Ik ging er met mijn hand overheen, gewoon om zeker te weten dat ik het me niet verbeeldde. Het nylon beddengoed kraakte van de statische elektriciteit. Ik kon Betsy's warmte nog voelen. Ze kon nog niet lang weg zijn.

Als een speer schoot ik overeind. Wind en regen sloegen tegen het raam boven de bedden. Ik trok mijn spijkerbroek en een trui aan. Mijn nachtjapon slobberde rond mijn dijen. Voor schoenen had ik geen tijd. Ik moest en zou Betsy vinden. Dit keer zouden ze haar niets aandoen, niet nu we bijna weggingen.

Voordat ik wegsloop van de zaal, waar de andere meisjes rustig lagen te slapen, keek ik om naar de plek waar ik Betsy het laatst had gezien. Vluchtig streek ik met mijn hand over haar hoofdkussen en toen ging ik op zoek naar het meisje dat mijn leven de moeite waard had gemaakt.

47

Hij slaat de plank helemaal mis. Adam beschrijft het tehuis alsof het een vakantiekolonie was. Schone jurken en witte sokjes, uitstapjes naar het strand en weekeinden met ouders die niet bestonden.

Roecliffe Hall, een kindertehuis dat wegens uitzonderlijke prestaties werd onderscheiden, werd aan het eind van de jaren veertig van de vorige eeuw voor honderden kinderen een toevluchtsoord. Na de Tweede Wereldoorlog werd Engeland overstelpt door wezen en onge-wenste zwangerschappen. Kindertehuizen raakten overvol en werden slecht geleid, maar één instelling vormde daarop een uitzondering. Het grote victoriaanse landhuis Roecliffe Hall, dat aan het begin van de negentiende eeuw werd gebouwd, had bijna tien jaar leeggestaan voordat West Riding County Council het overnam en verbouwde om er verweesde kinderen op te vangen. Daar kregen ze de liefde die ze zo hard nodig hadden.

'De liefde die ze zo hard nodig hadden,' snuif ik verontwaardigd. 'Hij weet niet waar hij het over heeft.' Adam gebruikt een journalis-tieke stijl die ik vreselijk vind. Ik lees zo snel ik kan, zonder een woord te missen, en neem nauwelijks de tijd om de flauwekul die hij heeft opgeschreven tot me te laten doordringen.

Kindertehuis Roecliffe Hall kon bogen op een toegewijd en goed opge-leid team van verzorgers. De vernieuwende manier van werken had een zeer gunstig effect op de kinderen, met name in de latere jaren van het bestaan van het tehuis. Onder de bezielende leiding van directeur Reginald Leaby werd het tehuis met succes bekroond...

Alleen de gedachte aan Adams boosheid weerhoudt me ervan om zijn stomme computer uit het raam te smijten. Als hij wéét dat dit monster betrokken was bij de moord op zijn zus, waarom geeft hij dan zo'n positieve beschrijving van het tehuis?

Ik zet de computer op het bed en ga voor het raam staan. Ik kijk uit over de boomtoppen. Als ik zo stom zou zijn om uit dit hoge raam te springen, zou ik alle botten in mijn lichaam breken. Ik ben duizelig en misselijk – niet alleen door de hoogte – en ga aan de kleine toilettafel zitten. Ik heb geen zin om verder te lezen. Ik staar naar mezelf in de verweerde spiegel. Een vreemde kijkt terug.

Het litteken op mijn wang vormt een dikke rode streep. Nu ziet het er erger uit dan toen het net was gebeurd. Je denkt aan een messteek, een krab van een wilde kat, een auto-ongeluk of een mislukte operatie. Ik voel eraan met mijn vinger, en het valt me op dat mijn wangen zijn ingevallen en dat mijn ogen, met askleurige kringen eronder, dieper in de kassen liggen dan vroeger. Ik zie er vreselijk slecht uit. Een volwassen versie van het kind dat hier ooit heeft gewoond. Een vrouw zonder familie. Een volwassen wees.

Zuchtend ga ik weer op het bed zitten en ik dwing mezelf om door Adams boek te scrollen. Aan het aantal pagina's kan ik zien dat het eerder een lang essay is dan een boek. Het is duidelijk dat het hem veel moeite kost om aan informatie te komen. Ik stel me voor dat hij heeft geschreven, herschreven en gefrustreerd passages heeft moeten wissen. Hoe zou iemand een verhaal als dit goed op kunnen schrijven, zelfs als hij of zij wel alle feiten kende? Een paar pagina's voor het einde begin ik weer te lezen.

Niemand weet wat vier mannen ertoe heeft gebracht om een onschuldig meisje van negen van het leven te beroven. Nadat haar lichaam was gevonden, bleek dat er al minstens achttien andere kinderen in het tehuis waren vermoord. Uit forensisch onderzoek, getuigenverhoren en bekentenissen van de schuldigen is vast komen te staan dat de kinderen in het tehuis jarenlang waren vernederd, gemarteld en seksueel misbruikt. De mensen bij wie de kinderen zich veilig hadden moeten voelen, hebben van hun leven een hel gemaakt.

Patricia en Miss Maddocks hebben zo goed mogelijk voor ons gezorgd, maar het wil er bij mij niet in dat ze niet wisten wat er gebeurde. Ik heb nooit een seconde gedacht dat Patricia niets wist van de bedoelingen van de kok als ik bij hem langskwam in de keuken. Ik ben zelfs een keer uit het raam geklommen om aan zijn handen te ontkomen. Ik denk terug aan de ijsjes waar hij me mee naar zijn keuken lokte. Dat hij me neerzette op het aanrecht en zijn lichaam dan tussen mijn bungelende benen wurmde om zijn geslacht tegen me aan te drukken. Destijds had ik het niet zo erg gevonden; ik probeerde gehoorzaam te zijn, en ik hunkerde naar aandacht, naar een beetje liefde. De ijsjes waren een bonus.

Er wordt geklopt. Snel klap ik de laptop dicht. 'Wie is daar?' Ik druk mijn oor tegen de deur.

'Frankie, ik ben het. Ik heb mijn computer nodig.' Adam zegt het op een toon alsof het dringend is.

Hij is de laatste persoon die ik op dit moment wil zien. 'Maar ik ben nog niet klaar.'

'Frankie, doe gewoon even open.'

Met tegenzin draai ik de grote sleutel om. Adam rammelt al aan de koperen deurknop voordat er een klikje klinkt en hij duwt de deur open.

'Wat is...' Ik val stil. Adams blik gaat door mijn kamer om dan, alsof zijn nieuwsgierigheid eindelijk is bevredigd, op de donkere klep van zijn laptop te blijven rusten.

'Het is nog lang niet af,' zegt hij. Hij pakt de laptop en steekt hem onder zijn arm. 'Ik moet met meer mensen praten. Er zijn dingen die ik grondiger moet uitzoeken. Er ontbreekt nog zoveel.' Hij schudt bedremmeld zijn hoofd, loopt nerveus heen en weer.

'Ik kan je helpen,' bied ik aan. 'Als je wilt.'

Hij laat zich op de kruk voor de toilettafel zakken. 'Je hebt niet de echte kladversie gelezen,' bekent hij. Ik frons mijn wenkbrauwen. 'Ik heb je de versie gegeven die ik schrijf als ik afstand wil nemen, alsof ik nooit Betsy's broer ben geweest, alsof we nooit dezelfde ouders hebben gehad, alsof er nooit een bloedband heeft bestaan.'

'Er zijn dus twee versies?' vraag ik verward.

'Ja.'
'Van hetzelfde verhaal?'
Hij knikt.
'Mag ik de echte dan lezen?'

48

Nina had tweeënhalf uur in de auto op Josie zitten wachten. Verbeeldde ze het zich, of was er echt een schimmige figuur de trap op gelopen en door de artiesteningang naar binnen gegaan? Was het hem echt? Of hield haar gekwelde geest haar voor de gek?

Ze klapte de zonneklep omhoog en tuurde naar de oude bakstenen van het gebouw, de verf en de metalen trapleuning, alsof hij een smerig spoor had nagelaten. Bij wijze van afleiding had ze allerlei mensen gebeld in verband met haar werk terwijl ze wachtte tot Josie klaar zou zijn met de repetitie. Ze peinsde er niet over om haar alleen te laten in het theater.

Ze smeet haar blocnote op de passagiersstoel. Door te praten als Brugman, en met hulp van Tess, was het haar gelukt om de producer van *Grease* voorlopig gerust te stellen. Haar benen trilden toen ze uit de auto stapte. Ze moest Josie weghalen uit het theater.

Nina keek op haar horloge. Het was tien over half twaalf. Josies eerste repetitie voor *Chicago* zou om twaalf uur afgelopen zijn. Waarschijnlijk zou ze haar dochter aantreffen in de artiestenfoyer, opgewonden pratend met de rest van de cast over het verloop van de repetitie. Ze durfde te zweren dat ze hem naar binnen had zien gaan – of toch niet? Nu zou hij zich ergens schuilhouden en zijn kans afwachten. Met knikkende knieën liep ze naar het gebouw.

Het theater was haar even vertrouwd als haar eigen huis. Nina trok de deur van de artiesteningang open en volgde de donkere gang naar het hart van het gebouw. Haar benen leken wel gewichtloos, bijna niet in staat om haar lichaam te dragen. In de verte hoorde ze het geroezemoes van jonge stemmen, acteurs en actrices in de dop, bruisend van enthousiasme. Bij de deur bleef ze staan luisteren.

Josie had zich de hele zomervakantie op het begin van de repetities verheugd. De show zou een doorbraak voor haar kunnen betekenen. Het was dan ook niet verwonderlijk dat ze volkomen in elkaar was gestort toen Nina haar nog geen vierentwintig uur geleden om onverklaarbare redenen had verboden om de hoofdrol in de nieuwe productie te gaan spelen. Nina had geëist dat ze wegging bij het gezelschap, en daar als enige reden voor had aangevoerd dat er 'dingen' waren veranderd.

'Mama, alsjeblíéft, doe me dit niet aan. Alleen als ik acteer heb ik het gevoel dat ik mezelf kan zijn.' Zittend op de vloer van haar slaapkamer, van achter een gordijn van verwarde haren en tranen, had Josie haar moeder gesmeekt om geen einde te maken aan haar grootste droom. 'Weet je wel hoe hard ik ervoor heb gewerkt? Hoe lang ik op een rol als deze heb moeten wachten?' Ze was wanhopig geweest en had net zo lang gebeden en gesmeekt totdat Nina door de knieën was gegaan.

'Ik begrijp het gewoon niet, mam,' zei Josie, nog snikkend van de schrik. Behoedzaam was ze bij haar moeder vandaan geschoven, met ingehouden adem, als de dood dat ze zich weer zou bedenken. Ze schuifelde naar de badkamer om bij te komen van haar uitbarsting en vroeg zich af of haar moeder om de een of andere reden was ingestort. Of was het gewoon een midlifecrisis, waar vriendinnen wel eens over vertelden? Hoe dan ook, het was zo ongebruikelijk dat het gewoon eng was. Haar vader was ook al gek geworden; opeens mocht er niemand meer in zijn atelier komen. Alleen, verward, geschrokken, had Josie troost gezocht bij Afterlife.

Nina stormde de artiestenfoyer binnen, met het schrikbeeld voor ogen dat Josie door Burnett tegen de muur werd gepind.

'Mam!' riep Josie uit. Iemand grinnikte. 'Wat doe je hier? We zijn nog niet klaar.' Josies verontwaardigde gezicht en de verwilderde blik in haar moeders ogen veroorzaakten grote pret bij de tieners van de cast. Josie keerde haar moeder de rug toe en deed alsof ze iets zocht in haar tas.

'Mammie is er,' grapte iemand.

'Ga maar snel, het is al bijna twaalf uur!' zei iemand anders. Weer werd er geproest.

'Josie, het is tijd om te gaan.' Nina's blik schoot heen en weer tussen de andere meisjes, die bezig waren hun spullen bij elkaar te zoeken. Hij was hier ergens, ze was ervan overtuigd, hij hield zich schuil, lag op de loer, wachtte geduldig op het juiste moment om toe te slaan. Ze kon Burnetts aanwezigheid rúíken. Zweet parelde op haar voorhoofd en haar bovenlip, het liep omlaag langs haar rug. Ze voelde zich lichamelijk ziek.

'Josie, we gaan nú weg.' Ze was zich ervan bewust dat Josie een gezicht had als een donderwolk, dat ze zo rood was geworden als een boei en met een driftig gebaar haar tas over haar schouder gooide. Gelach en snedige opmerkingen begeleidden het vroegtijdige vertrek van de hoofdrolspeelster.

'Ik... ik moet naar de tandarts,' zei Josie tegen haar vriendinnen.

Eenmaal op de gang zette Nina het op een drafje. 'Schiet eens een beetje op.' Ze trok Josie aan haar arm mee. Bij de deur naar buiten bleef Nina staan, hijgend van angst en uitputting. Ze keek Josie aan, zag de ongelovige uitdrukking in haar ogen, zag de kloof tussen haar en haar dochter groter worden. Nina had gezworen dat er nooit afstand tussen hen zou zijn, zoals tussen andere moeders en tieners. Hun relatie zou anders zijn, gebaseerd op vertrouwen, trouw, respect en communicatie. De laatste paar dagen had Nina er zelf voor gezorgd dat er een diepe scheur was ontstaan in de grond waar hun leven op was gebouwd; ze had de normen en waarden die ze altijd zo belangrijk had gevonden met voeten getreden.

'Mam, wat...'

'Je begrijpt het niet.' Nina legde haar handen op Josies schouders. Ze rammelde haar eerst door elkaar en trok haar toen in een pijnlijke omhelzing tegen zich aan. Daarna deed ze de deur open.

'Mam, wat heb je toch? Ik ga papa bellen.' Josie grabbelde naar haar telefoon. Haar moeder had meer hulp nodig dan zij kon geven. Josie had nog nooit meegemaakt dat ze zich zo raar gedroeg, en het maakte haar bang. Ze belde naar huis, maar al voordat de telefoon overging, trok Nina het mobieltje uit haar hand en ze klapte het dicht.

'We moeten hier weg,' zei ze heftig, knipperend tegen het zonlicht. Ze zocht de straat af naar Burnett, er al half en half van overtuigd dat ze zijn hoekige lichaam over haar auto gebogen zou zien, bezig om de remmen onklaar te maken of een zelfgemaakte bom onder haar stoel te leggen. Schimmen dansten voor haar ogen, zodat ze begon te geloven dat hij er echt was, echt met haar auto knoeide, naadloos haar leven binnendrong alsof hij nooit was weggeweest.

'Stap in de auto,' beval ze.

Josie deed het aarzelend. De paniek sloeg over van moeder op dochter. Ze trok de gordel naar zich toe en klikte hem vast, terwijl haar moeder met een woest gebaar schakelde. 'Mam, hou op. Je maakt me bang.'

Nina moest Josie in veiligheid brengen. Haar handen lagen krampachtig rond het stuur en haar voeten trilden op de pedalen. Ze reed zo hard achteruit dat ze tegen een muur knalde, gaf een ruk aan het stuur, schakelde en trok op. Terwijl ze onbeheerst gas gaf, durfde ze te zweren dat ze Burnett voor de deur van de artiesteningang zag staan.

'Weet je nog...' begon Nina. Haar bevende handen lagen rond een beker thee en Laura stond achter haar om haar schouders te masseren. 'Weet je nog, de eerste keer dat we met z'n vieren hebben gegeten? Jij zei toen dat Mick mijn ontbrekende helft was.'

Laura huilde nu niet langer. Haar tranen waren overgegaan in een schampere lach, een ongelovig gesnuif dat illustreerde hoe perplex ze was dat Tom echt bij haar was weggegaan. Nina kwam dan ook als geroepen, alleen was Nina zelf ook in alle staten. Het was voor allebei de vrouwen rustgevend om over hun zorgen en problemen te kunnen praten. Laura had echter geen idee waarom Nina erop had gestaan om zowel de voor- als de achterdeur op slot te doen, om alle ramen na te lopen en de gordijnen dicht te doen.

'Dat denk ik nog steeds.' Laura liet zich op de bank vallen. 'Weet je, dat heb ik van Tom nooit gedacht. Dat we twee onafscheidelijke helften van een geheel waren. Je boft, Nien.'

Ze pakte Laura's hand beet. 'Ik weet het,' fluisterde ze, maar dat was geen troost, het herinnerde haar er alleen maar aan hoeveel ze te verliezen had. 'Maar ik val van een grotere hoogte dan jij. Je hebt het zelf gezegd.'

Laura knikte, hoewel ze eigenlijk niet begreep waar Nina het over had. Ze zaten samen in de woonkamer en dronken wijn alsof het water was, terwijl hun dochters boven zaten te roddelen over hun ontredderde moeders. Tom kwam thuis om wat spullen te halen. Nijdig smeet hij kleren van de trap, maar hij nam wel de tijd om Nat te troosten toen ze hem huilend smeekte om niet weg te gaan.

Nina keek uit het raam toen hij wegreed. 'Van wie is die auto?' Met haar blik volgde ze het donkergroene voertuig. 'Ik dacht dat Tom een zilverkleurige B M W had.'

Laura maakte een meesmuilend geluid. 'Die is hem afgepakt. Het bedrijf moest bezuinigen. Hij rijdt nu al een paar weken in die Rover. Ik heb zó met hem te doen.' Ze lachte hysterisch. 'Hij had de pest in dat hij niet het nieuwste model kreeg. Zijn verdiende loon.'

Nina knikte langzaam. Toen ging haar mobiel.

Elf dagen na de picknick in de Downs trok Mick bij Nina in. 'Waarom zouden we wachten?' had hij gezegd, en ze was het met hem eens geweest. Ze vond het een vreselijk idee dat hij in dat woonwagenkamp woonde. Het was verstandig. Zij had verzuimd van haar werk omdat ze te lui was om Micks warme bed te verlaten en de eerste bus naar de stad te nemen. En Mick had meer ruimte nodig om te werken. Zelfs in haar kleine zit-slaapkamer was meer ruimte dan in zijn caravan, hoewel het betekende dat ze de keuken eigenlijk niet meer konden gebruiken.

'Dan eten we buiten de deur,' zei hij.

'We hebben geen geld,' antwoordde Nina.

'Dan stelen we eten.'

'En gaan we naar de gevangenis.'

'Ik kan niet zonder je,' verklaarde hij.

Samen lagen ze tussen de verftubes, de schetsboeken, de schoenendozen met foto's, de overblijfselen van hun eens gescheiden levens. Tussen de rommel vergaten ze wie ze waren, zeiden ze vaarwel tegen de mensen die ze nog maar een paar dagen daarvoor waren geweest. Nina dacht alleen aan de persoon die ze zou worden, een ander mens. Mick verrijkte haar leven en maakte er al snel een wezenlijk deel van uit. Zij kon ook niet zonder hem.

Een week later verkocht Mick twee schilderijen. Voor hem was dit het bewijs dat Nina zijn mascotte was, dat er een goede reden was waarom hij deze jonge schoonheid had gevonden. 'Ik heb er zestig pond voor gekregen,' vertelde hij haar trots. Vanaf dat moment besloot hij zijn stijl te veranderen en op een heel andere manier te gaan werken. Hij hoefde maar aan Nina te denken als hij een kwast in zijn hand had en als vanzelf verscheen de toekomst op het doek. Terwijl hij haar rug streelde, smolt hij van puur geluk.

Naast haar werk voor de televisie had Nina nog een baantje aangenomen; drie avonden in de week maakte ze broodjes klaar in een plaatselijke fabriek. Mick had warmte, troost en een doel aan haar eenzame leventje toegevoegd. Ze dronk hem in alsof ze stierf van de dorst. Mick was alles wat ze zich maar kon wensen: vriend, minnaar, grappenmaker, speelmakker, zielsverwant.

Toen Josie een paar jaar later in hun leven kwam, was Nina ervan overtuigd dat ze de rest van haar leven gelukkig zou blijven. Ze was het gruwelijke verleden vergeten. Ze was weggelopen uit een horrorfilm en had de hoofdrol gekregen in een liefdesverhaal met een happy end.

'Het is een triest einde.' Nina herinnerde zich dat Ethan Reacher bulderend had gelachen om haar ontwijkende antwoorden op zijn vragen over de niet-bestaande stunts.

'Een triest einde?' Laura had Nina bijna niet verstaan, zo zacht praatte ze. Ze was verstrooid na het telefoontje dat ze net had gekregen en wit weggetrokken. Nu kraamde ze wartaal uit. 'Zeg dat wel,' vervolgde Laura omdat Nina glazig voor zich uit bleef staren. 'Het is verdomme een drama.'

Ze rukte nat wasgoed uit de wasmachine, viste er een aantal overhemden en boxershorts uit die duidelijk van Tom waren en mikte de hele handel in de pedaalemmer. 'Het is toch niet te geloven dat hij tóégeeft dat hij een ander heeft, de klootzak.'

'Laat hem niet weggaan,' zei Nina zacht. Ze staarde voor zich uit naar de tegelmuur en was zich slechts vaag bewust van haar tierende vriendin.

'Wat?' Laura draaide zich om.

'Zorg dat hij terugkomt.' Nina was bloedserieus. Ze legde een hand op Laura's arm. 'Als je hem weg laat gaan, dan is het afgelopen. Voorgoed voorbij.'

'Je denkt toch niet dat ik die klootz...'

'Dan is het alsof hij dood is,' viel Nina haar in de rede. 'Wil je echt dat Tom dood is?' Nu keek ze Laura aan en ze deed haar uiterste best om haar te overtuigen. 'Laat hem niet doodgaan,' fluisterde ze.

Nina liep naar de gang om Josie te roepen. Ze wilde terug naar Mick.

Grond spatte op onder de banden toen ze wegreden van de oprit. Beelden van de krankzinnige gebeurtenissen van de laatste paar dagen spookten door Nina's hoofd. Als het aan Burnett lag, zou ze zelf doodgaan, en snel ook.

49

-heb jij wel s het gevoel gehad dat je leven voorbij is?

Ik klem mijn hoofd tussen mijn handpalmen.

-ja

-wat heb je gedaan?

Daar moet ik even over nadenken.

-een nieuw gemaakt

-ik mis mn moeder zo erg. mis jij de jouwe nog steeds?

-natuurlijk, typte ik. Ik kan me haar eigenlijk nauwelijks herinne-ren. Onze herinneringen vormen een plakboek van geuren, woor-den, gevoelens en beelden. Het verleden is net een lappendeken.

-papa wil niet over haar praten. hij is zo chagrijnig als de pest

-hij moet t verwerken. hij rouwt op zijn eigen manier

-hij doet zo anders tegen me. kil

-das normaal na zo'n groot verlies Het valt niet mee om te doen alsof ik een meisje van vijftien ben, terwijl ik niets liever wil dan haar omhelzen als een moederbeer.

-hij doet al een hele tijd anders

Ik kan haar gesmoorde snik horen, ik kan voelen hoe verdrietig ze is omdat ze denkt dat haar papa niet meer van haar houdt. Als hij haar aankijkt, ziet hij mij.

-toen ik klein was hield hij zo veel van me

-hij is boos op je moeder, niet op jou Ik heb geen ervaring met een goede vader, maar dat kan ik natuurlijk niet zeggen. Ik mag haar niet achterdochtig maken. -komt die man nog steeds bij jullie thuis?

-is al een tijd niet meer geweest, typt Josie, en er gaat een golf van opluchting door me heen.

-hoest op school? vraag ik.

Dan lees ik in een pop-up dat dramaqueen-jojo een nieuwe foto aan haar album heeft toegevoegd. Tot nu toe stond er alleen een piepklein fotootje achter haar naam. Ik klik erop en wacht met ingehouden adem totdat de grotere versie is geladen. Dezelfde adem ontsnapt als de lucht uit een lek geprikte ballon wanneer de levensgrote foto op het scherm verschijnt. Josies haar is kort, zo te zien afgehakt met een mes, en er lopen wit gebleekte en paarse strepen doorheen. Ze heeft zwarte vegen onder haar ogen, zowel van uitgelopen mascara als van uitputting. Ze lijkt totaal niet op het meisje dat ik me herinner.

-*school is stom. ik ga bijna nooit,* typt ze.

-*waarom niet? je moet naar school* Mijn vingers struikelen over elkaar en ik sla meermalen dezelfde verkeerde toets aan.

-*geen zin. keb nergens zin meer in nu mn moeder er niet meer is*

Ik kan haar horen huilen, voel het gewicht van haar hoofd als ze het op haar bureau laat zakken. Ik stel me voor dat ze straks in bed kruipt en zich heel klein maakt, hoopt dat ze snel in slaap valt om even verlost te zijn van haar verdriet.

-*wat heb je met je haar gedaan?* Ik weet dat het stom van me is om dit te vragen, maar de server zou vastlopen van de dingen die ik echt zou willen zeggen.

-*ik wil lelijk zijn*

-*wat bedoel je?*

-*dan vindt niemand me meer leuk. hoe weet je dat mijn haar anders is?*

Er gaat een belletje rinkelen. Als iemand vroeger tegen haar zei dat ze zo'n mooi klein meisje was, zei ze altijd dat ze lelijk wilde zijn. Zelfs als tiener was ze niet blij met complimentjes. Nu moet ik mijn vergissing zien te verhullen.

-*t is gewoon anders dan vroeger. korter. Waarom wil je niet dat mensen je leuk vinden?*

-*omdat te veel liefde net zo veel pijn kan doen als helemaal geen liefde*

Haar antwoord zweeft door cyberspace en verspreidt zich als een virus. Ze trekt aan elke vezel in mijn lichaam. Niet teruggaan om mijn dochter te helpen is nog veel moeilijker voor me dan het was om bij haar weg te gaan.

Er liep een gapende snee over mijn wang. Het kleine beetje bewustzijn dat me nog restte, was weggevaagd door de klap. Ik kon me niet herinneren wat er precies was gebeurd, alleen dat ik er een wond aan had overgehouden die niet dicht wilde gaan. Iedereen maakte er opmerkingen over, terwijl het mijn bedoeling was geweest om compleet onzichtbaar te zijn.

'U zou ermee naar de huisarts moeten gaan,' zei de apotheker.

'Alleen de vlinderpleisters, graag. En paracetamol.' Ik legde een briefje van vijf pond neer. Mijn hoofdpijn was in de loop van de ochtend erger geworden.

Ik was weggegaan uit het hotel voordat de eigenaar me nog meer vragen had kunnen stellen. Gedurende de nacht was er bloed op het bobbelige kussen en de lakens gesijpeld.

'Ik denk niet dat die wond zonder hechtingen zal helen,' hield de apotheker vol.

'Ik ga het eerst proberen.' Ik pakte het papieren zakje en mijn wisselgeld aan. Ik gebruikte de achteruitkijkspiegel in mijn auto om de vlindertjes op de snee te plakken. Voordat ik wegging uit het hotel was ik onder de douche geweest, en had ik niet alleen het gestolde bloed van mijn gezicht gewassen, maar symbolisch ook alles wat er voor deze dag was gebeurd. De pleisters bleven een tijdje zitten, maar na een uur rijden crepeerde ik van de pijn en waren de pleisters losgeraakt. De wond bloedde weer. Zo kon ik onmogelijk aan komen zetten. Ik sloeg af naar een parkeerterrein en bekeek mezelf in het spiegeltje. Wie – of wat – was ik geworden?

Ik werd wakker toen er op het raampje werd getikt. Mijn hoofd lag op de passagiersstoel en de versnellingspook prikte in mijn ribben. Het gezicht van een man staarde me aan, maar ik kon alleen hém zien, dat magere gezicht op het lichaam van een onbekende vrachtwagenchauffeur.

'Ga 's een eindje naar voren, dame...' Hij gebaarde naar zijn vrachtwagen en de snackbar een eindje verderop.

Doodsbang reed ik weg door het donker. Ik wist niet meer of ik droomde of autoreed. Of misschien was ik wel dood.

Adam vond het goed dat ik de andere versie las en wilde zijn computer achterlaten. Hij heeft een map voor me geopend met een krankzinnige verzameling aantekeningen en onsamenhangende korte stukjes. Maar voordat ik begon te lezen, wilde ik eerst nog een keer op Afterlife. Door het vreemde gesprek met Josie was ik erger in verwarring dan ooit.

Mijn dochter wil niet dat mensen van haar houden.

Nu zit ik nog na te trillen van de virtuele klap in mijn gezicht die ze me net heeft gegeven door me uit te schelden en de chat te beëindigen uit woede dat ik weer over haar vader ben begonnen. Tranen biggelen over mijn wangen als Adam terugkomt naar mijn kamer. Hij slaat zijn armen om me heen en blijft me vasthouden totdat ik begin te bedaren en mijn angsten en zorgen wegebben. Adam wordt mijn houvast, mijn baken in een leven zonder toekomst, domweg omdat we één belangrijk ding met elkaar gemeen hebben: het verleden.

Ik huil tranen met tuiten op zijn schouder.

'Ik heb het nog niet gelezen.' We staan op de krakende houten vloer in mijn dakkamer, hij met een gebogen nek vanwege de schuine wanden, ik met mijn hoofd weggedraaid zodat hij mijn betraande gezicht niet kan zien.

Hij houdt me een eindje bij zich vandaan. 'Er is nog veel meer aan de hand, hè?'

Ik wil mijn hart bij hem uitstorten, maar ik kan het niet. Het is te gevaarlijk en ik heb al genoeg gezegd.

Dan pas besef ik wat er is gebeurd. Toen hij zijn armen om me heen sloeg, duwde ik hem niet weg. Ik voelde de gesp van zijn broekriem tegen me aan, en de gespannen spieren in zijn brede borst. Zijn benen tegen de mijne. Ik ving zijn geur op, een vleugje aftershave en zelfs de wasverzachter waar zijn overhemd mee is gewassen – alle dingen die horen bij een omhelzing, en die me opvielen alsof het de eerste keer was. Alsof ik de enige man van wie ik ooit heb gehouden omhelsde, alsof ik nog steeds met hem samen was, alsof Adam niet bestond.

Weer barst ik in snikken uit, zo graag wil ik hem de waarheid vertellen. Ik weet niet meer of ik sta of in elkaar ben gezakt op de vloer of rondzweef door de ruimte. Aan de sterke greep onder mijn armen weet ik dat ik word opgetild van de vloer.

'Frankie, laat me je helpen...' Hij zegt het op een lieve toon terwijl hij me meevoert naar het bed. Ik laat me zakken, en hij komt gehurkt voor me zitten. 'Praat met me. Sluit je niet voor me af.'

Dan beginnen we allebei te lachen – ik hysterisch, door mijn tranen heen, en hij omdat hij een doos tissues wil pakken waar hij net niet bij kan. Hij voorkomt dat hij valt door zich aan iets vast te grijpen. Mijn been.

'Sorry,' zegt hij. We glimlachen de gêne weg. 'Ik wil met je praten. Ik heb van het allereerste begin dat je hier kwam met je willen praten, maar je weet me meesterlijk op afstand te houden.'

Ik snuf. Snuit mijn neus. Hij probeert te raden waarom ik zo verdrietig ben. Ik trek nog een tissue uit de doos. 'Ik eh... ik heb veel meegemaakt.'

'Vertel het me,' dringt hij aan. Hij is zo geduldig geweest, zo ontzettend aardig. Het doet me pijn om hem buiten te sluiten, terwijl ik weet dat hij me alleen maar wil helpen. En het weegt zo ontzettend zwaar op mijn schouders.

'Ik kan het je niet vertellen,' zeg ik. Daarmee verraad ik dat er inderdaad iets te vertellen valt.

'O, Frankie, doe me een lol!' Hij gaat staan en leunt tegen de vensterbank, met zijn armen over elkaar geslagen en een verbeten trek om zijn kaak. Zijn knokkels worden wit, alsof hij zich moet inhouden om niet met dingen te gaan smijten. 'Waarom heb je in godsnaam een baan op Roecliffe genomen? Waarom ben je hier niet zo ver mogelijk vandaan gebleven?'

Hij vuurt nog meer vragen af, maar ik hoor ze niet. Opeens voel ik de behoefte om Adam alles te vertellen. Hij zoekt, net als ik, naar iets wat hij niet kan krijgen: een tweede kans met iemand die je dierbaar is.

'Ik ben hierheen gekomen,' fluister ik, 'omdat ik me schuilhoud voor een van de mannen die betrokken was bij de dood van je zus. Zijn gevangenisstraf zit erop. Hij heeft me gevonden.' Adam kijkt me met grote ogen aan, roerloos als een standbeeld. 'Ik dacht dat Roecliffe de laatste plek zou zijn waar hij me zou zoeken.' Ik slik. Mijn mond is droog. 'En hoe raar het ook klinkt, ik móést terugkomen. Het is krankzinnig, ik weet het. Een groot risico.' Ik zucht, haal mijn handen door mijn haar. 'Het komt door mij dat ze zijn gepakt. Ik heb... gezien wat er is gebeurd. Ik heb alles aan de politie verteld. Ik heb ze allemaal geïdentificeerd, op één na.' Beschaamd laat ik mijn hoofd hangen, maar ik kijk Adam vrijwel meteen weer aan. 'De man die Betsy heeft vermoord, de man met de kap, is nooit gepakt. Het spijt me,' voeg ik eraan toe, verteerd door schuldgevoelens.

En dan, als Adam me tegen zich aan trekt, besef ik pas dat ik me in feite schuilhoud voor mezelf.

50

De vreselijke kamer waar ik de camera's had gezien, de plaats die ik met de hel associeer, lag aan het eind van de gang. Ik besloot daar het eerst te kijken.

Ze mochten haar niet hebben. We gingen bijna weg.

Ik rende weg van de slaapzaal. Het linoleum op de vloeren, de gebarsten tegels, de geschilderde lambriseringen met vlekken van groezelige vingers, flitsten in een waas aan me voorbij.

Voor de gevreesde deur bleef ik staan. Ik hijgde en moest bijna overgeven terwijl ik moed verzamelde. Toen stormde ik naar binnen. Het kon me niet schelen wat er zou gebeuren; ik hoopte dat ze mij zouden nemen in plaats van haar. Het was donker in de lege kamer, donker en doodstil. Het stonk er.

'Betsy!' gilde ik. Ik draaide me om, rende de kamer uit en door weer een andere gang, die haaks stond op de eerste. Onderwijl bonsde ik op elke deur waar ik langskwam, en ik vloog een trap af die een scherpe bocht maakte naar een andere ingang van de kelder. Via die deur kwam ik in een ruimte met een laag plafond, waar oude meubels, vaten, verfblikken en gereedschap waren opgeslagen. Daar was een deur naar weer een andere ruimte, maar die zat op slot. Ik durfde te zweren dat ik aan de andere kant meelijwekkend gejammer kon horen. Het zou Betsy kunnen zijn.

Met knikkende knieën racete ik terug naar de gewone ingang van de kelder. Ik gooide deuren open, zocht lichtknopjes. Ik bleef staan om te luisteren, maar hoorde alleen mijn eigen raspende ademhaling vanuit het binnenste van mijn ribbenkast. Daar zaten al mijn angsten, daar waren ze door de jaren heen opgeslagen, en nu ik wanhopig op zoek was naar het meisje dat betekenis had gegeven aan mijn leven kwamen ze er allemaal uit, ze stróómden eruit. Ze was net een jonger zusje van me en ik had haar in de steek gelaten.

'Betsy?' riep ik. Mijn stem weergalmde door de ruimtes, maakte stofwolken los, geesten uit het verleden, restjes angst die als gescheurde, bloederige doeken over de stapels rommel waren gedrapeerd. Ik zag dingen, verbeeldde me een grot vol gruwelen, keek naar kleine skeletten die rammelend bewogen terwijl ik over de beenderen van de verdwenen kinderen heen stapte. 'Ben je hier?' Ik huiverde. Dit is niet echt, hield ik mezelf voor, hoewel het me tegelijkertijd begon te dagen wat voor verschrikkelijke dingen er waren gebeurd.

Niets. Ik kon het gejammer niet meer horen. Misschien had ik het me verbeeld, of misschien was het iemand anders die zich in een hoekje verborgen hield, kermend van angst, wachtend op ontdekking, wachtend op de dood.

Ik gilde toen er een rat over mijn voeten liep. Ik had geen schoenen aan. Toen ik er eenmaal zeker van was dat Betsy niet in de kelder was, rende ik zo snel ik kon weer naar boven.

Het was muisstil. Alle kinderen lagen te slapen. Op de klok zag ik dat het kwart voor drie was. Patricia had nachtdienst en er scheen licht uit het kantoor waar ze zat, ineengedoken boven de tafel, biddend dat niemand haar zou storen.

'Wie is daar?' riep ze.

Ik bleef als aan de grond genageld staan en drukte me in de schaduw plat tegen de muur. Ze stak haar hoofd naar buiten, haalde haar schouders op en ging weer terug naar haar boek. Ze had geen zin in gedoe, ze wilde niet zien wat er 's nachts gebeurde.

Ik zag dat de voordeur op een kier stond. Was er net iemand naar buiten gegaan? Toen ik in het donker de trap af rende, hoopte ik vurig dat ik op het goede spoor zat.

Op blote voeten vloog ik over de ruwe stenen, over asfalt, over koude modder. Ik rende alsof mijn leven ervan afhing.

Duizelig van angst draaide ik me om en ik wankelde naar achteren terwijl ik naar de grijze façade van Kindertehuis Roecliffe staarde die boven me uit torende. 'Ik haat je! Ik haat je!' gilde ik te-

gen de zwijgende stenen. Ontelbare denkbeeldige gezichten gluurden door de tientallen zwarte ramen naar buiten, en allemaal lachten ze me uit. Ik sloeg om me heen, naar de schaduwen, naar de
motregen, en rende weer verder, struikelend over mijn eigen paniek.

Het was alsof ik me door een nachtmerrie heen moest worstelen
– één stap naar voren en drie stappen terug. Mijn armen maaiden
als molenwieken. Als ik had kunnen vliegen, zou ik het hebben gedaan. 'Neem mij in plaats van haar!' riep ik. Speeksel schuimde op
mijn lippen. Mijn oren gonsden van de bittere kou. Bloed sijpelde
uit de wonden op mijn voeten toen ik over de oprijlaan rende. De
poorten naar de hel doemden voor me op. Ik wist niet waar ik heen
ging.

Opeens bleef ik staan. Ik zag licht branden in het bos.

Ik rende erheen.

Alle vertrouwde dingen om me heen werden onwerkelijk. De bomen waar we in waren geklommen, waar we ons achter hadden verstopt, veranderden in monsters met armen die naar me graaiden.

Ik ging door.

Onder mijn voeten voelde ik de grond waar de grasklokjes in het
voorjaar weer zouden bloeien. 'Niet doen. Ze zijn zo mooi,' had ik
tegen haar gezegd toen ze de planten uit de grond rukte. Later, tijdens de preek, glinsterden haar ogen als munten terwijl ze de blaad-
jes fijndrukte in haar handpalm. Paarse confetti regende neer op de
stenen vloer.

Ik sprong over takken die tijdens de vorige storm waren losgeraakt. 'Ik kom eraan, ik kom eraan...' hijgde ik, ervan overtuigd dat
het licht me naar Betsy zou leiden. Er was daar iemand. Ik hoopte
dat het iemand was die Betsy beschermde.

De motregen ging over in echte regen en de druppels sloegen in
mijn gezicht. De bomen stonden dichter op elkaar naarmate ik verder in het bos kwam, alsof ze tegen elkaar aan gingen staan om mij
de weg te versperren. Ik hield mijn blik op het licht gericht.

Eindelijk maakten de bomen en struiken plaats voor de open
plek met de kapel in het midden. Ik ging langzamer lopen. Ik wilde

niet dat iemand me zou zien. Ik bleef in de schaduw van de bomen en sloop om de kapel heen. Op de vensterbank achter het hoge, boogvormige raam stonden tientallen brandende kaarsen.

Betsy, alsjeblieft, ik wil niet dat er iets met je is. Ze bevond zich in het huis van God. Daar zou ze toch zeker veilig zijn? Of misschien was ze er zelf wel naartoe gegaan omdat ze in de kapel buiten bereik was van graaiende handen. Goed zo, dacht ik bij mezelf, flink van je. Ik stelde me voor dat ze zich heel klein had gemaakt op een van de kerkbanken. Maar misschien was het Betsy niet, de persoon die in de kapel was, en zolang ik het niet zeker wist, moest ik voorzichtig zijn.

Er stonden struiken langs het pad dat van het bos naar de kapel liep. Ik dook in elkaar en volgde het pad totdat ik de natte stenen kon ruiken. Ik drukte mijn handen tegen het met mos begroeide gebouw en liep verder langs de muur. Het kaarslicht achter het raam lichtte me bij tot aan de voordeur.

Ik bleef staan. Als ik naar binnen ging, zou ik direct worden gezien.

Aan het eind van de zondagsdienst gingen de oudere kinderen altijd naar de achterkamer, waar ze les kregen uit de Bijbel. De jongere kinderen bleven achter op de kerkbanken, wiebelend en draaiend, en moesten onder leiding van Mr. Leaby liederen zingen. Ik wist dat de achterkamer een aantal ramen had en een deur die rechtstreeks naar buiten voerde. De laatste keer dat we er waren geweest, was de grendel van een van de ramen vast blijven zitten, zodat het niet meer dicht kon. 'Verdomme,' had Patricia gevloekt, 'dan moet dat raam maar open blijven.' Ze had een hand voor haar mond geslagen.

Ik kroop naar het raam en stak mijn hand omhoog, haakte mijn vingers onder het rottende hout. Het raam gaf mee en kwam omhoog. Zodra het open was, rook ik een vreemde geur. Meestal rook de kapel naar vocht en rotting en natte boeken, maar nu ving ik een prettig aroma op. Iemand had wierook aangestoken.

Ik zette mijn tenen schrap in de voegen tussen de bakstenen en klampte me vast aan het kozijn. Zo lukte het me om mezelf omhoog te hijsen en ik wurmde me door de smalle opening. Het was stikdonker in de ruimte; er viel alleen een streep licht onder de deur naar de kapel door.

Stilletjes sprong ik van de vensterbank omlaag. Op de tast liep ik naar de muur tegenover me. Ik schopte iets omver – een stoel of een houten kist – en mijn blote teen deed zo'n pijn dat ik een kreet moest onderdrukken. Met bonzend hart wachtte ik totdat de deur open zou gaan en ik door elkaar gerammeld zou worden.

Niets.

Ik liet mijn ingehouden adem ontsnappen en sloop naar de deur. Toen hoorde ik het gezang. Ik had nog nooit zoiets gehoord.

Ik legde mijn hand op de deurknop. Links van me was het altaar, rechts waren de banken. Mijn hand trilde, maar diep in mijn binnenste vond ik de moed om de kruk omlaag te drukken. Biddend dat de scharnieren niet zouden piepen, trok ik de deur op een kiertje niet breder dan mijn pink. Rechts van me kon ik de kerkbanken zien, maar er zat niemand.

Aangespoord door het merkwaardige geluid – het hield het midden tussen zingende monniken en grommende honden – durfde ik de deur iets verder open te doen, tot een kier ter breedte van mijn hand. Nu kon ik net de ramen en de grote oude deur tegenover me zien. Nog steeds was er geen mens te bekennen. Ik sloot mijn ogen en bad tot God om bescherming.

Ik durfde de deur niet wijder open te zetten, dus gluurde ik door de spleet aan de kant van de scharnieren. Een flakkerende zee van licht deed aan Kerstmis denken, een of andere viering. Ik draaide mijn hoofd opzij en wachtte totdat mijn ogen waren gewend aan het licht van de ontelbare kaarsen rond het altaar.

Mijn vuist ramde de gil terug in mijn keel. Ik kokhalsde en beet in mijn eigen hand om te voorkomen dat ik mezelf door mijn kreet zou verraden.

Een naakt kind was met repen gekleurde stof vastgebonden aan een tafel. Het was een meisje. De tafel stond loodrecht op het altaar, en haar tenen wezen naar het kruis. Aan de geringe lengte kon ik zien dat het een jong kind was. Vier figuren, allemaal in het zwart gekleed, stonden om haar heen, twee aan elke kant van de tafel. Haar gezicht kon ik niet zien.

Ik kreeg tranen in mijn ogen. 'Alsjeblieft, laat het alsjeblieft niet Betsy zijn,' mompelde ik tegen mijn vuist. Ik had geen idee wat er zich afspeelde. Misschien was het niet zo erg als het leek. Het kind verzette zich niet, het lag heel stil. De kaarsen hulden de anders zo kille kapel in een zachte, gezellige gloed, en het gezang was troostend.

Ongelovig staarde ik naar de man tegenover me.

Ik wist wie hij was.

Mr. Tulloch. Ik had les van hem gehad op de dorpsschool. Zijn blonde haar had een rossige gloed in het kaarslicht. Hij had een dikke kop en een pokdalige huid. Hij was de kleinste van de vier en had zo te zien de leiding over de bijeenkomst. Hij hief zijn armen boven zijn hoofd en het gezang hield op.

Ik haalde hortend en stotend adem.

Maak geen geluid. Geen enkel geluid.

Het zweet brak me uit. Mijn handen beefden – de ene lag nog op de deurknop, de andere was in mijn droge mond gepropt. De huid van mijn armen en benen kriebelde en prikte alsof er insecten over me heen liepen.

'Laten we voortmaken,' zei een van de anderen. Ze liepen om de tafel heen, met hun armen gestrekt en de handpalmen omlaag naar het arme ding op die tafel.

Een ander gezicht kwam in beeld.

Hem kende ik ook. Hij was de jonge tuinman uit het dorp, die de gazons maaide, zelf bijna nog een jongen. Hij had kleine krulletjes en zijn bleke gezicht had een opgewonden uitdrukking. Ik had vaak gehoord dat andere meisjes hem riepen als hij aan het werk was, hem plaagden en met hem flirtten. 'Hé, Karl,' riepen ze zangerig, 'pak ons dan!'

Mijn adem stokte toen het volgende gezicht zichtbaar werd.

Mr. Leaby.

Hij deed mee aan de trage parade, die werd verlicht door de kaarsen om hen heen. Doordat de kaarsen op de vloer stonden, kreeg hij

313

donkere holtes boven zijn ogen in plaats van eronder. Mijn handen waren in en tegen mijn mond gedrukt om ieder mogelijk geluid te smoren. Deze man was de directeur van het tehuis, de persoon die verantwoordelijk was voor onze bescherming.

Waarom haalde hij een lang mes onder de tafel vandaan en waarom gaf hij het aan de vierde persoon van de groep?

De laatste man draaide zich opzij om het mes aan te pakken. Ik hield mijn adem in, bereidde mezelf erop voor dat ik weer iemand zou herkennen. Maar toen hij zich met zijn gezicht naar het kaarslicht draaide, zag ik alleen een zwarte kap met twee lichte gaten voor de ogen.

Het ging allemaal zo snel.

Het mes ging verticaal haar borst in. Hernieuwd gezang overstemde de korte maar doordringende kreet. Warm braaksel golfde geluidloos over mijn borst toen het bloed over de rand van de tafel stroomde. Nog steeds kon ik het gezicht van het kind niet zien. Haar hele lichaam schokte.

Lieve Heer, alsjeblieft, laat het Betsy niet zijn.

Zonder geluid te maken werd het mes omhoog getrokken, en het werd nogmaals in het lichaam gestoken, dit keer in de buik. De metalige stank van bloed verspreidde zich door de kapel terwijl de man met de kap messteken bleef uitdelen.

Uiteindelijk, toen het kind helemaal stil bleef liggen, werd er iets gemompeld en deden de vier mannen een stap naar achteren.

Toen zag ik haar.

Mijn kleine vriendin, kleine Betsy, lag levenloos op de tafel.

Ik kreeg een waas voor ogen, weigerde te geloven wat ik zag. Haar zachte haar golfde over de rand van de tafel. Haar dode ogen waren wijd geopend in haar lieve gezicht. Bloed stroomde als rode rivieren uit donkere gaten in haar naakte lichaam. Er had zich een plasje gevormd in de holte onder haar borst.

Ik bleef naar haar staren, voor mijn gevoel mijn hele leven lang. Onze tijd samen trok als een film aan me voorbij, vanaf het moment dat ik haar als verschoppelingetje had gevonden in de gang tot nog maar een uur geleden, toen ze nog warm en veilig naast me in bed lag.

Betsy was dood. Ze hadden haar vermoord.

Ik kon me niet verroeren.

Ik zag nieuwe blauwe plekken in haar gezicht en op haar dijen. Onbewust sloeg ik alle details op, alsof ik ze vastlegde met een camera – elke moedervlek in hun gezicht, de kleur van hun ogen, hun haar, wat voor schoenen ze droegen, de toon van hun stem, hun kleren, en de manier waarop ze grijnsden en elkaar complimenteerden nu hun taak was volbracht. Ik zag ze allemaal, behalve de man met de kap.

Heel behoedzaam schuifelde ik naar achteren, maar toen struikelde ik en viel er iets met veel geraas op de vloer.

Met een ruk draaiden de mannen zich om. Ik zag het bloed wegtrekken uit drie van de gezichten, net zoals het bloed was weggetrokken uit Betsy's verslapte lichaam. Er klonk een brul, gevolgd door kreten van woede, gekletter en dreunende voetstappen.

In slow motion draaide ik me om en ik wankelde terug naar het raam. Mijn trillende handen duwden het open en ik wurmde me door de opening. Het viel dicht op mijn vingers. De mannen stormden de achterkamer binnen. Ze schreeuwden dreigementen naar me, droegen me op te blijven staan. Ik sprong omlaag naar de zachte aarde en zette het op een lopen.

Eén keer keek ik om, recht in de ogen van de jongste man: Karl.

Ik bereikte het bos, en dat slokte me op met zijn takken en doornen en wortels en dode bladeren. Ik hoorde alleen het geluid van mijn eigen hijgende ademhaling en het gonzen van bloed in mijn oren terwijl ik de ene voet voor de andere bleef zetten. Koude modder spatte omhoog tegen mijn benen en ik struikelde een paar keer over boomwortels.

Ik bleef staan, plantte hijgend mijn handen op mijn knieën en keek om. Er was niemand. In het donkere bos had ik ze afgeschud.

En Betsy... Ik kon haar toch niet achterlaten?

In de verte hoorde ik kreten en stemmen. Ze waren nog steeds naar me op zoek. Maar er klonken geen snelle voetstappen in het bos, ze zaten me niet op de hielen. Ze waren me kwijtgeraakt, kenden het bos niet zo goed als ik.

Ik trilde. Zij konden het lichaam ook niet achterlaten. Betsy's lichaam, dacht ik met een onderdrukte snik. Ik kon het me nog niet permitteren om te huilen. Wat zouden ze met haar doen?

Gedreven door haat, en door een trouw aan Betsy die sterker was dan mijn gezonde verstand, sloop ik tussen de bomen door terug in de richting van het zwakke schijnsel uit te kapel. Mijn manier van lopen was even beheerst als mijn ademhaling. Ik luisterde, wachtte, zette nog een paar stappen. Ik was als de dood dat ik van achteren zou worden beetgegrepen door iemand die een hand voor mijn mond zou leggen en me naast Betsy op tafel zou vastbinden.

Voor me uit zag ik de lichtbundel van een zaklantaarn.

Ik was dichtbij. Een van de mannen had een kaars in zijn hand. Die met de kap. Ik hurkte neer achter een struik, gluurde door de takken heen naar de dingen die zich voor de kapel afspeelden. Ze spraken op gedempte toon, af en toe onderbroken door een boze uitroep als ze het oneens waren. Een van hen gaf Mr. Leaby een zet en hij viel op de grond. Ik had hun ritueel verstoord en nu wisten ze zich geen raad. Ze wisten niet wat ik allemaal had gezien. Ze maakten ruzie.

Elk detail van het gruwelijke tafereel stond op mijn netvlies gegrift. De gelaatstrekken van de drie mannen, de kleur van hun kleren en hun haar. Het was een gebeurtenis die ik nooit meer zou vergeten.

Er werd geschreeuwd, er ontstond een handgemeen. Ik wilde alles beter kunnen zien, maar durfde niet dichterbij te komen. Een van de mannen droeg iets in zijn armen. Een bleke vorm in het witte licht van de zaklantaarn. Schoksgewijs liepen ze weg. Ik kon ze niet de hele tijd zien.

Karl, de jongen die als tuinman werkte, had een schep en hij begon verwoed te graven. Ik hoorde het geluid van metaal toen de schep een steen raakte, gevolgd door een vloek. Scheppen aarde vielen hoorbaar op de grond.

'Leg haar erin,' zei een van de mannen. Het was Leaby's stem. De man met de kap boog zich over het gat en liet Betsy erin vallen. Een arm en een been staken naar buiten, maar hij schopte de ledematen in het ondiepe graf.

Karl bukte zich, pakte iets van het lichaam en hield het omhoog. Ik kon niet zien wat het was, maar het glinsterde in het licht van de zaklantaarn alsof het van metaal was.

De aarde werd over haar heen geschept, en na een paar minuten was er van Betsy alleen nog maar een donker bergje aarde over.

'We moeten weg,' zei iemand. De schep, de kaars, een uitgetrokken jasje, alles werd verzameld en het viertal beende snel terug naar de kapel. Met zijn rug naar me toe trok de onbekende man de kap van zijn hoofd. Toen verdwenen ze in de duisternis uit het zicht.

Ik staarde naar het modderige bergje. Het lag aan de voet van een grote eikenboom. Na een uur, of misschien twee, toen ik ervan overtuigd was dat de mannen weg waren, kroop ik er op handen en voeten naartoe. Eenmaal bij het graf duwde ik mijn handen in de vochtige aarde. De geur ervan drong mijn neus binnen. Het regende niet meer, maar van de takken vielen nog dikke druppels.

Ik schraapte de aarde weg, eerst langzaam, maar steeds sneller naarmate mijn wanhoop toenam. Ik was bang dat ze geen adem kon halen en schepte in paniek de aarde zo snel weg als ik kon. Ten slotte raakten mijn nagels iets zachts, iets wat voelde als huid, alleen dan kouder.

Het was Betsy's schouder.

Ik veegde de tranen van mijn wangen, klauwde de aarde weg van haar gezicht, haar borst, haar nek, totdat ik uiteindelijk de vuile lokken van haar babyzachte haar voelde. Er zat een speldje met een aardbei in – ze droeg er altijd twee.

'Betsy, Betsy...' snikte ik. Mijn tranen vielen op haar gezicht. Haar witte huid ging schuil onder een masker van modder. Haar ogen waren open, staarden door de aarde heen omhoog naar de bomen.

Ik schudde haar door elkaar. Kuste haar. Veegde met mijn nachtjapon het bloed van haar borst.

Ze was weg. Ze was me afgepakt. Ze was dood.

Ik trok het speldje uit haar haar en er kwamen een paar haren mee. Toen rende ik weg. Ik bleef rennen totdat ik het dorp had bereikt. Uitgeput, huilend, hysterisch, gek van verdriet rukte ik de deur van de telefooncel open. Ik belde de politie. Genoeg was genoeg. Nadat ik tien jaar had gezwegen, was het nu de hoogste tijd om mijn mond open te doen.

51

Nina staarde haar man sprakeloos aan, met de autosleutels nog in haar hand. 'Heb je gevochten? Wie heeft je zo toegetakeld?' Haar stem beefde. Behoedzaam liep ze naar hem toe, bang dat zelfs haar nabijheid hem pijn zou doen. Hij had opgezette blauwe plekken onder allebei zijn ogen, zijn neus bloedde en stond een beetje scheef, was hoogstwaarschijnlijk gebroken, en zijn onderlip was gespleten. Hij zat aan de keukentafel en zag eruit alsof zijn wereld was vergaan.

'O, mijn god, papa! Wat zie je eruit!' Josie rende naar hem toe en wilde hem om de hals vliegen, maar hij hield haar op armlengte van zich af.

Aarzelend ging Nina naast hem op haar knieën zitten. De gedachte dat Burnett hem dit had aangedaan maakte haar woest. 'Heb je een auto-ongeluk gehad?' Ze was langs zijn auto gekomen toen ze halsoverkop van Laura's huis naar het hare was gereden, maar had geen schade gezien. Hij had haar gebeld om te vragen wanneer ze thuis zou zijn, en te vertellen dat hij een ongelukje had gehad. Hij had al opgehangen voordat Nina had kunnen vragen of hij gewond was. 'Josie, ga eens snel naar de badkamer; haal verband en sterilon.'

Mick schudde zijn hoofd en zijn gezicht vertrok van pijn. 'Het is zo stom,' zei hij met een zuur glimlachje. Hij praatte alsof hij bloed in zijn mond had. 'Je gelooft het misschien niet, maar ik ben van de trap gevallen.'

'De trap?' herhaalde ze ongelovig. Misschien had Burnett er niets mee te maken. 'Ik pak even wat ijs voor je.' Nina deed de vriezer open en schudde de ijsblokjes uit het bakje in een plastic zak. Ze wikkelde er een theedoek omheen en hield het kompres voorzichtig tegen Micks wang. 'Hoe kun je nou van de trap vallen? Was het echt de trap, Mick? Je hebt geen auto-ongeluk gehad, je hebt niet... je hebt niet met iemand gevochten?'

Josie brulde dat ze de sterilon niet kon vinden.

'In het medicijnkastje!' riep Nina terug.

Mick probeerde te lachen, maar het deed duidelijk te veel pijn. 'Denk je echt dat ik hier zou zitten als iemand me in elkaar had geslagen? Dan zou ik nu toch zeker op het bureau zitten om aangifte te doen.'

Nina knikte. Hij had gelijk. Mick was er de man niet naar om zich zomaar in elkaar te laten slaan. 'Ik probeerde dat oude ladekastje weg te schuiven uit Josies kamer; dat had je me al een paar keer gevraagd en ik wist dat het ding in de weg stond. Ik sleepte het net over de gang, toen mijn telefoon ging.' Mick verplaatste het ijs naar zijn andere wang. 'Ik had niet in de gaten dat ik vlak bij de bovenste tree stond. Ik richtte me op om de telefoon uit mijn zak te halen, en bám. Daar lag ik, onder aan de trap, met mijn gezicht tegen het tafeltje in de hal. Terwijl ik viel heb ik ook klappen opgelopen. Ik kan elke traptree nog voelen.'

'O, Mick, wat vreselijk.' Nina omhelsde hem voorzichtig. Ze vond het zo erg dat hij gewond was – alsof ze niet al genoeg problemen had. 'Zal ik je naar het ziekenhuis brengen? Dan kunnen ze je goed nakijken.'

'Nee, het gaat wel over.' Hij ging staan.

'Doe het vandaag rustig aan. Ga lekker even liggen. Misschien heb je wel een hersenschudding.'

Mick lachte. 'Ja, en dan maken de kaboutertjes de schilderijen.'

'Mick...'

'Bemoei je er niet mee.' Hij hield zich met een hand tegen de deurpost staande.

'Laat me dan tenminste je verfspullen halen, zodat je hier in de keuken kunt werken. Ik wil graag een oogje op je houden.' Nina had het gevoel dat haar hoofd zou barsten van alle zorgen. 'Zit het atelier op slot? Geef me de sleutel maar.'

'Nee. Ik wil niet dat iemand het ziet. Het is nog niet af.' Hij masseerde zijn slapen. 'Het komt heus wel goed.' Mick draaide zich om en liep naar buiten. Nina bleef hem nakijken totdat hij in zijn atelier was verdwenen.

Ze bleef een eeuwigheid voor het raam staan, denkend aan alle dingen die ze moest doen en waar ze als een berg tegen opzag. Uiteindelijk ging ze naar boven, waar Josie nog steeds op zoek was naar verbandmiddelen voor haar vader. De ladekast stond, precies zoals Mick had gezegd, dwars voor de trap. Zijn mobieltje lag ernaast op de vloer. Er zaten vegen op de muur. Het was een opluchting voor Nina om te weten dat Mick zijn verwondingen niet aan Burnett te danken had.

Nina zocht op internet naar spullen die ze nodig zou hebben, toen de vaste telefoon ging. Ze nam net iets eerder op dan Josie, die ook op toestel af vloog. Josie droop af, opnieuw verbaasd over haar moeders rare gedrag. Nina's adem voelde als ijs in haar longen toen de stille beller na een paar seconden ophing.

In paniek belde ze Laura om te vragen of ze Josie weer bij haar mocht brengen. Misschien kon ze zelfs blijven logeren. Ze wist niet wat ze anders moest doen. Geen enkele plek was veilig – in elk geval niet als zij in de buurt was.

Laura aarzelde niet. 'Als ik een fles wijn kan leegdrinken voor de buis zonder me zorgen te hoeven maken waar ze zijn, vind ik het allang best.'

Toen Nina Josie afzette, had ze een brok in haar keel. Ze wilde niet dat dit de laatste keer zou zijn dat ze haar dochter zag. Laura had kennelijk al een fles van het een of ander op, want ze sprak met dikke tong, maar de meisjes zouden toch achter de computer kruipen. Nina droeg Josie op om onder geen beding de straat op te gaan. Gelukkig was Laura zo ver heen dat ze niet doorhad hoe nerveus Nina was.

Nina ging weg. Ze moest dingen regelen.

52

Adam legt zijn vingertoppen op het altaar en doet zijn ogen dicht. Het is donker in de kapel, want de ramen zijn dichtgetimmerd. Er valt alleen een baan licht naar binnen waar een plank ontbreekt.

'Ze verdiende het niet om dood te gaan.'

'Geen van de kinderen verdiende het,' zeg ik. Ik weet niet eens hoeveel kinderen er precies zijn omgebracht. 'We gingen hier elke zondag heen. We dachten dat we dicht bij God waren, maar hier woonde alleen de duivel.'

Adam draait zich naar me om. 'Iets heeft ons samengebracht, Frankie.' In het halfdonker zie ik hem zijn wenkbrauwen fronsen. 'Misschien wel Betsy's geest.' Hij pakt mijn handen, geeft er een kneepje in en laat los als hij beseft wat hij doet.

'Ik geloof niet in een leven na de dood,' zeg ik op bittere toon. 'Er is maar één leven, hoe we het dan ook proberen te leven.' Ik ga op de punt van een kerkbank zitten en strijk met mijn hand over het verweerde hout. 'Hier zaten we altijd. Kijk. Dit heeft ze erin gekerfd met de scherpe punt van een steentje.'

Hij komt naast me op zijn hurken zitten en gaat met zijn vinger over de ruwe 'b' in het hout. 'Ik wil dat het onderzoek wordt heropend, Frankie. Ik wil dat de man die het heeft gedaan wordt opgepakt.'

Ik laat mijn hoofd hangen. 'Zelfs buiten... erna...'

'Ga verder.'

'Toen ze haar begroeven in het bos, droeg hij nog steeds die kap. Later heb ik het hele tafereel wel duizend keer de revue laten passeren, in de hoop dat ik me een of ander klein detail zou herinneren waar de politie iets aan zou kunnen hebben. Het was zo belangrijk voor me dat hij gepakt zou worden. Ik hield ook van Betsy.'

Ik voel een arm om mijn schouders. De warmte van een medemens, de troost van een lichaam tegen het mijne – van iemand die betrokken is, iemand die het wéét – is immens.

'Ik was zo bang. Mijn woede was groter dan de hele wereld, Adam. Als ik net iets eerder in de kapel was geweest, had ik haar misschien nog kunnen redden. Of ik was op z'n minst op tijd geweest om de man die het heeft gedaan zonder zijn kap te zien. Het was zo'n morbide plechtigheid.'

'Zag je het zo, als een plechtigheid?'

Ik knik. 'Zo zag de politie het. Ik was bijna achttien toen het gebeurde, dus ik begreep het meeste van wat ze tegen elkaar zeiden. Ze hadden het over pedofielen en de manier waarop ze nieuwe leden inwijdden. Het was een van de grootste netwerken in het noorden van Engeland. De harde kern zat al jaren in het kindertehuis, maar niemand had er ooit over gepraat.'

Adam legt zijn voorhoofd tegen mijn schouder. 'Dit heb je je hele leven mee moeten dragen.'

'Er gaat geen dag voorbij zonder dat ik aan haar denk.'

'Weet je wat ik zou willen? Ik zou zo graag een dag met haar samen willen zijn, één dagje maar.'

'Als je wens in vervulling gaat, moet je me vertellen hoe je het hebt gedaan.'

'Hoezo?'

Ik kijk hem recht in de ogen; het ligt me voor op de tong. 'Er zijn een paar mensen met wie ik ook wel eens een dagje samen zou willen zijn.'

We schrikken allebei van een geluid. Frazer Barnard tikt met zijn stok op de deur. Hij is afgetekend tegen het licht van buiten zoals hij daar op de drempel staat, nog steeds niet bereid om naar binnen te gaan. 'Het is tijd om af te sluiten,' zegt hij nerveus, alsof we onheil over onszelf afroepen als we langer blijven.

Ik geef een kneepje in Adams arm. 'Neem maar even de tijd. Ik wacht buiten op je.'

Ik ben blij dat ik weer buiten sta, zelfs al moet ik samen met die oude man uit het dorp op Adam wachten. Hoe meer dorpelingen me zien, hoe groter de kans op herkenning. Ik ben alleen meegegaan om Adam te steunen.

Frazer rammelt met de sleutels alsof hij een cipier is. 'Ik begrijp al dat gedoe niet,' moppert hij. 'Gedane zaken nemen geen keer.'

'Soms moeten mensen gebeurtenissen uit hun verleden verwerken,' protesteer ik geïrriteerd, 'voordat ze aan de toekomst kunnen denken.'

Barnard prikt met zijn ene hand zijn wandelstok in de grond en de andere speelt met de sleutels. Dan zie ik het. De linkerhand heeft geen duim. Ik staar ernaar als een kind naar een mismaakte. Als hij het ziet, steekt hij heel snel zijn hand in zijn zak.

'In mei is het hier een zee van blauw,' vertel ik hem breed gebarend. 'Helemaal van daar tot aan de kapel. Gods tapijt, noemden we het. Kom.' Ik pak zijn arm beet en voer hem mee.

Het was zijn idee. Hij kwam met rode ogen uit de kapel naar buiten en zei weinig totdat Barnard de kapel had afgesloten en terug was gelopen naar het dorp. We stonden met z'n tweeën op de laan. Ik was nog niet bekomen van wat ik net had gezien. Hoeveel mensen hadden een hand zonder duim? Hij moest door het raam van Lexi's kamer naar binnen hebben gegluurd, maar waarom? Ik wist niet hoe ik het Adam moest vertellen en wilde zelf niet geloven wat het zou kunnen betekenen.

'Ik wil zien waar ze was begraven.'

Dat kon hij niet menen. 'Nee, Adam. Doe dat jezelf niet aan.' Hij liep weg, wetend dat het ergens in de buurt van de kapel moest zijn geweest.

Herfstbladeren ritselen onder onze voeten. 'Waar?' vraagt hij als we weer naar het treurige gebouw lopen. Het is door een haag van prikkeldraad gescheiden van de rest van de wereld.

'Daar,' zeg ik terwijl ik afbuig naar links. 'Ik ben weggerend toen ze doorhadden dat ik ze had bespioneerd. Op veilige afstand ben ik blijven staan. Ik kon haar niet achterlaten. Ik wilde teruggaan. Stom van me, maar ik hoopte dat ze nog leefde.' We lopen verder, tussen de bomen en struiken door die het daglicht temperen.

'Dat was moedig van je.' Adams stem kraakt.

'Nee,' zeg ik heftig, 'het was stom. Het was stom van me dat ik het zo lang heb toegelaten.' Het was mijn beurt om tranen weg te slikken.

Ik weet het nog precies: de gloed van het kaarslicht achter de ramen van de kapel, het schijnsel op de grond zodat ze konden zien wat ze deden, de boze stemmen, het handgemeen.

'Daar was het,' zeg ik, wijzend naar een plek op een meter of twintig van de deur. 'De grond gaat daar iets omhoog en er staan minder bomen.' Ik draai me om in de hoop dat hij mee zal gaan.

Hij pakt mijn hand en loopt erheen. 'Laat het me precies zien.'

'Adam, het is zo lang geleden. De bomen en struiken zijn niet meer hetzelfde als toen.'

'Alsjeblieft,' zegt hij met een gepijnigde blik in zijn ogen.

Ik geef me gewonnen en laat het hem zien. Ik wilde dat het een echt graf was, geen leeg stukje grond waar een team van deskundigen dagenlang in had gewroet nadat Betsy's lichaam was opgegraven. 'Hier.' Ik teken een denkbeeldige rechthoek op de grond.

'Hoe weet je dat zo precies?'

'Er was hier al een kleine begraafplaats. Zie je die oude muur?' Ik wijs op een laag, vervallen muurtje rond een stuk grond, overwoekerd met klimop. 'Er waren hier een stuk of tien graven met platte stenen erop. We kregen altijd een uitbrander als we de stenen onderweg naar de kapel als hinkelbaan gebruikten.' Met mijn voet schuif ik een laag bladeren opzij, droge en knisperende bovenop, vergane eronder. 'Kijk maar. Dit graf lag naast de... de plek waar ze Betsy... hebben begraven.'

Adam zit op zijn knieën en drukt zijn handen tegen de grond. Hij buigt zich naar voren alsof hij bidt, laat zijn hoofd zakken totdat zijn voorhoofd de grond raakt.

'Kijk,' zeg ik opeens. 'Zie je dit?'

Adam komt overeind. In gedachten is hij heel ver weg.

'Het is een eik. Een jonge die hier wortel heeft geschoten.'

Hij kijkt zoekend om zich heen totdat hij de moedereik heeft gevonden, een reusachtige boom die de wacht houdt.

'In de herfst speelde ze altijd met eikels. Ze zou het leuk hebben gevonden dat die boom hier groeit.'

Adam knikt. We gaan op de vochtige bosgrond zitten. Ik vertel hem verhalen over zijn kleine zusje, terwijl hij takjes en steentjes neerlegt in de vorm van een hart.

Ze heeft al twee dagen niet ingelogd. Vreemd. Ik vind het steeds moeilijker om mijn veeleisende werk vol te houden. Wat doe ik in de kerstvakantie? Ik moet er niet aan denken. Sommige meisjes hebben het al over hun vakantieplannen. Ik zou het liefst voor de feestdagen in een hol onder de grond willen kruipen en tot aan de lente een winterslaap houden.

'Zou ik je laptop mogen gebruiken?' vraag ik aan Adam. Hij is in de personeelskamer, waar ik doorgaans alleen kom als er een computer vrij is. Alle computers op de hele school zijn al de hele ochtend bezet, en ik moet gewoon even met haar chatten, ik moet weten hoe het met haar gaat. Het is de enige manier om de oneindig lange dagen door te komen.

'Natuurlijk,' zegt hij. Hij gaat staan, zoals gewoonlijk met de laptop onder zijn arm geklemd. 'Zullen we naar de bibliotheek gaan? Daar is het lekker rustig.'

Ik knik en we lopen zwijgend door de school. We hebben elkaar niet meer gesproken sinds we in de kapel zijn geweest en ik hem de plek heb laten zien waar Betsy begraven is geweest. Het is stil in de bibliotheek. Twee meisjes zitten over een schoolboek gebogen, en de bibliothecaresse is nieuwe boeken aan het kaften aan haar bureau. Ze glimlacht naar ons als we aan een tafel gaan zitten.

'We zijn niet naar die tentoonstelling geweest,' zegt hij, gebarend naar de portretten aan de muur. 'Jammer.'

Ik klap de computer open en wacht op verbinding met het netwerk. 'Ik geloof niet dat ik zin heb om naar een tentoonstelling te gaan, Adam.'

'Ik dacht dat je van kunst hield,' zegt hij. Hij geeft zijn wachtwoord. Ik zie dat het met de letters, b, e en t begint.

'Dat is ook zo. Alleen...' Ik aarzel. 'Iemand van wie ik veel heb gehouden was kunstenaar.' Iemand van wie ik nog steeds hou, denk ik.

'Aha,' zegt hij. 'Een oude vlam.'

Ik knik.

'Is dat slecht afgelopen?'

Ik kijk strak naar het scherm en hoop dat hij niet zal aandringen. Hij zit er helemaal naast.

'Dat vat ik dan maar als een ja op.'

'Ik heb niet lang nodig,' zeg ik. Hopelijk begrijpt hij de hint.

Hij blijft zitten. 'Ik moet over een kwartier lesgeven.'

Ik draai de laptop naar me toe en ga naar de website van Afterlife. Even later ben ik ingelogd, maar er zijn geen nieuwe berichten. Ik klik op het profiel van dramaqueen jo-jo en zie dat ze vanochtend op de site is geweest. Mijn zucht is dieper dan ik zelf besef.

'Is er iets?' Adam buigt zich opzij om naar het scherm te kijken. 'Je gaat me toch niet vertellen dat jij ook dat spel speelt. Ik dacht dat dat alleen voor tieners was.' Lachend pakt hij een boek van een plank en hij slaat het lukraak open. 'Je bent een raadsel, Miss Gerrard. Of is het misschien Mrs. Gerrard?' Hij kijkt me nieuwsgierig aan, en ik ben bang dat hij dwars door me heen kijkt.

'Miss,' fluister ik. Ik verschuif mijn stoel en trek de computer dichter naar me toe. Dan logt Josephine opeens in, als bij toverslag. Heeft ze op me gewacht? We spreken elkaar regelmatig, en zij is altijd degene die het gesprek aangaat. Maar dit keer verschijnt er geen tekstballon, geen begroeting.

Er gebeurt helemaal niets.

Omdat ik maar kort de tijd heb, stuur ik haar een bericht. Onmiddellijk vervaagt haar figuurtje als teken dat ze offline is.

'Raar,' mompel ik, en ik klik nog een keer op haar profiel.

'Wat is er?'

Ik zucht. Nu heb ik echt iets uit te leggen. Het is niet normaal dat een vrouw van mijn leeftijd zo'n spel als Afterlife speelt.

Dan verschijnt er een verzoek op het scherm: 'Griff is online en wil je vriend worden.'

'Ik... ik heb een vriendin met een tienerdochter. Laten we het erop houden dat ze het de laatste tijd nogal moeilijk heeft.' Ik staar naar het verzoek en weet niet wat ik moet doen. 'Ze heeft gevraagd of ik haar een beetje in de gaten kon houden, en Afterlife leek ons de beste manier om erachter te komen wat er zich in haar wereldje afspeelt.'

'Dus je bespioneert haar?'

Ik voel mijn wangen rood worden en klik op 'oké'. Nu verschijnt Griffs profiel op het scherm.

'Weet ze dat jij het bent?' dringt hij aan.

Ik schud mijn hoofd. Ik heb de verkeerde smoes opgehangen, al is het bijna de waarheid. Ik bekijk Griffs gegevens. Dezelfde school als Josie... een jaar ouder... hockeyt...

'Je doet het dus stiekem?'

'Ja,' geef ik toe. Het is in elk geval een zoethoudertje.

'En wat ben je aan de weet gekomen?'

'Dat ze diep ongelukkig is. Dat ze met niemand kan praten. Dat ze misschien in gevaar verkeert.' Ik ben enorm opgelucht nu ik dit heb verteld. 'Ik maak me grote zorgen om haar, Adam.'

-hey ben jij vriendinnen met jojo? vraagt Griff. Glazig staar ik naar het scherm.

'Dan moet je het aan haar moeder vertellen.'

'Ze weet het al,' zeg ik. 'Ze weet niet wat ze moet doen. Ze woont op dit moment niet bij haar dochter.' Bijna, bíjna had ik te veel gezegd. Ik raak het touchpad aan en het pijltje schiet over het scherm.

-yep, antwoord ik Griff.

-ik maak me zorgen, vervolgt hij.

'Zit ze hier op school?' wil Adam weten.

'Nee.'

De computer piept en er verschijnt een venster met de vraag of Josephine mee mag doen aan ons gesprek. Snel klik ik op 'oké'.

-Hallo, typt dramaqueen jo-jo

-hoe gaat-ie? ben je niet meer zo :(?

Ik vind het niet prettig dat Griff mee kan lezen. Adam kijkt op zijn horloge. Hij probeert niet te kijken, maar ik weet dat ook hij meeleest.

-Heel goed, dank je.

-wazzup jo-jo? gooit Griff ertussendoor.

'Raar,' zeg ik opnieuw. Opeens ben ik blij dat Adam erbij is. 'Ze zei steeds dat het zo slecht ging.'

Hij buigt zich naar me opzij. 'Daar zegt ze toch dat het goed met haar gaat?'

-ga je naar school? vraag ik.

-Niks aan de hand, Griff.

Ze klinkt helemaal niet als Josie.

-En ja, hoor, ik ga gewoon naar school, antwoordt ze mij.

'Zo praat eh... schrijft ze anders niet,' zeg ik. 'Ze gebruikt andere taal. Te formeel.'

'Kun je dat aan die paar woorden al zien?'

'En ik weet dat ze niet naar school gaat. Ze voelt zich veel te slecht.'

-ik dacht dat je school stom vond

-Waar ben je?' vraagt Josephine. *Geef me je adres.*

'Dit klopt niet, Adam. Volgens mij is ze van plan om weg te lopen.'

'Spaar me,' zegt hij. 'Ik heb elke dag met hysterische tieners te maken. Dat verhaal hoef ik er echt niet bij te hebben.'

'Ze denkt dat ik een vriendin ben van de lagere school, Amanda.' Ik wijs mijn naam aan op het scherm. 'Ze heeft het heel erg moeilijk thuis sinds haar moeder is eh... weggegaan, en ze zei dat ze bij mij wilde komen logeren. Ik heb natuurlijk gezegd dat dat niet kan. Nu vraagt ze toch mijn adres.'

Adams kin rust op de muis van zijn hand. Hij trekt een gezicht, kijkt van mij naar het scherm en terug. Hij zit zo dicht bij me dat ik zijn adem langs mijn wang voel strijken.

'Als ik jou was, zou ik me beroepen op de belangrijkste regel voor veilig internetgebruik,' zegt hij. 'Je zegt dat je geen persoonlijke gegevens geeft via internet. Zeg dat je vader je zou vermoorden.' Hij geeft een vaderlijk klopje op mijn hoofd.

-wrom wil je dat weten? typ ik. Stel nou dat ze in de nesten zit? Stel nou dat ze moet vluchten?

-Ik wil graag een keer bij je langskomen.

'Dit bevalt me helemaal niet, Adam. Zo chat ze anders niet.' Ik probeer razendsnel na te denken. Kan ik misschien een cryptische boodschap doorspelen naar Mick, via Laura of Jane Shelley? Ik weet me geen raad.

Adam gaat staan en rekt zich uit. Hij heeft een emotionele tijd gehad en wil niet betrokken raken bij mijn problemen. 'Mijn les begint over een paar minuten.'

-blijft die man weg? vraag ik. Ik moet het weten.

-Welke man bedoel je?

'Frankie, ik wil je niet onder druk zetten, maar...'

'Nog heel even. Alsjeblieft.'

-die man van de galerie Ik kan mezelf er niet toe brengen om zijn naam te typen.

Ik kijk over mijn schouder om te zien of Adam meeleest, maar hij is gelukkig weggelopen en maakt een praatje met de bibliothecaresse.

-Hij is tegenwoordig bijna de hele tijd bij ons. Het is een schatje. Ik denk dat hij me leuk vindt.

Ik zet grote ogen op, kan niet geloven wat ik lees. O, nee!

-wat bedoel je?

En dan wordt dramaqueen-jojo grijs, even onverwacht als ze is opgedoken. Ze heeft uitgelogd. 'Nee!' roep ik hardop. Mijn stem weergalmt door de stille bibliotheek. Koortsachtig typ ik een bericht aan Griff, om te zien of hij contact met haar kan opnemen, misschien naar haar toe kan gaan, wat dan ook, maar hij is ook verdwenen.

'Gaat het?' Adam wil zijn computer pakken, maar ik blijf het ding vasthouden.

'Alsjeblieft, nog een paar minuutjes. Ik moet kijken of ze terugkomt. Het gaat helemaal mis.' Adam ziet mijn snik voordat ik zelf besef dat ik huil.

'Frankie, ik heb mijn laptop nodig voor een presentatie in de klas. Kan het tot later wachten?'

Mijn hoofd zakt omlaag op de tafel en ik knik, laat de laptop los. 'Zien we elkaar straks? Wil je me helpen?'

De warmte van zijn hand op mijn rug is zijn geruststellende antwoord.

Sylvia neemt mijn les mens en gezondheid over. 'Heel erg bedankt,' zeg ik terwijl ik haar een stapel aantekeningen geef. Ik heb tegen haar gezegd dat ik migraine heb.

'Wat is het onderwerp voor deze week?' vraagt ze op de gang. 'Verhoudingen met getrouwde mannen of alcoholisme?' Lachend pakt ze de aantekeningen aan.

'We hebben het nog steeds over pesten, en wanneer je er met iemand over gaat praten.'

'Aha, klikken. Dat zullen ze leuk vinden.' Ze verdwijnt in de gemeenschappelijke zitkamer.

Adam vindt me in de personeelskamer, waar ik ongeduldig zit te wachten totdat de docent die de enige computer gebruikt eindelijk klaar is. 'Hij is al eeuwen op eBay,' fluister ik.

Adam kijkt me veelzeggend aan en tikt op zijn laptop. 'Je kunt de mijne gebruiken, en straks heb ik een verrassing voor je.' Hij knipoogt. 'Om je op te vrolijken.'

Ik glimlach, ondanks alles. Eindelijk iets leuks. 'Bedankt.' Ik ga met de laptop in een hoekje zitten, zo ver mogelijk bij de rest van de staf vandaan. Docenten lopen in en uit, drinken bekertjes lauwwarme koffie en klagen over de werkdruk. Als de computer het wachtwoord vraagt, typ ik 'Betsy' en ik krijg meteen toegang. Vluchtig kijk ik naar Adam en we glimlachen naar elkaar.

Dramaqueen-jojo is niet meer online geweest sinds onze chat van een paar uur eerder. Ik vertoon me in de openbare ruimtes waar zij, weet ik inmiddels, graag komt, en intussen heb ik besloten haar een brief te schrijven – de brief die ik haar graag zou willen sturen als ik haar de waarheid kon vertellen. Ik zal hem opslaan onder 'drafts'.

Ik richt me op en rek me uit. Ik heb rugpijn en mijn vingers zijn moe. Er is verder niemand in de personeelskamer. Ik heb zes pagina's geschreven en nog steeds niet alles gezegd wat ik wilde zeggen.

Ik onderteken de brief met een kus, een kus waar mijn hele hart in ligt, en sla hem op in mijn Afterlife-account.

'De school is uit,' zegt iemand. Ik draai me om en zie Adam staan, alsof hij al die tijd over me heeft gewaakt.

'Je computer.' Ik geef hem terug. 'Het spijt me.'

'Ik had hem niet nodig. Ik heb het druk gehad.' Hij zet de laptop in zijn kluisje en sluit het af met een hangslot. 'Nu is het tijd voor de verrassing. Kom maar mee.'

'Wat...' Hij neemt me bij de hand en voert me mee, de trappen op en de gangen door die naar mijn kamer leiden. 'Waar gaan we naartoe?' Ik wil geen verrassing. Hij rammelt met een sleutelbos en grijnst.

Ik blijf staan en grijp Adams arm beet. Ik moet het hem vertellen, zelfs als hij me voor gek verklaart. 'Is het jou ook opgevallen, Adam? Frazer Bernhards hand toen hij de deur op slot deed?'

Hij fronst. 'Wat zou me opgevallen moeten zijn?'

'Hij heeft geen duim aan zijn linkerhand. Heb je het niet gezien?' Hij zegt niets. 'De eerste keer heb ik het niet gezien, maar toen ik laatst voor de kapel op je stond te wachten, viel het me opeens op.'

'Nou en?' Hij kijkt me met opgetrokken wenkbrauwen aan. Denkt hij nog steeds dat ik alles uit mijn duim heb gezogen?

'Begrijp je niet wat het betekent? Hij moet die avond door het raam van Lexi's kamer naar binnen hebben gegluurd. De handafdruk die ik heb gezien had geen duim, ik zweer het je. Wat deed hij daar?' Hij begrijpt niet hoe ernstig dit is. Als hij me heeft herkend, is het afgelopen.

'Misschien is hij gewoon een vieze ouwe man?' oppert hij.

'Precies.' Ik begrijp niet waarom Adam er zo luchtig over doet. 'Moeten we geen aangifte doen?' Mijn maag trekt samen. Politie, verklaringen, arrestaties... Dan kan ik alleen nog maar aan de dreigementen denken, de angst, wéér weglopen.

'Frankie.' Hij blijft voor me staan. 'Ik heb nooit iemand gekend die zo erg tobt als jij.'

'Maar...'

'Zo maak je jezelf gek.'

'Ik...'

'Probeer je nu gewoon even te ontspannen. Alsjeblieft? We hebben het er morgen wel over.' Hij probeert zijn ergernis te verbergen.

Ik knik en bedenk hoe makkelijk het zou zijn om me in zijn armen te storten en de pijn te laten wegvloeien.

'Kom op.' Hij loopt langs de deur van mijn kamer, en we vervolgen de tocht door de smalle gang. 'Mr. Palmer heeft me de sleutel gegeven. Ik heb hem van jouw belangstelling voor de portretten in de bieb verteld, en hij zei dat we hier maar eens moesten gaan kijken.' Adam steekt de sleutel in het oude slot en het duurt even voordat hij het open heeft. 'Volgens Geoff is er al in geen jaren iemand in deze kamer geweest, maar ze zijn van plan om de boel op te knappen en er een nieuwe slaapkamer van te maken voor het personeel.' Hij doet het licht aan. 'Ta-da!' roept hij triomfantelijk.

Verbaasd kijk ik om me heen. Ik lach en schud ongelovig mijn hoofd.

'Een glaasje champagne, mevrouw?' Stof wolkt op van de stoffige vloer als hij naar de tafel loopt. Behendig maakt hij de fles Lanson open, hij schenkt twee glazen in en geeft er een van aan mij. 'Een tentoonstelling voor ons tweeën,' zegt hij met een breed handgebaar.

Overal waar ik kijk, zie ik schilderijen, staand tegen de lambriseringen, hangend aan de muren, vele tientallen schilderijen. 'Volgens Mr. Palmer zijn die doeken hier al jarenlang opgeslagen. Hij heeft ze allemaal bekeken en hij vond er maar een paar interessant. Op zolder schijnen er nog meer te staan, maar die heeft hij nog niet bekeken. Niemand heeft de moeite genomen om ze weg te halen.' Adam wijst op een luik in het plafond en wacht op mijn reactie. 'Het is de bedoeling dat ze binnenkort worden geveild. Hij zei dat ik mocht kiezen wat ik wilde hebben.'

'Ik weet niet wat ik moet zeggen.' Ik neem een slokje champagne.

'Omdat de tentoonstelling waar ik je mee naartoe wilde nemen nu al weer weg is, leek dit me een leuk goedmakertje. Er zitten aardige dingen bij, maar ook heel erg lelijke. Ik hoop alleen dat het geen nare herinneringen oproept aan de man over wie je...'

'Nee, hoor.' Ik loop door de kamer, glimlachend om wat hij heeft gedaan. Dan trekt hij een wit laken van de tafel en zie ik dat er een feestmaal van koude gerechten op is uitgestald. 'O, Adam,' fluister ik. Het is zo lief van hem dat het pijn doet.

'Je was hard aan een klein feestje toe. En ik was...' Hij aarzelt. 'Ik wilde met je alleen zijn. Wij met z'n tweeën.'

'Een afspraakje?'

'Precies.'

'Adam, ik kan onmogelijk...' Ik breek mijn zin af. Hij houdt me een schaal met crackers met paté voor en ik neem er een. 'Dank je.'

'Wat vind je ervan?' Hij houdt een doek zonder lijst omhoog. 'Een zogenaamde impressionist?'

'Het is afschuwelijk,' zeg ik lachend. 'Misschien is het van een vroegere leerling.' Ik bijt in de cracker.

'Nee. Ze stonden er al toen de school zijn deuren opende. Mr. Palmer heeft geen idee waar ze oorspronkelijk vandaan komen.'

'Dat is niet slecht.' Ik wijs op een ander schilderij, gewoon om hem een plezier te doen. Hij heeft zo zijn best gedaan. 'De lucht is goed gelukt. Vooral omdat er...'

'Omdat er wolken zijn?' maakt hij de zin af.

Ik proest het uit. 'Het is al net zo lelijk, hè?'

'Het is je verdiende loon. Dan had je maar mee moeten gaan naar een echte galerie.'

'Oké, oké, ik ga een keer mee,' beloof ik.

Hij schenkt onze glazen bij. 'En daarna uit eten?'

'Misschien,' zeg ik, maar ik bedoel nee. Ik zou Mick nooit ontrouw kunnen zijn. 'Wat vind je van die daar? Zou jij het aan je muur willen hebben?'

'Nooit.'

'Dit dan?'

'Over m'n lijk.'

Zo gaat het door. Ik til schilderijen op uit het stof, en we lachen erom, alsof we zelf iets beters kunnen maken, totdat we op een stapel doeken stuiten die duidelijk professioneler zijn dan de rest.

Adam snijdt een stukje kaas af. 'Hou je van brie?'

'Dank je. Die zijn werkelijk erg goed.' Ik eet een druif en bekijk de abstracte en toch heel realistische doeken die Adam onder het raam naast elkaar heeft gezet. 'Het werk van een contemporaine kunstenaar. Kijk, er staat een datum op.'

'1983,' leest Adam voor.

'Stokoud,' grap ik. Door de champagne heb ik me kunnen ontspannen, maar nu voel ik opnieuw druk ontstaan in mijn nek en schouders. En ik krijg hoofdpijn.

'Neem het mee,' zegt Adam. 'Hang het op in je kamer. Mr. Palmer heeft gezegd dat we mee mochten nemen wat we wilden. De rest eindigt waarschijnlijk in een afvalcontainer.'

Ik zet het doek tegen de tafel. We bekijken meer schilderijen, we eten de lekkere dingen, drinken de fles champagne leeg. Later glip ik snel mijn kamer binnen als ik denk dat Adam me wil omhelzen, en als ik eenmaal alleen ben, zet ik het schilderij tegen de muur. Ik ga op mijn bed liggen en kijk ernaar. Golvende groentinten stellen het platteland voor. Het verbaast me dat rode accenten en hier en daar de glinstering van goud het beeld kunnen oproepen van de jacht, de blaffende honden, het geluid van de jachthoorn, de angstige vos.

Ik val in slaap, en het schilderij komt terug in mijn droom. Ik ben de vos en ren door de velden, achternagezeten door de man met de kap. Ik word zwetend wakker in een kluwen van beddengoed. Het is donker. Ik doe het licht aan, kom uit bed en trek razendsnel kleren aan. Het begint tot me door te dringen wat het allemaal betekent.

Stilletjes ren ik door de school. Ik moet Adam spreken. Ik wil zijn computer gebruiken.

53

Ze kon niet veel meenemen. En aangezien ze geen Egyptische koningin was, kon ze ook niet rekenen op een graftombe vol mooie spulletjes voor het leven na de dood. Ze wist zelfs niet of ze na achtenveertig uur nog wel een leven zou hebben. Nina staarde naar haar spiegelbeeld in de spiegel boven de toilettafel en vroeg zich af wie ze zou worden.

Het was ongewoon stil in huis. Josie en Nat waren boven en probeerden iets te fabriceren op Nina's naaimachine. Ze hadden haar al een paar keer geroepen om te helpen bij het spannen van de draad. Vanuit de deuropening bleef ze even naar hen staan kijken. Nat knipte stof, en Josie stikte de delen aan elkaar. De naaisessie was een nieuwe vorm van afleiding, om te voorkomen dat ze de stad in zouden gaan, of naar de bioscoop, waar ze misschien gevaar liepen. Het deed Nina aan vroeger denken, toen ze zelf van niets nog iets wist te maken. Het verhaal van mijn leven, dacht ze toen ze terugging naar de slaapkamer.

Ze ging op het bed liggen en in gedachten liep ze alles nog wel duizend keer na, zoals ze altijd voorafgaand aan een voorstelling deed. Alle rekwisieten moesten klaarliggen, de make-up moest op tijd aangevuld worden, enzovoort. Ze kon het zich niet permitteren dat er een pruik zoek was, of een fles nepbloed. Net zoals alles nu, in het echte leven, klaar moest zijn voor de finale. Ze was doodsbang.

Nina schoof een hand naar Micks kant van het bed, streelde de lege plek. Wat ze ging doen, was moeilijker dan alle dingen die ze ooit had gedaan. Ze stelde zich voor dat hij naast haar lag en probeerde het hem in gedachten uit te leggen. Maar hij kwam briesend van woede overeind, eiste verklaringen, was kwaad dat ze had gelogen over haar verleden. 'Maar ik ben je mán!' hoorde ze hem protesteren, verward, verslagen, teleurgesteld.

Josie was net zo belangrijk, haar opstandige, mooie, emotionele, veeleisende dochter. Nina wist niet wat haar meer verdriet zou doen, de ontdekking dat haar moeder haar hele leven bij elkaar had gelogen, of dat ze haar voorgoed in de steek zou laten.

Ze had de spaarpot die ze in het washok bewaarde geplunderd. Haar geheime potje voor de kerst. Voor Micks recente succes hadden ze het niet breed gehad. Nina, die altijd op alles voorbereid wilde zijn, had hier en daar gespaard, de ene week tien pond, de andere twintig. Al snel had ze een paar honderd pond bij elkaar. Daarmee kon ze de schroothoop die de dealer een auto noemde betalen.

'Naam?' had hij gevraagd toen hij de factuur uitschreef.

'Davies,' had Nina zonder aarzelen geantwoord. 'Sarah Davies.'

Het maakte hem niet uit, en haar ook niet. Ze was niet van plan om het kenteken op haar naam te zetten. In een grote rookwolk was ze weggereden bij de garage, en twintig minuten later parkeerde ze het oude wrak op de plaats die ze de dag daarvoor zorgvuldig had uitgekozen. In de kofferbak lag een koffertje met de kleren en andere benodigdheden die ze onlangs had aangeschaft, eveneens betaald uit het spaarpotje. Bij elke stap die ze zette om haar plan uit te voeren, ging haar hart iets sneller kloppen. Al heel snel zou het bonzen als mokerslagen.

Mick was aan het werk in zijn atelier. Het was goed, bedacht Nina, dat het leven om haar heen gewoon doorging. Haar gedrag van de laatste tijd – nerveus, emotioneel, grillig en verdacht – vormde het ideale antwoord op de vragen die er straks gesteld zouden worden, de logische prelude op het briefje dat ze zou achterlaten.

Waarom? Hoe heeft ze het kunnen doen? Heeft iemand het aan zien komen?

Nina had geen idee of haar plan zou slagen; ze wist alleen dat ze geen keus had en het moest proberen. Ze kon niemand om hulp vragen, in elk geval niemand die ze kon vertrouwen, en ze wilde haar dierbaren niet nog meer in gevaar brengen dan ze nu al had gedaan.

Ze troostte zichzelf met de gedachte dat het misschien niet voorgoed zou zijn; als ze het slim aanpakte, kon ze misschien terugkomen, alles uitleggen, om vergiffenis smeken. Maar als dat lukte, zou het nog heel lang duren voor het zo ver was. Zonder deze stille hoop zou Nina er daadwerkelijk een eind aan hebben gemaakt. Nu hing haar de onzekerheid of ze het zou overleven boven het hoofd. Hoe dan ook, de dood was op dit moment de enige zekerheid in haar leven.

54

Ik was helemaal kapot. De hoorn bungelde aan het glimmende snoer omlaag, en met mijn rug tegen het glas zakte ik in de telefooncel in elkaar.

De politie kwam eraan. Ik had alles verteld.

Twee vrouwelijke agenten hielpen me in hun auto. Ze waren heel opgewekt, deden alsof er niets aan de hand was. Ze behandelden me toegeeflijk, alsof ze het spelletje meespeelden, terwijl ik wist dat er een bom zou barsten. We reden langs Roecliffe. 'Daar,' fluisterde ik, wijzend op het bos. 'Daar is het.'

Terwijl we langsreden zag ik in de verte een blauw zwaailicht in de buurt van de plek die ik had beschreven. Ze hadden haar gevonden.

Ik zou Betsy nooit meer terugzien.

De twee agentes praatten op gedempte toon met elkaar, spraken in code in de portofoon, keken naar me in de achteruitkijkspiegel, en brachten me door het donker naar het politiebureau.

Ze gaven me een deken – een bruine deken die prikte en schuurde tegen mijn schokkende schouders. Een jong meisje dat net getuige was geweest van een moord kon geen troost vinden bij een ruwe deken.

Iemand gaf me tomatensoep in een beker. Er dreven klontjes poeder in.

'Wil je misschien iemand bellen?' vroeg een man. Hij droeg geen uniform.

Ik schudde mijn hoofd. Misschien Patricia, dacht ik, of Miss Maddocks. Maar stel nou dat ze altijd hadden geweten wat zich daar afspeelde? 'Er is niemand die ik wil bellen,' zei ik. Ik brandde mijn tong aan de soep.

De dagen daarna legde ik verklaringen af totdat ik er hees van was. Elk detail van de tien jaar van mijn leven in Roecliffe werd genoteerd. Ik werd naar een pleeggezin gestuurd. Ik vierde mijn achttiende verjaardag bij vreemden. Hoewel ik officieel geen toelage meer ontving, hadden ze kennelijk medelijden met me en mocht ik in hun warme, gezellige huis blijven, bij een moeder, een vader en hun kinderen.

Ik lag op mijn bed en staarde naar het plafond. Mijn tijdelijke moeder zat naast me, en ik deed alsof ze mijn echte moeder was, alsof ze er altijd was geweest, alsof ik in dit huis was opgegroeid en een gelukkige jeugd had gehad.

'Ik hou van je, mam.' Ik zei de woorden die zo lang in mijn leven hadden ontbroken. Ze aaide over mijn hoofd, maar gaf geen antwoord. Ergens vanuit de verte hoorde ik heel zacht de woorden: *Ik hou ook van jou.*

Er kwam een line-up. Ik had politieseries gezien in het kindertehuis, dus ik wist wat het was, maar ik had nooit gedacht dat ik nog eens zelf achter een doorkijkspiegel zou zitten. Het was geen probleem om ze te identificeren, en toch vond ik het verschrikkelijk moeilijk. Moeilijker dan kijken naar een dode, want zij waren echt, zij leefden en ze waren gevaarlijk. Ze staarden strak naar de spiegel, wetend dat ik erachter zat, al konden ze me niet zien. Het waren hondsdolle honden en ze hadden mijn geur opgevangen.

Er waren drie verschillende line-ups van zorgvuldig gekozen volwassen mannen. Ze droegen sweaters, brillen, bruine schoenen. Een paar mannen droegen ringen en horloges, sommigen hadden hun haar naar achteren gekamd, en een van de mannen was groter dan de rest. Het waren heel gewone mannen, vaders, zoons, broers. Op straat zouden ze niet opvallen.

'Die daar,' zei ik direct. Op basis van mijn verklaring waren er al drie mannen gearresteerd. Door middel van de line-ups moest ik officieel bevestigen wie ik had gezien. Achter me stonden twee rechercheurs. Ik wist dat ik door de doorkijkspiegel achter me zelf werd geobserveerd. 'Nummer twee.'

'Doe maar rustig aan,' zei de ene rechercheur.

'Dat hoeft niet. Hij is het.' Ik twijfelde geen seconde. In de jaren dat ik op de lagere school in Roecliffe had gezeten, had ik hem vrijwel dagelijks gezien. De kinderen waren dol op hem, hij was populair. Hij vertelde verhalen en als het mooi weer was, mochten we buiten huiswerk maken. 'Hij was een van de mannen in de kapel. Hij heet Mr. Tulloch.'

De volgende line-up bestond uit zes mannen van middelbare leeftijd. Vijf mannen droegen een donker colbert, de zesde een beige overjas. 'Die daar,' zei ik, wijzend op een man met grijs haar in een marineblauwe blazer. 'Mr. Leaby was ook in de kapel.' Ik kon niet naar hem blijven kijken. Hij was zo lang ik het me kon herinneren directeur van het kindertehuis geweest. Honderden kinderen waren aan zijn zorgen toevertrouwd geweest.

De beide rechercheurs knikten. Ik dronk het water dat ze voor me hadden neergezet en voelde in mijn binnenste een ijzeren doorzettingsvermogen groeien toen de volgende groep mannen werd binnengeleid.

Dit keer had ik langer nodig. De jongste man die ik 's nachts in de kapel had gezien, was de tuinman van Roecliffe. Een paar van de oudere meisjes waren verliefd op hem, en de jongens mochten soms op zijn knie zitten als hij op zijn grote tractor baantjes trok over de gazons.

'Hij was er ook bij,' zei ik. 'Nummer vijf.' Ik wees op zijn magere gezicht. 'Hij heet Karl.'

Na het proces hoorde ik dat hij Karl Burnett heette. Zijn moeder was Duits en werd geslagen door zijn vader, een drugsdealer en autodief met een tweede huis achter de tralies. Karl was opgegroeid tussen jeugdbendes in Londen en had de donkere kanten van het leven gezien. Maar hij was niet stom, en ook niet zonder ambitie. De kranten vertelden zijn verhaal, dat hij de achterstandswijk waar hij was opgegroeid had verlaten om in het noorden van het land een nieuw leven te beginnen. Hij had een parttime baantje bij een hoveniersbedrijf genomen en was begonnen aan een opleiding. Toch was hij weer met de verkeerde mensen in contact gekomen, mensen die het leven van tientallen kinderen op Roecliffe tot een hel hadden gemaakt.

Er kwam geen vierde confrontatie. Wat had het voor zin om me een groep mannen met een zwarte kap over hun hoofd te laten zien? Geen van de arrestanten was bereid om namen te noemen, om ook maar iets los te laten. De man die Betsy had vermoord ging vrijuit.

Twee dagen voor het begin van de rechtszitting werd ik voor het eerst bedreigd. De drie mannen die ik als de schuldigen had herkend zaten in hechtenis, maar ze bleken deel uit te maken van een wijdvertakt netwerk. Het kindertehuis was weliswaar onmiddellijk gesloten – de kinderen werden in andere instellingen opgevangen – maar er waren smeerlappen die ondergronds doorgingen en uiteraard probeerden hun activiteiten voor de politie verborgen te houden. De politie had een grootschalig onderzoek ingesteld, vertelde een rechercheur me. 'Het moet afgelopen zijn met die smeerlapperij,' zei hij tegen me.

Ik kreeg een anoniem telefoontje bij mijn pleegouders thuis, van een man die zei dat ik eraan zou gaan als ik mijn verklaring over wat ik had gezien niet introk. Tegen die tijd had dat weinig verschil gemaakt, aangezien er van veel meer kanten bewijs was geleverd dat Leaby, Tulloch en Burnett tientallen kinderen op gruwelijke wijze hadden misbruikt.

De rechercheur die de leiding had van het onderzoek was zeer vasthoudend, en tijdens een van de verhoren had Tulloch bekend. Hij noemde diverse namen uit het netwerk, maar weigerde te zeggen wie de man met de kap was. De politie vertelde me dat een van de arrestanten was doorgeslagen en dat Betsy's moordenaar gepakt zou worden. Kort daarna hing Tulloch zich op in zijn cel. Iemand had hem een broekriem gegeven.

Er volgden meer arrestaties. Betsy's lichaam werd als eerste gevonden, en daarna werden er op het terrein van Roecliffe nog vele andere lijkjes opgegraven. Betsy kreeg geen begrafenis, maar werd in stilte gecremeerd toen de patholoog eenmaal met haar klaar was.

Nadat ik door een auto was aangereden, kreeg ik in het ziekenhuis politiebewaking. 'Iemand wil je dood hebben,' zei de rechercheur. Hij had een dochter van mijn leeftijd, vertelde hij, en hij liet me een gekreukelde foto in zijn portefeuille zien. Ze had donker haar, net als ik, maar ze was mooier. Hij zou op me passen, beloofde hij, en ervoor zorgen dat me niets meer zou overkomen. Zijn glimlach beviel me niet.

Ik verhuisde naar een noodopvang nadat ik met een mes was aangevallen. Ik kon de aanvaller niet beschrijven – zijn gezicht was verborgen geweest – maar hij was sterk, hij rook naar motorolie en het was zijn bedoeling geweest om me dood te steken. Als mijn pleegvader niet náár de voordeur was gekomen, waarop de man was weggevlucht, zou hij kracht hebben gezet en mijn hart hebben doorboord.

'O, Ava, arme Ava!' Hij zakte naast me op de vloer en drukte zijn handen tegen mijn ribben. Ik wilde zeggen dat het pijn deed, dat hij me maar moest laten bloeden, dat hij me dood moest laten gaan, maar de lucht was uit mijn longen gezogen.

In het ziekenhuis kwam ik bij, omringd door artsen en politiemannen in uniform. Drie dagen later werd ik naar een particulier verpleeghuis overgebracht. Ze wilden me niet vertellen waar ik was, en de vrouwelijke rechercheur die me had begeleid, vertelde dat ik onder een tijdelijke naam was ingeschreven.

'Tijdelijk?' herhaalde ik. Mijn hele leven lang was alles altijd tijdelijk geweest.

'Totdat je een nieuwe krijgt. Je krijgt hulp.'

Ik mocht van geluk spreken, vertelden ze me een paar weken later, dat ik geen familie had. 'In bepaalde gevallen worden familieleden bij getuigenbescherming betrokken, maar het verplaatsen van een heel huishouden heeft nadelen.'

Mark McCormack zag er elke keer anders uit, de ene dag als een bouwvakker in een spijkerbroek en een geruit hemd, de volgende als een zakenman in het pak. Dat hoorde waarschijnlijk bij zijn werk. Hij legde me het hele traject uit.

'Je mag zelf een nieuwe naam kiezen,' zei hij, maar dat was het enige wat ik zelf mocht kiezen.

Ik koos voor Nina Brookes omdat de naam heel gewoon klonk;

het kon heel goed iemand zijn die een doodgewoon leven had gehad, die studeerde, vrienden en vriendinnen had, rijlessen nam en andere normale dingen deed. Het klonk niet als de naam van iemand die tien jaar lang in een kindertehuis had gewoond waar pedofielen actief waren. Het klonk niet als de naam van iemand die met de dood werd bedreigd.

'We sturen je naar Bristol,' vertelde McCormack toen het proces eenmaal aan de gang was. 'Het is een stuk ingewikkelder dan we hadden gedacht.' Ik wist dat hij het in mijn belang simpeler voorstelde dan het in werkelijkheid was; hij wilde me niet belasten met alle gruwelen die zich in mijn directe omgeving hadden afgespeeld. 'Je krijgt een nieuwe identiteit en een woning. Je kunt gaan studeren, als je wilt, of we helpen je bij het vinden van een baan. Je krijgt een financiële toelage en ik kom regelmatig kijken hoe het met je gaat. Ik ben straks het enige contact met je vroegere leven.'

Ik fronste mijn wenkbrauwen. Nu was ik een onervaren meisje van achttien. Hoe zou het zijn om van de ene dag op de andere een onafhankelijke vrouw te zijn? Mark had me meegenomen naar een hamburgertent in de buurt van mijn tweede pleeggezin. Net als in het verpleeghuis had ik een tijdelijke naam gekregen, en mijn pleegouders vroegen zich voortdurend af waarom ik niet meteen reageerde als ik werd geroepen voor het eten of als ze een gesprek met me probeerden aan te knopen.

'Over een week verhuis je. Hier kun je misschien ideeën uit opdoen.' Hij schoof de brochure van een hogeschool naar me toe. Het was een aardige man. Die dag zag hij eruit alsof hij mijn vader zou kunnen zijn – een bodywarmer, een gestreept overhemd, een grijze broek – ook al was hij er niet oud genoeg voor. Hij had stoppels. Ik mocht hem graag. 'Ik heb alle documenten die je voor een nieuw begin nodig hebt. En we hebben een kamer voor je gevonden. De hospita weet dat je komt. Ze heeft geen idee wie je bent of wat je hebt meegemaakt.'

Dit gebeurde allemaal omdat Betsy dood was, omdat ik alles had verteld. Eén telefoontje kon grote gevolgen hebben.

'Krijg ik nieuwe kleren?' vroeg ik. Ik bladerde in de brochure en ik wist meteen wat ik wilde gaan studeren. Ik liet het Mark zien.

'Visagie en grime, prima.' Hij zei het alsof mijn hele toekomst nu was beklonken. 'Er zijn bepaalde dingen in deze zaak die ik je niet kan vertellen, Ava... Nina,' corrigeerde hij zichzelf. 'Ik heb gedurende mijn carrière veel getuigen die gevaar liepen een nieuwe toekomst kunnen geven, maar soms gaat het mis. Ik wil dat je je elke dag van je nieuwe leven aan twee simpele regels houdt.'

Ging hij me nu vertellen dat ik mijn hele verdere leven over mijn schouder zou moeten kijken?

'In de eerste plaats moet je niemand vertrouwen. Helemaal niemand. Ze komen uit alle rangen en standen. Vorige week is er nota bene een politieman gearresteerd.' Ongelovig schudde hij zijn hoofd. 'Hij maakte deel uit van het netwerk, Nina. Het staat vast dat we nog niet iedereen hebben gepakt. Ik ben de enige die je nieuwe identiteit kent. Mocht je problemen hebben, dan kom je naar mij. Ik geef je een telefoonnummer dat je altijd bij je moet dragen.'

Ik knikte wel, maar het duizelde me.

'In de tweede plaats,' vervolgde Mark, 'mag je nooit, maar dan ook nóóit, teruggaan naar Roecliffe of de omgeving. Dan herkent iemand je. Die persoon vertelt het aan iemand die het ook weer aan iemand vertelt. Dan verkeer je ogenblikkelijk in gevaar. Het lijkt me niet nodig dat je teruggaat, dus blijf er zo ver mogelijk uit de buurt.' Hij zag de uitdrukking op mijn gezicht en legde zijn hand op de mijne. 'Wees maar niet bang, je redt je wel. Hou je gewoon aan die twee regels. Vertrouw niemand en ga niet terug.'

Ik herhaalde het als een mantra tijdens de lange reis naar het zuiden van het land. Ik had een koffer met nieuwe kleren erin, en een handtas met een paspoort, een bankpasje, een sofinummer – alles wat ik nodig had om een nieuw leven te beginnen. Mark McCormack had alleen de herinneringen niet uit kunnen wissen, en die vormden het zwaarste onderdeel van de bagage toen ik mijn nieuwe leven de trap op zeulde naar mijn zit-slaapkamer.

'Ik hoef in elk geval geen honger te lijden,' zei ik, wijzend op de snackbar op de begane grond.

Mark stelde me voor aan de hospita alsof hij een vader was wiens dochter het huis uit ging. Hij liet me zien waar de hogeschool was, welke bus ik moest nemen. Het studiejaar was al begonnen, maar op basis van een geloofwaardige smoes werd ik toch aangenomen. Al snel had ik een paar vrienden gemaakt. Na verloop van tijd kwam Mark nog maar eens in het half jaar langs, totdat hij op een dag belde om te zeggen dat hij niet meer zou komen.

'Je hebt mijn nummer,' zei hij. 'Bel me als je hulp nodig hebt. Vertrouw niemand en ga niet terug,' herhaalde hij voordat hij ophing.

Ik was opgetogen, alsof ik de hoofdrol ging spelen in een beroemd toneelstuk. Ik kon iedereen zijn die ik maar wilde, en ik vertelde de nieuwe mensen die ik leerde kennen allemaal een ander verhaal over mijn verleden.

Uiteindelijk bouwde Nina Brookes haar eigen leven op. Uiteindelijk vond ik het grote geluk toen ik Mick leerde kennen, de man die ten langen leste mijn angsten had weggenomen. Nooit eerder had ik me zo veilig gevoeld, zodat ik zelfs durfde te geloven dat me nooit meer iets vreselijks zou overkomen.

55

Nina had er nooit rekening mee gehouden dat ze voorgoed afscheid zou moeten nemen. Ze had er net zomin rekening mee gehouden dat het gevaar waar zij in verkeerde – hetzelfde gevaar dat door haar immense geluk op de achtergrond was geraakt – ook voor anderen bedreigend zou kunnen zijn.

Als ik dit niet doe, hebben zij geen leven meer, hield ze zichzelf voor toen ze begon te twijfelen. Ik kan hen alleen redden door bij hen weg te gaan.

Alles was klaar. Nu hoefde ze alleen nog maar dood te gaan.

Het was een warme en gelukkig windstille dag. Mick was, zoals de laatste tijd vaste prik was geworden, wakker geworden met een gezicht waar de slapeloosheid en de stress op stonden af te lezen.

'Sap?' vroeg Nina. Mick schudde zijn hoofd en schonk koffie in, van plan om de beker mee te nemen naar zijn atelier.

Het glas gleed op de vloer en het sap spatte alle kanten op.

'Wat heb jij...' Mick draaide zich met een ruk om toen er iets langs zijn hoofd vloog.

Nina was rood geworden. Ze trilde, huilde en schopte tegen een keukenkastje. Ze vond het vreselijk, maar het was nodig om deze show op te voeren. 'Ik kan er niet meer tegen!' gilde ze. Ze trok aan haar eigen haar, snikte, krabde met haar nagels haar gezicht open.

Mick schrok, schudde zijn hoofd en ging naar zijn atelier.

Haar huid voelde klam onder de wetsuit. Ze had zich in een openbaar toilet aan de rand van het park verkleed. De rubberen pijpen sleepten door de smeerboel op de vloer. Met trillende handen trok ze de rits dicht. Haar gezicht glom van het zweet.

Over de wetsuit droeg ze een rok, een speciale rok die ze zelf had gemaakt van materiaal dat volgens Reacher soms bij dergelijke stunts werd gebruikt. Ze had er twee dunne, flexibele staafjes in genaaid en een constructie van lichtgewicht koord gefabriceerd. Dankzij de rok zou haar overlevingskans misschien nét een greintje groter zijn; zo niet, dan kon ze het toch niet navertellen.

Ze herinnerde zich Micks verhaal van jaren geleden, over de victoriaanse vrouw die een val van de brug had overleefd dankzij haar ouderwetse rok. Ze dacht aan Ethan Reachers adviezen voor haar niet-bestaande film, zijn minutieuze beschrijving van vergelijkbare stunts. Heel misschien had ze een kans. Ze moest opschieten, anders zou het tij keren.

Haar hart klopte onregelmatig onder het strakke rubber. Ze propte de kleren die ze had uitgetrokken in een plastic zak en gooide die in een afvalbak langs de kant van de weg. Zonder om te kijken reed ze naar de hangbrug, de beroemde Clifton Suspension Bridge.

Eerder die dag had Josie haar schoolspullen bij elkaar gezocht, voortdurend mopperend omdat ze na de lange zomervakantie haar sportkleren niet kon vinden. Nina hield een binnenstebuiten gekeerde hockeykous omhoog die de wasmand nooit had gehaald. Zonder een woord te zeggen griste Josie de kous uit Nina's hand; ze beende weg toen haar moeder haar wilde omhelzen.

Mick was uiteraard aan het werk. Waarschijnlijk wond hij zich nog steeds op over de scène die Nina had geschopt. Hij was naar zijn atelier gegaan, en ze had hem sindsdien niet meer gezien.

Ze hoopte vurig dat haar gedrag van de laatste paar weken achteraf verklaarbaar zou worden gevonden. Dat de ruzies die ze hadden gehad, de lege doosjes paracetamol die ze in de keukenla had laten slingeren, haar handtas die nog aan het haakje in de hal hing, met haar portemonnee en mobiel erin, allemaal zouden wijzen op datgene wat ze iedereen – ook de politie, de plaatselijke kranten en vooral Burnett – wilde laten geloven.

Dat ze dood was.

Nina parkeerde op een dubbele streep niet ver van de brug. Een dode vrouw zou zich niet druk maken om een bon. Ze probeerde nergens meer aan te denken, wetend dat ze het anders niet meer zou opbrengen. Ze liet de sleutel in het contactslot zitten en het portier openstaan. Een suïcidale vrouw zou niet bang zijn dat haar auto werd gestolen.

Nina rende de brug op, zich ervan bewust dat elke stap haar dichter bij de finish bracht. Ze probeerde te slikken, maar haar keel zat dicht van angst. Ze kwam langs de enorme kabels die vastzaten aan de stenen torens, langs de spots die de brug in het donker zo spectaculair verlichtten, langs de bankjes waar verliefde paartjes neerstreken om van het uitzicht te genieten. Steeds sneller haalde ze adem terwijl ze over het zandkleurige plaveisel rende, onder de toren door naar de brug zelf, waar het witte rasterwerk een lichte schaduw op het voetpad wierp.

Voor haar uit liep een vrouw met blond haar, dat bewoog in een licht briesje. Nina haalde een neusklem uit haar zak, hoewel ze zich afvroeg of ze er iets aan zou hebben. Ze durfde niet omlaag te kijken naar het bruine water van de Avon, vierenzeventig meter onder het brugdek. Dat zou ze pas zien als ze erin werd weggezogen.

De hoogte maakte haar duizelig.

Gedreven door wilskracht droegen haar benen haar naar het middelste punt van de brug. Ze was zich bewust van elk moment – niet het vorige, niet het volgende, alleen het huidige. Ze zag alleen elke stap die ze zette, hoorde alleen elke ademtocht.

Ze bleef staan en stak haar hand uit naar de stang boven het witte rasterwerk. Brandend van adrenaline keek ze omhoog naar de strakgespannen staalkabels die moesten voorkomen wat zij van plan was. Met heel veel inspanning en een kracht die ze al heel lang niet meer had hoeven aanspreken, hees Nina zich langs het hek omhoog naar de kabels erboven.

Op de een of andere manier lukte het haar, zoals het anderen voor haar was gelukt, om eroverheen te klimmen. De kabels sneden in haar handen, deden pijn tegen haar schenen en schouders. Staal schramde haar gezicht en nek. Het kon haar niet schelen.

Een auto toeterde en iemand riep iets, zwaaide toen hij langsreed, alsof hij haar wilde aanmoedigen.

Nina ging staan, waarbij ze zich aan de kabels vasthield. De rok golfde om haar benen. Nu pas keek ze omlaag.

Ze keek naar de rest van haar leven.

Ze wist dat het drie seconden zou duren om dood te gaan.

'Wacht!' hoorde ze iemand roepen.

Nina keek opzij naar de brug. De vrouw had een hand voor haar mond geslagen, en zelfs van een afstand was zichtbaar dat haar ogen uitpuilden van schrik. Achter haar kwam een dikke man in uniform waggelend aangerend, schreeuwend en roepend.

Nina keek weg. Híj had gezegd dat ze het moest doen. Als zij doodging, zou hij de anderen geen kwaad doen, dan zou hij haar gezin met rust laten.

Ze deed wat ze moest doen. Toch?

'Zoek de belletjes,' fluisterde ze. Haar laatste woorden werden meegevoerd door de wind.

'Onder water is het inktzwart,' had Reacher gezegd. 'Volg de belletjes naar de oppervlakte. Dan zwem je voor je leven,' zei hij lachend. 'Als je het tenminste echt doet. Maar dat waagt niemand,' voegde hij eraan toe. 'Niet zonder een uitrusting.'

De rivier beneden haar was even ver weg als een andere planeet, een ander leven.

Nina stapte van de brug af.

Ze had gelijk. Drie seconden om dood te gaan, en toch duurde het de rest van haar leven. Het water zoog haar omlaag en alles werd zwart.

56

'Adam! Adam! Wakker worden. Ik ben het, Frankie.' Mijn klopje gaat al snel over in ongeduldig roffelen. 'Adam. Doe open.'

Ik hoor een kreun. 'Wat is er?'

'Adam, doe alsjeblieft open. Ik heb je hulp nodig.'

Even later gaat de deur open, en daar staat Adam in een trainingsbroek. Zijn bovenlijf is naakt. Zijn donkerblonde haar zit net iets meer in de war dan anders. Hij wrijft met een hand over zijn gezicht en gaapt. 'Wat is er?' Hij gaat opzij om me binnen te laten. 'Zo gaan mensen roddelen, hoor,' grapt hij.

'Het spijt me dat ik je wakker heb gemaakt.' Ik wip van de ene voet op de andere. 'Help me alsjeblieft, Adam. Ik word gek van de zorgen.'

'Kan het niet wachten?' Hij gaat op het bed zitten en trekt een grijs T-shirt over zijn hoofd.

'Ik moet je computer gebruiken. Het... het gaat over het meisje over wie ik je vertelde. Ze zit in de nesten. Ze loopt gevaar. Dat weet ik heel zeker.'

'Waarom bel je haar moeder dan niet? Het is niet jouw probleem, noch het mijne, zeker niet op dit uur.' Adam leunt naar achteren en zijn hoofd valt op het kussen. 'Het is half vier. Ga je gang.' Hij gebaart naar zijn computer.

Ik ga aan het bureau zitten en doe de laptop open. Binnen een paar minuten ben ik op Afterlife. Op dit uur van de nacht is Josephine natuurlijk niet online. Zo snel ik kan ga ik naar mijn e-mail en ik begin een bericht te typen. Dat vindt ze de volgende keer dat ze inlogt.

Aan: dramaqueen-jojo
Onderwerp: Dringend! Lezen!
Bericht: Josie, luister goed. Je bent in gevaar en je moet weggaan.
Ik kan het nu niet uitleggen. Ga naar Nat. Bel de politie. Ga weg
zodra je dit vindt.

Ik onderteken niet met 'Amanda'. Bijna had ik er 'mam' onder gezet,
maar ik weet dat ze dan zo erg zal schrikken dat ze misschien niet
doet wat ik zeg. Ik klik op versturen.

'Wat heb ik gedaan?' verzucht ik.

Adam gaat zitten en kijkt me fronsend aan. 'Ik heb geen idee.
Vertel het me.'

Ik gooi het raam open en buig me naar buiten, zuig de frisse lucht
diep in mijn longen. Het kalmeert me, alsof de duisternis alle antwoorden bevat, alsof alles goed zal komen zolang ik diep blijf ademhalen. Met een ruk draai ik me om.

'Ik moet terug,' zeg ik tegen hem. Mijn ogen zijn wijd opengesperd, maar ik zie alles door een waas. Hoe is het mogelijk dat dit
gebeurt?

'Toe nou toch. Terug waarhéén?' Hij schenkt twee glaasjes whisky in en geeft er een aan mij.

'Naar huis,' fluister ik. De whisky brandt in mijn keel. 'Ik moet
naar huis om een eind te maken aan deze nachtmerrie.' Ik loop als
een gekooid dier heen en weer. Ik probeer na te denken, maar ik
ben volkomen in de war.

'Rustig aan,' zegt Adam. 'Je bent veel te erg van streek om ergens
heen te gaan.'

'Hij vermoordt haar,' kreun ik. 'Ik ben stom geweest. Het was zo
stom om te denken dat het de oplossing zou zijn.' Ik wring mijn
handen. Adam schenkt meer whisky in mijn lege glas. 'Wil jij me
brengen?' Doordringend kijk ik hem aan. 'Nu?'

'Je brengen? Waarheen?' Hij zet zijn glas neer.

'Naar huis. Naar Bristol. Alsjeblíéft.' Ik ben zo wanhopig dat ik in
snikken uitbarst. 'Ik heb iets krankzinnigs gedaan, Adam, het was
zo stom van me. Nu moet ik terug om het goed te maken. Voordat
het te laat is.'

Twee strenge handen landen op mijn schouders. 'Even voor alle duidelijkheid. Je wilt dat ik je midden in de nacht naar Bristol breng. In die oude rammelkast van mij?'

'De jouwe doet het tenminste. De mijne wil niet eens starten.' Ik leg mijn wang tegen zijn onderarm. 'Ze verkeert in groot gevaar. Ik moet naar haar toe. Het is misschien al te laat.' Ik snik, slurp whisky in de hoop dat het helpt, pluk aan Adams T-shirt. 'Ik zou wel een taxi willen nemen, maar ik heb geen...'

'Ja,' zegt hij luid en duidelijk. Hij is al bezig een overhemd en een trui aan te trekken.

'Wat, "ja"?'

'Ja, ik breng je.'

'Maar?'

'Vertel me wie er in gevaar is.' Adam schiet zijn jas aan.

'Mijn dochter, Adam. Als ik niets doe, gaat mijn dochter dood.'

Adam vraagt hoe lang we er ongeveer over zullen doen naar Bristol. Ik denk terug aan mijn moeizame tocht naar het noorden, nog niet zo heel lang geleden, de nachten in motels, bijslapen op parkeerterreinen, de uren die ik glazig voor me uit heb gestaard, denkend aan wat ik had gedaan.

'Een uur of vier. Misschien vijf in deze oude brik.' Ik tik op het dashboard. Adam heeft de tank al volgegooid, koffie en snacks gekocht voor onderweg. Ik kan geen hap door mijn keel krijgen, maar de koffie pept me op.

'Ik heb altijd geweten dat je problemen had, vanaf het eerste begin.' Adam kijkt me aan als we voor een rood stoplicht staan. We zijn nog niet eens op de snelweg. 'Ik zag het al tijdens de eerste kennismakingsbijeenkomst. Iets in je ogen. De snee in je wang. De manier waarop je iedereen ontweek. Ik wist dat je een verhaal te vertellen had.'

'Help je me daarom, in de hoop dat ik je dan mijn verhaal zal vertellen?' Het kan me niet schelen wat hij denkt. Ik wil naar huis. Ik hoop dat het nog niet te laat is. Ik durf de waarheid niet onder ogen te zien.

'Je kent het mijne al,' zegt hij. 'Hoe komen we anders al die uren door?'

Ik blijf een tijd zwijgen, maar als we op de snelweg zijn, klinkt er een stem uit het niets. Het is de mijne, maar onherkenbaar vervormd. De stem vertelt Adam alles over Ava, het meisje dat hunkerde naar liefde, maar eerst haar moeder verloor door kanker en later haar vader door drank en verwaarlozing. Dat ze in een kindertehuis werd gedumpt, dat er 's nachts kinderen werden weggehaald en misbruikt, dat zíj mee moest.

'Maar ik ben geen zielig geval, hoor. Niemand hoeft medelijden met me te hebben. Ik leef nog, terwijl er zo veel kinderen dood zijn.' Een vrouw die ik niet herken schuift het verleden terzijde.

'En niemand heeft ooit iets gezegd?' vraagt Adam ongelovig. 'Over de dingen die er gebeurden?'

'We wisten allemaal dat we een pak slaag zouden krijgen als we iets loslieten, of erger nog, dat we ons huis kwijt zouden raken terwijl we nergens naartoe konden.' Ik staar naar buiten. Het duurt nog wel een tijdje voordat het licht gaat worden. Andere auto's halen ons in.

Adam trapt het gaspedaal helemaal in. 'Ik heb nog nooit zo hard gereden in dit ding.' Hij klopt op het stuur en glimlacht naar me.

'Behalve ik,' zeg ik na een tijdje peinzend. 'Ik heb het verteld. En moet je zien wat er met me is gebeurd.'

'Hoe was ze, Frankie? Vertel me wat voor meisje mijn zus was.'

Ik zucht. Hij heeft er niets aan als ik lieg. 'Ze zei weinig, Adam. Ze was zo bang als een muisje toen ik haar op een dag in een gang zag staan. Ze zeiden dat ze in het vorige tehuis onhandelbaar was geweest. Ze... ze was niet zindelijk.' Adams handen knijpen in het stuur. 'Maar ze was zo sprankelend, zo slim. We zongen liedjes samen en ik vertelde haar verhalen. Ze was een zusje voor me. Zij voorkwam dat ik gek werd.' Er valt een stilte als een vrachtwagen ons inhaalt. 'Ik maakte dingen voor haar. Kleren en zo, want we hadden allemaal zo weinig. Als er iemand... als een van de kinderen verdween, plunderden we hun kastje. Dat maakte het een beetje goed. Vreselijk, hè?'

'Had ze het wel eens over thuis? Over haar familie?'

'Ze heeft een paar keer een broer genoemd. Alsof ze er een had gehad. Alsof ze een vage herinnering had aan iemand van wie ze had gehouden. Maar afgezien daarvan wist ik niets van haar achtergrond. De verzorgers ook niet. Ze vonden het allang best dat ik voor haar zorgde, want dan hoefden zij het niet te doen.' Ik stelde me voor dat Betsy bij haar broer op schoot zou kruipen, zoals ze vaak bij mij had gedaan.

'Dank je wel,' zegt Adam ernstig. 'Ik meen het. Heel erg bedankt.' Hij legt zijn hand op de mijne, met onze vingers verstrengeld.

Kennelijk ben ik even in slaap gesukkeld. Mijn nek doet pijn en mijn rechterhand ligt nog steeds onder die van Adam. Ik kijk opzij. Hij kijkt strak voor zich uit. Links van ons is een oranje streep verschenen boven de horizon.

'Het liep heel erg uit de hand,' vervolg ik. 'Nadat ik de drie mannen uit de kapel had herkend, werd ik voortdurend bedreigd. Ze zouden me hebben vermoord als de politie me niet had geholpen. Ik kreeg een nieuwe woonplaats, een nieuwe naam, de hele handel. Ik was een beschermde getuige. De smeerlappen in en rond Roecliffe bleken het topje van de ijsberg te zijn. Het netwerk was enorm groot.'

'Maar Betsy's moordenaar ging vrijuit.'

'Ja,' beaam ik triest.

'Dus jij kreeg een heel nieuw leven.'

'Het was krankzinnig. Het ene moment was ik een kind in een kindertehuis, en het volgende een volwassen vrouw met een nieuwe naam.'

'Wat ben je gaan doen?' Adam pakt een reep en ik haal het papier eraf.

'Ik heb gestudeerd, heel erg mijn best gedaan. Ik maakte een paar vrienden, maar er was zo op gehamerd dat ik niemand kon vertrouwen en dat ik nooit terug mocht gaan naar het noorden dat ik 's ochtends bijna bang was om mijn ogen open te doen.'

'Het klinkt vreselijk.'

'Dat was het ook, maar het was tegelijkertijd opwindend om met een schone lei te kunnen beginnen. Een paar jaar later leerde ik mijn man kennen. Voor mij was dat het keerpunt.' Adam kijkt me aan, merkt dat mijn stemming verandert. 'We kregen een dochter, Josephine. Ze is vijftien.'

'Is dat het meisje...'

'Ja,' onderbreek ik hem. 'Maar toen, twintig jaar later, kwam een van de mannen die ik had geïdentificeerd uit de gevangenis. Joost mag weten hoe hij me heeft gevonden. Een paar gewetenloze politiemannen maakten deel uit van het netwerk, dat weet ik wel. Een of twee van die kerels werden gearresteerd toen ik nog niet zo lang in Bristol woonde. Ik las het in de krant. Het was groot nieuws dat een inspecteur van politie zich schuldig maakte aan pedofilie. Ik ben ervan overtuigd dat niet iedereen is gepakt. Zo heeft hij me misschien gevonden. Ze hebben nu ongetwijfeld contact met elkaar via internet.'

Het donker begint geleidelijk plaats te maken voor een grijze dag. De laaghangende bewolking is een afspiegeling van mijn stemming. Van honderdtwintig kilometer gaan we naar tachtig, en nu staat Bristol op de verkeersborden bovenaan.

'Wat zou ervoor nodig zijn?' vraag ik. Adam kijkt me in verwarring aan. 'Om vergiffenis te krijgen nadat je volledig uit iemands leven bent verdwenen, nadat je mensen hebt laten denken dat ze je nooit meer terug zullen zien?'

Hij trekt een gezicht. 'Als ze denken dat je dood bent, bedoel je dat?'

'Dat is precies wat ik bedoel.'

'Nou, dan moet je wel met een verdomd goede reden aan komen zetten.'

'En stel nou dat die persoon weer tot leven komt? Opeens weer opduikt?'

'Nogmaals, daar zou ik een goede verklaring voor willen hebben.'

Ik zwijg even, maar dan flap ik het eruit. Het werkt gewoon niet om niemand te vertrouwen. 'Adam, op 29 augustus van dit jaar heb ik zelfmoord gepleegd.'

De auto maakt een slinger. 'Wat? Heb je geprobeerd zelfmoord te plegen?'

'Ik heb het niet geprobeerd, ik heb het gedáán.'

Hij pakt het stuur steviger beet. 'Maar je zit naast me.'

'Iedereen denkt dat ik dood ben. Jij bent de enige die weet dat Nina Kennedy nog leeft.'

'Nina Kennedy?' Hij gaat langzamer rijden, bereidt zich voor op een nieuwe schrik.

'Mijn nieuwe naam was Nina Brookes. Ik heb Micks naam aangenomen toen we zijn getrouwd.'

'Wie is Frankie Gerrard dan?' vraagt Adam wantrouwig.

'Frankie is de persoon die ik ben geworden na mijn zelfmoord. Ik heb mijn eigen zelfmoord in scène gezet, Adam, zodat Karl Burnett, de man die me bedreigde, mij en mijn gezin met rust zou laten. Hij heeft Josie ook bedreigd. Hij heeft duidelijk gemaakt dat hij haar met rust zou laten als ik dood was. Ik had geen keus.'

Adam denkt erover na voordat hij reageert. 'Waarom heb je niet gewoon de politie gebeld? Waarom ben je niet samen met je gezin weggegaan? Je had toch ergens anders een nieuw leven kunnen beginnen.'

'Denk je nou echt dat ik dat niet heb overwogen? Je kent die man niet. Als we alle drie plotseling waren verdwenen, zou Burnett ons net zo lang zijn blijven zoeken totdat hij ons had gevonden. Ik ben van een bijna honderd meter hoge brug gesprongen, dat hebben diverse mensen gezien. Zelfmoord. Lichaam naar zee gespoeld. Een berichtje in de krant. Genoeg om hem ervan te overtuigen dat ik dood was. Drie doden zou niet geloofwaardig zijn geweest.' Ik haal diep adem. 'Bovendien vond ik het veel te ver gaan om het leven van mijn dierbaren kapot te maken, alleen maar vanwege mijn verleden. Zij wisten er niets van.' Mijn hoofd zakt naar voren. 'Ik kon ze niet in de steek laten.'

'Maar waarom ben je in hemelsnaam teruggegaan naar Roecliffe Hall?'

'Het was niet waarschijnlijk dat Burnett daar zijn gezicht zou laten zien, niet zo kort na zijn vrijlating. En ik dacht dat het de laatste plaats zou zijn waar hij me zou zoeken, dat zei ik al. Geen enkele beschermde getuige is zo dom om terug te gaan naar de plaats des onheils. Ik dacht dat ik het allemaal goed had beredeneerd.'

'En welke rol heeft de politie in dit hele gedoe gespeeld?'

'Geen enkele. Afgezien van een jonge agente die dacht dat mijn man me sloeg. Ik heb geprobeerd het in bedekte termen te vertellen, maar ze snapten het niet. De man die destijds verantwoordelijk was voor de getuigenbescherming heeft eindeloos herhaald dat ik niemand in vertrouwen mocht nemen. Ik heb mijn stinkende best gedaan, maar ik heb hem niet kunnen vinden.'

'Frankie, dit is een ongelofelijk verhaal.'

'Denk je dat ik het heb verzonnen?'

'Integendeel,' antwoordt hij. 'Het staat op je gezicht te lezen.' Hij steekt zijn hand uit en strijkt over het litteken op mijn wang.

Het is spitsuur als we in Bristol aankomen. Het lijkt eeuwen geleden dat ik voor het laatst in de stad ben geweest waar ik me twintig jaar lang heb schuilgehouden. Ik geef Adam aanwijzingen – ik ken de sluiproutes op mijn duimpje – en uiteindelijk zijn we aan de andere kant van de stad, niet ver van het huis waar ik woonde. Een koude wind van zee blaast door de kapotte verwarming naar binnen.

Ik kijk op de klok op het dashboard. 'Rond deze tijd staat ze op.' Ik probeer me voor te stellen hoe ze zal reageren als ze me ziet. 'Ik weet niet hoe ik dit moet aanpakken, Adam. Ik ben nooit eerder opgestaan uit de dood.'

'Volgens mij ben je een expert in dit soort dingen. Zeg maar waar ik heen moet.'

'Naar huis.' De woorden die me vroeger een warm gevoel gaven vanbinnen jagen me nu angst aan. 'Ik denk niet dat ze naar school gaat.' Niet na het rare gesprek dat we hebben gehad.

Ik bedenk ook dat het misschien beter is om Laura te bellen, voor het geval ze mijn boodschap op Afterlife al heeft gelezen en meteen naar Nat is gegaan. Ik vraag of ik Adams telefoon mag lenen en toets het nummer in. Ik hoop dat ik mijn stem kan verdraaien, zodat ik klink als een tiener.

Even later hang ik weer op, aangeslagen na het horen van Laura's stem. 'Ze hebben haar al dagen niet gezien. Dat is op zich al heel vreemd. Ze woonde zo ongeveer bij Nat.'

'We gaan eerst naar je huis en dan naar haar school. Is dat oké?'

Ik knik. We zijn er nu bijna. Ik heb geen gevoel meer in mijn vingers. Mijn mond is droog en ik weet niet wat ik moet zeggen tegen de dochter die ik heb bedrogen. Het duizelt me. Ik doe mijn ogen dicht, en de waarheid komt als een speer op me af.

'Snel,' fluister ik.

57

Een heel seizoen gemist. De bomen zijn zwarte skeletten, alsof er brand heeft gewoed. De kleurige voortuinen uit mijn herinnering zien er nu troosteloos uit. Boven sommige voordeuren hangen nog manden met verlepte bloemen. Maar mijn huis is het enige dat in diepe rouw is gedompeld.

'Het ziet er vreselijk uit. Rij maar een eindje door,' zeg ik met verstikte stem, als de dood dat iemand me zal zien. De zonneklep is omlaag geklapt en ik heb een wollen muts van Adam diep over mijn voorhoofd getrokken. Het ziet eruit alsof er zigeuners in de voortuin hebben gekampeerd. De gordijnen zijn dicht. Overal ligt troep. Wat is er aan de hand?

Adam doet wat ik vraag en rijdt door tot aan het eind van de straat. Daar stopt hij om op instructies te wachten.

'Kun je keren? Ik wil het nog een keer zien.'

Als we er voor de tweede keer langsrijden, herken ik een buurvrouw met haar peuter, ongetwijfeld onderweg naar de crèche. Het leven gaat gewoon door. 'Waarom ziet het eruit alsof er niemand woont?'

'Misschien liggen ze nog in bed. Zal ik parkeren?'

'Nee! Rij maar een eindje verder. Daar zijn een paar winkels, dan valt het niet zo op als we de auto aan de kant zetten. We lopen wel terug.'

Zo gezegd, zo gedaan, en even later leunen we tegen de warme motorkap van zijn barrel.

'Ik probeer haar eerst te bellen.' Adam geeft me opnieuw zijn telefoon. Ik bel maar krijg geen gehoor. 'Misschien zijn ze al heel vroeg weggegaan.'

'Zal ik op de deur kloppen? Niemand weet wie ik ben.'

Ik kan hem wel zoenen, maar doe het niet. Hij loopt het kleine eindje naar mijn huis – een wandelingetje dat ik zelf zo vaak heb gemaakt. Met een verwarde uitdrukking op zijn gezicht komt hij terug. 'Zijn ze misschien met vakantie?' vraagt hij. 'Zo te zien is er al een tijdje niemand geweest. Er ligt post op de mat en er staan zes flessen melk bij de deur. Ik heb een paar keer aangebeld. Ik wilde naar de achterkant gaan, maar het hek aan de zijkant zit op slot.'

'Het klemt,' zeg ik. Ik herinner me de kleine eigenaardigheden die alleen de bewoners kennen, die van een huis een thuis maken.

'Ik ga naar de achterkant,' besluit ik. 'Stel nou dat ze alleen thuis is, of dat híj er is? Misschien is ze wel gewond, of...'

'Probeer je nou alsjeblieft geen zorgen te maken. Als er echt sprake was geweest van een noodsituatie, zou je man de politie hebben gebeld.' Hij pakt mijn arm beet, maar ik maak me los en ren weg. 'Wacht!' roept hij, maar het is al te laat. Ik bons met mijn vuisten op mijn vroegere voordeur en hoop Josies gezicht te zien door het glas. Zou ze er ouder uitzien, bleker, volwassener?

Weer druk ik op de bel. Niets. Adam helpt me het hek open te duwen. Ik ren naar de achterkant, roep Josies naam, schreeuw haar naam, bid dat ze me zal horen.

'Daar, misschien?' Adam wijst op Micks tuinhuis. Het gras rond het atelier is kniehoog. Op het dak liggen dode bladeren.

'Dat is het atelier,' zeg ik, en opeens is Mick er, zijn gezicht verschijnt achter het raam en hij kijkt me met liefde in zijn ogen aan. Even plotseling als hij is verschenen, is de luchtspiegeling weer weg, als verf die van een doek wordt geveegd.

Ik race naar het tuinhuis en kijk met mijn handen aan weerszijden van mijn gezicht naar binnen. Er is niemand. Overal staan en liggen schilderijen; zelfs door het hout heen kan ik de verf ruiken.

'Nee,' zeg ik hijgend tegen Adam. 'Er is niemand. We kunnen niet naar binnen.' Ik voer hem mee, vastbesloten om Josie te vinden. 'Ik heb geen sleutel.' Die zat altijd in een van Micks zakken.

Ik ren door de tuin – een moeras van onkruid en modder – en de trap naar het terras op. Dan naar elk van de drie ramen. Ik kijk naar binnen, op alles en iedereen voorbereid. 'Niets,' roep ik naar Adam.

'Het is één grote troep. Niemand thuis.' Ik hijg, niet zozeer van het rennen maar van angst. 'Waar ís ze?'

Een hand wordt op mijn arm gelegd. 'Waar ben je precies bang voor, Frankie?' Het is zo raar om hem hier te zien, bij mijn huis, deze man met wie ik in korte tijd zo veel heb meegemaakt.

'Ik... ik weet het niet,' hakkel ik. Ik kan de woorden niet hardop uitspreken. 'Er bestaan slechte mensen, heel erg slechte mensen, en ik wil niet dat ze bij mijn dochter in de buurt komen.' Ik schuif Adams mouw omhoog en kijk op zijn horloge. 'Als ze al naar school zou gaan, zou ze nu nog thuis zijn. Het is te vroeg.' Ik druk mijn voorhoofd tegen de ruit, en dan zie ik het: Josies computer staat op de eettafel, met een hele bos losse snoeren eromheen gewikkeld. Het is alsof ze zelf is vastgebonden en gekneveld. Heeft hij haar meegenomen? Het idee dat mijn dochter ergens gevangen wordt gehouden maakt me misselijk.

'Kijk.' Ik trek Adam naar het raam. 'De computer stond altijd in haar kamer. Ik begrijp er niets van.' Ik probeer de deuren, maar die zitten op slot. 'De sleutel. De sleutel lag altijd onder een bloempot voor als Josie de hare was vergeten.' Snel kijk ik onder de middelste van drie potten. De sleutel ligt er. Met trillende handen maak ik de deur open.

Zodra we binnen zijn, houden we allebei onze adem in. Er hangt een vreselijke stank. 'Ik ga wel eerst,' zegt Adam.

Ik weet wat hij denkt. Het is te erg.

Hij doorzoekt alle kamers, snel maar zorgvuldig, terwijl ik in de keuken op hem wacht, doodsbang voor wat hij zal vinden. De pedaalemmer is overvol en er staan een paar volle vuilniszakken naast. In de gootsteen staan vuile borden en pannen, en het aanrecht staat vol met gebruikte glazen en kopjes. Niets herinnert aan de gezelligheid van voorheen. Ik stel me voor dat Burnett hier zowat woonde en geen enkel respect toonde voor mijn leven – of voor mijn dochter.

'Er is niemand, dood of levend, al hangt er een lijklucht.' Adams woorden roepen het beeld op van een lijk dat hier dagen heeft gelegen, en ik huiver.

We gaan naar de eetkamer om naar Josies computer te kijken, de enige link die ik de laatste paar maanden met haar heb gehad. Het toetsenbord staat overeind tegen de toren, het scherm is groezelig. De snoeren zijn om de stoffige stapel heen gedraaid.

'Wat doet die computer hier? Ik snap er niets van.' Ik ga met mijn vinger over de vertrouwde stickers op de zijkant, alsof ik zo verbinding kan maken met mijn dochter. Ik wil het liefst in elkaar zakken op de vloer, maar het is te laat om spijt te hebben.

'Kun je me helpen met de snoeren? Ik wil mijn mail checken. Misschien heeft ze gereageerd op mijn bericht.' Samen ontwarren we de snoeren en sluiten we de computer aan. We steken de stekker in het stopcontact en de usb-kabel in de aansluiting. De hele tijd luisteren we met onze oren gespitst of we iemand horen bij de deur.

De telefoon gaat. Ik sla een hand voor mijn mond als mijn eigen opgewekte stem vraagt of de beller een bericht wil inspreken. Er klinkt een klikje als er wordt opgehangen, gevolgd door de kiestoon.

Ik zet de computer aan en wacht ongeduldig totdat ik verbinding heb met internet. Eindelijk log ik in op Afterlife en met ingehouden adem klik ik op mail. 'Kijk,' fluister ik, 'er is een bericht van haar.' Alle keren dat ik op haar heb gemopperd omdat ze al voordat ze naar school ging dat stomme spel speelde, en nu ben ik er juist blij om. Ik klik op het bericht en Adam buigt zich naar voren om mee te lezen. Hij legt een hand op mijn schouder als de betekenis tot ons doordringt.

-Als je je dochter terug wilt, moet je haar komen halen. Ze gaat binnenkort dezelfde kant op als haar moeder.

'O nee, hij heeft haar te pakken!' Ik ren naar een hoek van de kamer en geef over. Adam ondersteunt me en ik lees het bericht nog een keer, voor de zekerheid.

'Het wordt tijd om de politie te bellen, Frankie,' zegt hij tegen me. 'Als je dochter echt in gevaar verkeert, kunnen wij het niet met z'n tweeën af.'

'Je begrijpt het niet!' roep ik wanhopig. 'Als de politie weet wie ik ben...'

'Doe me een lol, Frankie, en luister naar me,' zegt hij streng. 'Ik heb liever dat je het goed vindt, maar ik bel sowieso, ook als je het er niet mee eens bent. De veiligheid van je kind is belangrijker dan dat jouw identiteit geheim blijft. Hij weet toch al dat je nog leeft.'

Hij heeft gelijk. Ik ben niet langer dood, en dat heeft consequenties. 'Hoe is hij erachter gekomen?' Ik staar Adam aan. *Vertrouw niemand, en ga niet terug.* Ik heb allebei de regels geschonden.

'Dat weet ik niet, maar als het waar is, dan gebruikt hij Josie om jou uit te roken. En misschien is hij niet alleen...'

Het dringt nu pas ten volle tot me door dat dit menens is. Mijn benen zijn slap en ik laat me op een stoel vallen. 'Adam, ik kan niet meer.' Ik voel druk achter mijn voorhoofd en laat mijn hoofd op de tafel zakken. Hete tranen rollen over mijn wangen. Ik weet dat we iets moeten doen, maar ik heb geen idee wat.

Als ik mijn hoofd optil, heeft Adam zijn telefoon gepakt. 'Wacht. Als je de politie belt, praat dan met Jane Shelley. Ik weet dat zij me zal helpen. Ze denkt dat ik slachtoffer ben van huiselijk geweld. Zo waarschuwen we de politie, maar zonder het hele verhaal te vertellen.'

Ik laveer tussen de rommel in de woonkamer door naar de hal. Mijn handtas hangt nog aan het haakje, maar mijn oude mobiele telefoon is weg. Daar stond het nummer van Shelley in. 'Klootzakken!' roep ik, en ik sla met een vuist tegen de muur. 'Ik heb haar nummer niet. Bel gewoon het hoofdbureau en vraag naar haar. Alleen naar haar. Laat zo nodig een boodschap achter.' Adam doet wat ik vraag.

Nogmaals herlees ik het bericht. Het is die ochtend om 06.23 uur verstuurd. Zo te zien heeft Josie deze computer al een hele tijd niet gebruikt, dus is het bericht met een andere computer verstuurd. Maar waar zijn ze?

'Als ze mij willen hebben,' zeg ik tegen Adam, 'dan mogen ze me hebben.' Ik heb mijn status op 'online' laten staan, in de hoop dat hij het ziet.

'Frankie, wat ben je aan het doen? Ik heb een dringende boodschap achtergelaten voor Shelley. Ze hebben beloofd dat ze zal bellen zodra ze op het bureau komt. Ik denk dat het beter is om toch het alarmnummer te bellen.'

'Nee!' zeg ik. 'We wachten af. Dit gaat lukken.'

'Denk je dat hij je zal vertellen waar Josie is?'

Ik knik, bijt op mijn lip.

'En dan?'

'Dan,' zeg ik in volle ernst, 'gaan we erheen om haar te halen.'

58

Het wachten duurt eindeloos. Om kwart voor tien gaat opnieuw de vaste telefoon over. Adam en ik kijken elkaar aan terwijl we naar het antwoordapparaat luisteren. 'Hallo, Mr. Kennedy, u spreekt met de conrector van de school. Ik bel om te informeren waarom Josie vandaag alweer niet op school is. Wilt u ons alstublieft bellen zodra u dit bericht hebt afgeluisterd? Het is dringend. Alvast bedankt.'

'Waar ís haar vader?' vraagt Adam, maar dan komt er opeens geluid uit de computer. We buigen ons allebei voorover naar het scherm.

'Kijk, dramaqueen-jojo is online. Dat is Josie.' Mijn hand ligt op de muis.

'Of niet,' zegt hij.

Vrijwel meteen verschijnt er een venster met tekst.

-*hoi*

'Doe gewoon mee,' zegt Adam. 'We moeten erachter zien te komen waar ze is.'

-*hi,* typ ik, *allez goed?*

-*heb maar heel ff*

-*wat doe je?* Ik mag niet laten blijken hoe nerveus ik ben, maar de tijd dringt.

-*josie waar ben je?* dring ik aan als er geen antwoord komt.

-*kweenie. Ergkmn,l*

'Wat gebeurt er? Kijk. Er staat onzin.'

'Misschien is haar hand weggegleden,' oppert hij.

Dan hou ik mijn adem in en zet ik grote ogen op. Mijn lichaam reageert sneller dan mijn hersenen. Ik grijp Adams arm beet. 'O, god, néé!' roep ik uit.

-*Als je haar levend terug wilt zien, doe dan wat ik zeg.*

Ik wil alles doen om mijn dochter te beschermen, letterlijk alles. Het zweet breekt me uit. Adam schuift het toetsenbord bij me vandaan en trekt voorzichtig de muis onder mijn hand vandaan.

-*Wie is dit?* typt hij.

-*Driemaal raden.*

'Adam, speel geen spelletjes. Je hebt geen idee hoe gevaarlijk...'

Hij legt me met een blik het zwijgen op. 'Frankie, geef me mijn telefoon. Ik bel de politie, of je het ermee eens bent of niet. En jij moet je man bellen.'

-*Geen politie, anders is ze er geweest.*

Het is alsof hij ons heeft gehoord. 'Adam, help haar, alsjeblieft!'

-*Wat moet ik doen?*

-*Ga dood. Dit keer echt.*

Hij denkt dat ik achter de computer zit. We kijken elkaar aan. Ik knik dat hij verder moet gaan.

-*Zeg maar hoe. Doe haar alleen niets aan.*

In gedachten zie ik Josie, opgesloten in een donkere kamer, vastgebonden, gekneveld, doodsbang.

Adam en ik schrikken ons wild als er een telefoon gaat, niet de vaste maar een andere.

-*Neem op.*

'O, shit, hij weet waar we zijn. Hij houdt ons in de gaten.' We springen overeind en gaan op het geluid af. Het komt uit de keuken. Onder een paar lege pizzadozen vindt Adam een rode mobiele telefoon. Het nummer is verborgen. Hij geeft de telefoon aan mij.

'Hallo?' zeg ik schor.

Eerst hoor ik alleen ritselen en voetstappen, dan een kreet – een meisjesstem – gevolgd door een gedempt bevel.

'Met Josie. Help me, alsjeblieft! Wie ben je? Wil je me helpen...' Dan een snik.

'Josie? Josie? Kun je me horen?' Ik kijk naar de display, maar het gesprek is beëindigd. 'Shit! Het was mijn dochter, Adam. Ze is hysterisch. We moeten naar haar toe.'

Adam pakt de telefoon van me aan en drukt op knopjes. 'Niets,' zegt hij. 'Kennelijk een geheim nummer.' We rennen terug naar de computer.

-Ze leeft. Nu nog wel, staat er.

'Dit heeft geen zin, Adam. We moeten haar zien te vinden.' Ik struikel over mijn woorden. Ik ben in alle staten.

'Heb je enig idee waar ze zou kunnen zijn? Waar woont die griezel?'

'Ik heb geen idee.' Wanhopig ga ik met mijn handen door mijn haar.

-Doe het dit keer goed, typt hij. *Anders valt zij. Vijftien minuten.*

Adam kijkt me met ogen die tot spleetjes zijn geknepen aan. 'Waar, Frankie? Wat bedoelt hij?'

'De brug,' fluister ik. 'Hij wil dat ik nog een keer spring.'

'Anders valt Josie eraf,' begrijpt hij.

Mijn hand gaat naar de muis en ik typ: *Oké.*

Adam scheurt weg. Mijn hele lichaam is gevoelloos. Ik heb in elke hand een mobiele telefoon, die van Adam en de rode uit het huis. 'De A369,' fluister ik. 'Volg de borden.' Ik tril zo erg dat ik bijna niet kan praten. 'Dit had nooit mogen gebeuren.' Adam geeft geen antwoord, maar ik weet wat hij denkt: Wat had je dan verwacht?

We komen bij een opgebroken straat en Adam schiet op goed geluk een zijstraat in. Een paar straten verder zijn we terug op de doorgaande weg, maar het kost allemaal tijd, al vraagt Adam het uiterste van het oude barrel. We mogen niet te laat komen.

'We zijn al tien minuten onderweg,' zegt hij zorgelijk. 'Hoe ver is het nog?'

'Niet ver.' Voorbij de golfbaan slaak ik een kreet. 'Naar links!' Bijna hadden we Bridge Road gemist. Adam trapt op de rem en geeft een ruk aan het stuur. Achter ons wordt getoeterd. 'Rijden, rijden!' De brug doemt op. Ik kijk op Adams horloge. De vijftien minuten zijn nog net niet verstreken.

'Ik rij de brug op,' zegt hij. 'Het duurt te lang om ergens te parkeren. Als ze op de brug zijn, zien we ze meteen.'

Ik knik en kijk ingespannen voor me uit. De autobanden gonzen als we op de eigenlijke brug komen.

'Waar zijn ze? Zie je ze ergens? Ik weet niet hoe ze eruitzien.'

Ik maak mijn gordel los en buig me naar voren.

Langzaam rijdt hij over de brug. Er lopen een paar mensen over het voetpad, diep weggedoken in de kraag van hun jas.

'Daar!' gil ik. 'Dat zijn ze.' Twee mensen balanceren gevaarlijk op het randje aan de verkeerde kant van het hek, een derde staat op de weg. 'Jezus, het is Josie.' Ik begin te snikken. 'Samen met haar vader.'

Adam stopt midden op de rijbaan, ongeveer vijftien meter bij hen vandaan.

'Wacht,' zegt hij als ik uit de auto wil springen. 'We moeten dit samen doen.'

De auto's achter ons beginnen te toeteren, en de andere man draait zich naar ons om.

'Wie is dat?'

'Karl Burnett,' fluister ik. Ik klamp me vast aan Adams arm en behoedzaam lopen we verder. 'Hij is gevaarlijk.' Ik kijk strak naar Josie. Ze wankelt op het randje van de brug. Haar gezicht is bleek en haar ogen liggen diep in donkere oogkassen. Haar handen zijn achter haar rug vastgebonden en ze heeft een lap voor haar mond. Als haar vader haar arm niet zou vasthouden, zou ze vallen.

'Hij heeft ze allebei. Dit is levensgevaarlijk, Frankie.' Adam trekt zijn telefoon uit mijn hand. 'Ik ga hulp inroepen.'

Opeens klinkt er een gil door de lap voor Josies mond; een gesmoorde kreet van ongeloof als ze me ziet. Haar gezicht wordt lijkwit en haar knieën knikken van schrik. Haar ene voet glijdt weg, en Mick grijpt haar steviger beet.

'Niet schrikken, Josie!' roep ik, en ik strek mijn armen naar haar uit. 'Ik ben er. Het komt allemaal goed.'

'Kijk eens aan, opgestaan uit de dood,' blaft Burnett. Hij komt op me af en er duikt uit het niets een mes op. Ik deins achteruit. 'Dacht je nou echt dat ik je stomme truc niet door zou hebben?'

'Ik... ik... ik...' Ik kan geen woord uitbrengen.

Adam grijpt zijn kans nu hij ziet dat Burnett is afgeleid. 'Help dat meisje naar de andere kant!' schreeuwt hij naar Mick. Dapper rent hij eropaf.

Burnett komt pal voor me staan en drukt het mes tegen mijn keel. Alles gaat in slow motion.

'Adam, nee! Je begrijpt het niet!'

'Blijf staan, idioot, anders geef ik haar een duw,' zegt Mick. Elke spier in zijn gezicht is gespannen en zijn ogen fonkelen. Hij trekt Josies hoofd aan haar haar naar achteren en brengt zijn gezicht vlak bij het hare. Hij sist iets tegen haar.

Ik gil, maar er komt geen geluid uit mijn keel. Mijn wanhoop geeft me kracht. 'Néé! Klootzak!' gil ik. Burnett kijkt om en ik maak van de gelegenheid gebruik om naar Mick toe te rennen.

'Rot op!' blaft hij naar me.

Weg is de zware, warme stem waar ik ooit verliefd op ben geworden. Micks nieuwe stem doet me beseffen wie en wat hij is. Ik kijk naar de handen die Josie altijd hebben beschermd, dezelfde handen die haar nu zo ruw vasthouden. Haar leven hangt aan een zijden draadje. Ze schopt, probeert haar hoofd los te trekken, stampt op haar vaders voet. Ze heeft een verwilderde blik in haar ogen.

'Beweeg je niet, Josie. Niet vechten!' Als hij haar loslaat, valt ze.

Adam legt een hand op mijn schouder en draait me om. 'Wat is er aan de hand, Frankie? Je zei... Hij is je man!'

Ik hijg. 'Het schilderij...'

'Je was een prima dekmantel, Nina. Waar kun je je beter schuilhouden dan bij een beschermde getuige?' Mick lacht. 'Totdat híj opdook.' Zijn blik gaat naar Burnett.

'Twee voor de prijs van één,' zegt Burnett schamper. Hij kijkt zorgelijk, weet duidelijk niet goed wie hij met zijn mes moet bedreigen. 'Toen die kerel van de politie me tipte waar ik haar kon vinden, bleek jij met haar getrouwd te zijn. Dat was een onverwachte bonus. Ik had je in mijn macht, want jij wilde je lieve vrouwtje niet kwijt.'

Alles is even onwerkelijk. Nog even, en dan word ik wakker... en dan zie ik geen monster, maar mijn grote liefde, de vader van mijn dochter, en dan sla ik mijn armen om zijn hals, trek ik zijn mond omlaag naar de mijne, snuif ik zijn geur op...

Ik schiet langs Burnett heen, kil, blindelings, zonder te weten wat ik ga doen. Het mes snijdt in mijn arm, maar ik voel geen pijn.

Opeens staat de wereld op z'n kop als mijn hoofd het brugdek raakt. Burnetts vuist heeft me uitgeschakeld. Heel even wordt alles zwart.

'Breng haar bij mij,' roept Mick naar Burnett.

Omstanders beginnen zich ermee te bemoeien. Een vrouw gilt... Een man roept dat ze moeten ophouden.

'Adam!' Mijn hoofd tolt als ik opsta. 'Hij gaat Josie vermoorden.'

'Snel!' schreeuwt Mick.

'Mick, doe het niet. Ze is je dochter!'

Hij kijkt me aan. 'Laat maar zien hoeveel je van haar houdt en neem haar plaats in.'

'Oké! Wacht... Hou jij niet ook van haar?' Ik verwacht dat zijn gezicht een zachtere uitdrukking zal krijgen, dat hij berouw zal tonen. Maar hij vertrekt geen spier, kijkt zo mogelijk nog killer. 'Doe het niet, Mick, doe haar geen pijn. Help haar naar de andere kant.' Josie trilt, kreunt, smeekt me met haar blik om haar te helpen.

Adam maakt gebruik van de verwarring en haalt uit naar Burnett. Er ontstaat een vechtpartij. Mick zweet en zijn gezicht wordt rood. 'Laatste kans, anders valt ze.'

'Oké!' gil ik. 'Neem mij dan.' Ik loop naar de afrastering, grijp de staalkabels beet en begin doodsbang te klimmen. Ik heb het al een keer gedaan, dus nu kan ik het ook. Maar dit keer is er geen leven na de dood; bij laag tij overleeft niemand de val. Drie seconden... 'Help haar naar de andere kant. Alsjeblieft. Breng haar in veiligheid.'

Dan hoor ik sirenes, eerst heel ver weg, maar al snel komt het snerpende geluid dichterbij.

'Je hebt de politie gebeld, verdomme.' Micks stem klinkt onzeker. Hij geeft Josie een duw en ze wankelt. Haar ene voet glijdt uit, en hij pakt instinctief haar jas beet. Josies handen zijn vastgebonden, ze kan zich niet vasthouden.

'Nee, ik heb de politie niet gebeld,' zeg ik in paniek. Ik moet hem niet nog kwader maken. Als Adam Burnett niet tegen kan houden, duwen hij en Mick ons in een oogwenk van de brug. 'Een van die mensen moet het hebben gedaan.' Ik wijs naar de menigte die zich heeft verzameld. Waarom helpt niemand ons?

Eindelijk ben ik aan de andere kant. 'Mick, luister naar me. Alles kan weer goed komen. Breng Josie in veiligheid. We kunnen erover praten. Ik zal je steunen, dan word je heus niet veroordeeld. We horen toch zeker bij elkaar?' De woorden zijn bitter.

Heel even zie ik een glinstering in zijn ogen, een teken van leven, en ik krijg de indruk dat hij iets wil zeggen. Maar dan stormt Burnett naar het hek, hij steekt zijn handen tussen de kabels door en probeert Mick te grijpen. Hij is in paniek door de naderende sirenes.

Adam staat op. Zijn neus bloedt.

'Ik verdom het om nog een keer achter de tralies te gaan!' schreeuwt Burnett naar Mick. 'Jij bent vrijuit gegaan nadat je dat wicht hebt vermoord in de kapel. Dit keer ben jij aan de beurt.'

'Ik had jou ook moeten vermoorden toen ik de kans had...' Micks woorden vallen als stenen van de brug.

Jij bent vrijuit gegaan nadat je dat wicht had vermoord...

De wereld staat stil. De wind fluit in mijn oren.

'Jij hebt Betsy vermoord?' fluister ik tegen Mick, niet langer in staat om te schreeuwen. Ik ben duizelig. Ik kan me nauwelijks vasthouden.

Mick staart terug. De man die ik kende is weg, heeft plaatsgemaakt voor de schimmige figuur die me twintig jaar lang nachtmerries heeft bezorgd. Ik ben getrouwd met Betsy's moordenaar. Ik dacht dat ik doorhad hoe alles zat, maar niet dit... Niet Betsy... Twintig jaar lang heb ik met een moordenaar onder één dak gewoond, een monster, en mijn dochter is bij hem opgegroeid. Zonder dat we het ooit hebben vermoed. Er ontstaat een brandende pijn in mijn binnenste die me dreigt te verlammen.

Ik hou me krampachtig vast aan de rand van het hek terwijl ik voetje voor voetje naar mijn dochter schuifel. Ik laat haar niet doodgaan. 'Hou vol, Josie,' smeek ik met tranen in mijn ogen.

Plotseling stort Adam zich opnieuw op Burnett, en ze vallen in een kluwen van maaiende armen en schoppende benen op de grond. Het doet mij pijn als Adams hoofd het brugdek raakt. Burnett springt overeind, drukt zich tegen het hek en steekt zijn armen ertussendoor, deelt vuistslagen uit om Mick uit zijn evenwicht te brengen.

'Ik laat me verdomme niet pakken.' Mick vecht terug, probeert Burnett van zich af te slaan, en zijn greep op Josie verslapt.

Ik schuifel dichter naar hen toe. 'Je gaat heus niet naar de gevangenis, Mick, maar laat me Josie hier weghalen. Goed zo, langzaam en rustig. Laat me haar beetpakken.'

Dan schopt Burnett onverwacht een van Micks voeten weg. Hij schreeuwt, zoekt met beide handen naar houvast en zakt een halve meter omlaag.

Josie wankelt nu niemand haar meer vasthoudt.

'Nee!' gil ik en ik steek mijn hand naar haar uit. Ze helt al vervaarlijk achterover als ik haar voorhoofd tegen het ijzer druk. Ik sla een arm om haar middel, bevend van inspanning.

Mick klampt zich vast aan de rand van het hek, maar zijn benen bungelen in het luchtledige. Zijn knokkels worden wit.

'Het is afgelopen, Mick,' zegt Burnett. 'Je bent er geweest.'

Adam duikt op uit het niets, en met één machtige slag van zijn vuist slaat hij Burnett tegen de grond, knock-out. In twee lenige sprongen klimt Adam over het hek. Aan de krankzinnige fonkeling in zijn ogen zie ik dat niets hem kan weerhouden.

'Nee!' brult Mick. Hij is wanhopig, houdt zich nu nog maar met één hand vast. Hij kijkt me doordringend aan, smeekt me hem te helpen nu Adam op ons af komt.

De omstanders gillen en schreeuwen. Josies gesmoorde kreten van angst gaan me door merg en been. 'Rustig, Josie, ik heb je vast. Beweeg je niet, kijk niet...' Ik weet wat er komen gaat, weet dat het onvermijdelijk is.

Adam heeft Mick bereikt. 'Vuile smeerlap!' schreeuwt hij, en hij benadrukt elke lettergreep met een trap op Micks hand. 'Je hebt mijn zus vermoord!'

Mick kijkt naar me omhoog, en ik zie een vonk in zijn ogen die aan ons leven van vroeger herinnert.

Dan trapt Adam voor de laatste keer. Mick verliest zijn greep op de brug.

Het duurt drie seconden om dood te gaan. Ik weet het uit ervaring.

Hij stort omlaag naar de droge rivierbedding.

Ik houd Josies gezicht tegen me aan. 'O mijn god, o mijn god...' blijft mijn stem eindeloos herhalen. Mijn ledematen zijn stijf en willen niet bewegen, maar dan voel ik sterke armen om me heen, armen die Josie proberen weg te trekken. Mijn intuïtie zegt me dat ik haar vast moet blijven houden, maar als ik zie dat het Adam is, die zijn laatste restje kracht gebruikt om haar naar de andere kant van het hek te trekken, laat ik het toe.

Een ander paar armen pakt mij beet en van pure opluchting verslapt mijn lichaam. Twee omstanders brengen me in veiligheid. Onbekende mensen prijzen Adam om de moedige manier waarop hij ons leven heeft gered.

Even later druk ik mijn gezicht snikkend tegen zijn borst, met Josie tussen ons in. Ik hoor zijn hijgende ademhaling en het rumoer en de voetstappen om ons heen. Eindelijk is de politie er ook. De agenten hebben geen idee welk drama zich hier heeft voltrokken en wie erbij betrokken waren. Voor de zekerheid houden ze de omstanders op afstand.

Adam voert ons mee, weg bij het hek. Met bevende handen maakt hij de lap los die voor Josies mond is geknoopt. Josie slaat haar armen om me heen. Over haar wangen lopen twee rode striemen van de strakke lap. Ik omhels haar, ik moet haar voelen, weten dat ze echt is.

'Het is voorbij, het is voorbij...' Huilend klampen we ons aan elkaar vast, overspoeld door opluchting. Onze schouders schokken in hetzelfde ritme. 'O, Adam. Mick... uitgerekend hij.' Ik druk mijn gezicht in zijn nek, zodat Josie het niet kan horen. Hij streelt mijn haar, sust dat het gevaar is geweken.

Maar dan neemt iemand van de politie hem apart.

Hoe moeten we dit ooit verwerken? Mijn benen worden slap en ik zak in elkaar. Josie blijft zich aan me vasthouden, zakt met me mee op de grond.

'O, mam.' Ze haalt hortend en stotend adem. 'Hij heeft me opgesloten. Hij deed alsof hij mij was op de computer. Hij zei dat hij...' Haar stem blijft steken in een snik. 'Hij... hij zei dat hij me zou vermoorden als hij jou niet kon vinden. Hij zei dat het mijn verdiende loon was omdat ik jouw dochter ben.'

Ik kijk opzij en zie dat de politie Burnett overeind heeft getrokken. Hij wankelt op zijn benen, is nog niet helemaal bij de les. Zijn handen zijn al geboeid. Adam legt uit wat er is gebeurd.

Iemand pakt me bij mijn schouders. Ik krimp in elkaar, weer helemaal alert, maar dan zie ik dat het Jane Shelley is. 'Kalm aan. Het is voorbij.'

'Mijn mán...' zeg ik verdwaasd, alsof ze zich de hele tijd heeft vergist. Shelley heeft haar armen om mij en Josie heen geslagen om ons te beschermen tegen alles wat er om ons heen gebeurt. Ambulancepersoneel komt dekens brengen. Ik begin weer te huilen. Ik voel me zo vreselijk schuldig, en ik weet dat dat schuldgevoel nooit meer weg zal gaan. Ik draai me opzij omdat ik denk dat ik moet overgeven, maar ik kan alleen maar kokhalzen.

Een politieman hurkt naast me neer. 'We hebben een hoop vragen voor u en uw dochter,' zegt hij. 'Maar eerst gaan we ergens naartoe waar het rustig is.'

Ik knik, ga moeizaam staan, en ik trek Josie overeind. Om ons heen maakt de politie de brug vrij. Ze staan klaar met gestreept tape om de toegangswegen af te sluiten.

We worden naar een politieauto gebracht, en Adam, Josie en ik gaan met z'n drieën op de achterbank zitten. De plotselinge stilte als we bij de chaos vandaan rijden is een verademing. Binnen twintig minuten zijn we op het bureau. Ik voel me leeg vanbinnen, uitgeput. Josie houdt me op de been, mijn dochter, die ik eindelijk, na al die verschrikkingen, weer in mijn armen kan sluiten.

In een kamer op het bureau doemt zijn gezicht op uit de nevel van een ver verleden. Hij is speciaal opgeroepen. 'Nina Brookes,' zegt hij als hij me glimlachend een hand geeft. 'Dat is lang geleden. We gaan voor je zorgen.'

'Dat zei je de vorige keer ook. Toen geloofde ik het.'

'Ik weet het. Het spijt me, Nina.'

De rimpels in Mark McCormacks gezicht zijn dieper geworden,

zijn buik is iets dikker dan toen. Toch is hij goed in vorm voor een man van zijn leeftijd. Er is twintig jaar verstreken sinds de vorige keer dat hij me in bescherming heeft genomen. Ik voel me weer achttien.

'Ik werk tegenwoordig bij een andere dienst,' legt hij uit. 'Zeden, maar ik hou me vooral bezig met pedofielen. Ik spoor foto's op, voornamelijk op internet. We proberen de leveranciers te ontmaskeren, netwerken op te breken. De laatste tijd zijn we met een heel groot onderzoek bezig.' Hij kijkt naar Josie. 'Je hebt het fantastisch gedaan, jongedame. Petje af.'

'Josie?' zeg ik verbaasd. Wat weet Mark McCormack van Josie?

'Er kwam vannacht een telefoontje binnen, Nina, een noodoproep van een jonge vrouw die heel erg van streek was. Helaas heeft ze niet de tijd gehad om ons te vertellen waar ze was. Josie is zo dapper geweest.' Hij doet er verder het zwijgen toe om Josie de kans te geven het over te nemen.

'Ze hebben me naar een afschuwelijk huis gebracht. Het stonk er. Volgens mij woonde die andere man er. Er hingen allemaal nare schilderijen.' Josie slaat een hand voor haar ogen alsof ze het beeld wil uitwissen. 'Ze waren de hele tijd dronken. Ik heb hun telefoon gepikt toen ze sliepen. En ik heb het de politie verteld, mam, ik heb eindelijk verteld wat hij heeft gedaan.' Ze slaakt een zucht en staart voor zich uit, duidelijk niet meer in staat om emoties te tonen. 'Maar toen werd die man wakker en hij sloeg de telefoon uit mijn hand.'

'Vanwege het gevoelige onderwerp werd ze met mijn afdeling doorverbonden,' voegt McCormack eraan toe.

'Het gevoelige onderwerp?' herhaal ik. Ik wil het niet horen en sla net als Josie een hand voor mijn gezicht. 'Ik heb het nog maar net ontdekt,' zeg ik tussen mijn vingers door. 'Hij maakte schilderijen van kinderen... vreselijke afbeeldingen. Hij verkocht ze. Hij heeft me gebruikt. Hij heeft óns gebruikt.' Ik kan Josie niet aankijken. 'Hij heeft mij als dekmantel gebruikt.'

Ik draai me opzij naar Adam en pak zijn hand beet. Hij is mijn rots in de branding. 'Er stonden schilderijen op zolder. Ik heb dat ene schilderij meegenomen naar mijn kamer, dat landschap, weet je wel,' vertel ik onsamenhangend. 'Het liet me niet los, ik bleef ernaar kijken totdat ik er echt niet meer omheen kon.'

'Hij zei dat ik het aan niemand mocht vertellen omdat ze hem anders van me af zouden pakken,' fluistert Josie. 'Hij zei dat hij op een bijzondere manier van me hield. Dat ik bofte met een vader zoals hij, dat andere vaders lang niet zo veel van hun dochter hielden. Dat is toch niet zo heel erg, mam?' Vragend kijkt ze me aan.

O, nee. Wat heb ik mijn dochter aangedaan?

Ik buig me naar haar toe, maar ik durf haar nauwelijks aan te raken. 'Hij heeft je al die jaren pijn gedaan, hè?' fluister ik. We hoeven het niet te benoemen. We weten het allebei.

Ze laat haar hoofd hangen, knikt haast onmerkbaar.

Ik leg mijn handen tegen haar koude wangen en trek haar gezicht naar het mijne. 'Het is goed dat je het hebt verteld, Josie. Je vader heeft slechte dingen gedaan, heel erg slechte dingen. Maar het komt weer goed. We gaan je helpen.' Ik weet niet waar de woorden vandaan komen. Ik weet helemaal niet hoe ik haar moet steunen. Hoe kan ik nog op dezelfde manier naar haar kijken, wetend wat hij met haar heeft gedaan, wetend dat hij altijd een deel van haar zal zijn? Zijn bloed stroomt door haar aderen, zijn genen zitten in haar cellen. Ze heeft zijn ogen, dat kokette glimlachje als ze iets gedaan wil krijgen.

'Je was dood, mam. Je was er niet voor me,' fluistert ze terug. 'Hij heeft me ontvoerd. Mijn eigen vader heeft me ontvoerd en vastgebonden.' Josies stem klinkt vreemd en verwrongen. Eigenlijk durf ik niet naar haar te kijken, uit angst dat ik zal zien wat hij met haar heeft gedaan, maar tegelijkertijd kan ik mijn ogen niet van haar af houden, zo opgelucht ben ik dat ik haar terug heb.

'Ik ben teruggekomen,' antwoord ik, want ik weet dat ik haar moet helpen, dat ik er voor haar moet zijn. Ik weet dat ik nooit meer bij haar weg zal gaan. We moeten er samen uit zien te komen. We leven allebei nog. 'Ik ben voorgoed terug, Josie. Je kunt me alles vertellen. Ik ga nooit meer weg.'

59

Het moet tot me doordringen waar ik ben: bij Laura thuis. Laura, mijn vriendin. Ze zit tegenover me. Josie heeft zich op de bank genesteld en Nat streelt haar hoofd. Ik kijk van de een naar de ander omdat ik houvast nodig heb. Adam zit naast me aan tafel. Hij kan het nog steeds niet bevatten, doet zijn best om de hele puzzel compleet te krijgen.

'Morgenochtend moet ik nog een keer terug naar het bureau.' Ik heb er twaalf uur gezeten om een volledige verklaring af te leggen. Mark is de hele tijd bij me gebleven. Jane Shelley heeft voor eten en drinken gezorgd en mijn hand vastgehouden.

'Ik voelde aan dat er iets niet klopte,' zei ze op een gegeven moment tegen me.

'Je hebt hem zelfs nooit gezien,' zei ik.

'Dat was niet nodig. Ik kon uit jouw gedrag opmaken dat het niet goed zat.'

'Al die jaren, en ik wist van niets. Ik had geen idee.' Ik trek de laatste tissue uit de doos. Ik dacht dat ik geen tranen meer over had, maar daar heb ik me op verkeken. 'Hij heeft me nooit met een vinger aangeraakt. Hij was altijd zo lief voor me. Hij was *Mick*.'

'Je dochter praat met een van onze psychologen,' vertelde Jane. 'Die zijn er speciaal voor opgeleid. Het is waarschijnlijker dat ze haar verhaal doet en een verklaring aflegt nu het nog vers is dan wanneer het meer op de achtergrond raakt.'

Hulpeloos schud ik mijn hoofd. 'Waarom heb ik het niet gezien?' vraag ik aan Laura.

Als ik volkomen eerlijk ben, moet ik bekennen dat ik het misschien wél heb gezien. Alleen wílde ik het niet zien. In een flits trekt Josies hele jeugd aan me voorbij – hoe erg ze het vond als mensen zeiden dat ze mooi was of andere complimentjes maakten; dat ze zich naarmate ze ouder werd heftig verzette tegen elke vorm van lichamelijk contact; dat ze haar privacy bijna agressief verdedigde; hoe preuts ze was, vooral toen haar lichaam begon te veranderen; dat ze me vertelde dat haar vader op een speciale manier van haar hield. En was toneelspelen geen uitlaatklep voor haar? De kans om iemand anders te worden – een doodgewone tiener. Alles bij elkaar is het genoeg om wanhopig van te worden, maar ik kan achteraf wel begrijpen dat elk van die dingen op zich onopgemerkt zijn gebleven.

'Voel je niet schuldig, Nina.' Laura slaat haar armen om me heen. 'Ik heb me zelf zo vaak afgevraagd of de schuld niet bij mij ligt.' Zij is ook verbitterd, zij voelt ook wrok, maar doordat ik ben teruggekomen uit de dood beseft ze dat ze het heel wat slechter had kunnen treffen.

'We híélden van elkaar. We waren een gezin. Ik nam aan dat hij Josie juist zou beschermen.' De koffie die Laura voor me heeft gezet loopt over de rand van het kopje, zo erg trillen mijn handen. Ik was met een moordenaar getrouwd. Ik was met een pedofiel getrouwd. 'Ik heb een kínd van hem.' Ik test mijn liefde voor Josie en kom tot de conclusie dat die onaangetast is. Ik hou geen spat minder van haar. Mijn hart gaat sneller kloppen als ik door de deur naar de woonkamer kijk en haar lange haar zie hangen over de leuning van de bank. 'Ik heb haar terug.'

'En ik heb jou terug.' Laura huilt zachtjes in mijn hals. 'We hebben een herdenkingsdienst voor je gehouden.' Ruw geeft ze me een zet, maar dan trekt ze me weer tegen zich aan. 'Ik heb een paar keer tegen Mick gezegd dat ik bereid was om je spullen uit te zoeken, maar hij belde nooit terug. Ik wilde hem helpen, alleen liet hij het niet toe.' Haar mascara is uitgelopen.

'Ik weet het, Laura. Je bent een echte vriendin.' Om de paar minuten gaat er een golf van emoties door me heen.

Ik kon niet slapen. Door de champagne en het schilderij dat aan mijn slaapkamermuur hing, raakte ik hopeloos verstrikt in dromen. Ik moest Adam spreken. Eerder die avond hadden we samen de schilderijen bekeken – zijn aandoenlijke poging om een avondje uit te organiseren – en nu moest ik dringend zijn computer gebruiken. Ik probeerde het nog steeds te ontkennen, zag niet meer dan een fractie van de kolossale werkelijkheid.

Ik schoot kleren aan en verliet mijn kamer. Op de gang bleef ik staan. Op de zolder stonden nog meer schilderijen, had Mr. Palmer tegen Adam gezegd. Ik moest ze bekijken.

Op mijn tenen ging ik terug naar de kamer waar we eerder waren geweest. Gelukkig had Adam de deur niet afgesloten. De borden, schalen en glazen van ons feestmaal stonden nog op tafel te midden van de vele tientallen schilderijen. Ik deed de deur achter me dicht en knipte het licht aan. Het plafond in deze zolderkamer was laag, dus hoefde ik alleen maar op een stoel te gaan staan om het luik open te kunnen duwen.

Stof en gruis regenden op me neer. Ik kneep mijn ogen dicht en spuugde viezigheid uit. Toen ik mijn hand door de opening van het luik stak, voelde ik de sporten van een metalen ladder. Ik vond het touw en trok de ladder omlaag.

Voorzichtig klom ik omhoog over de wiebelende zoldertrap. De lucht werd kouder en vochtiger, want de ruimte lag pal onder het dak. Ik tuurde om me heen in het donker en kon op de muur links van me een lichtschakelaar onderscheiden. Stofdeeltjes dansten in het licht van het kale peertje.

Toen mijn ogen aan het licht waren gewend, zag ik een stoffige ruimte met schuine muren die vol stond met dozen en houten kratten. Nog meer schilderijen. Tegen een muur van ruwe baksteen stond een enorme stapel doeken. Ik boog me voorover en liet ze een voor tegen mijn hand naar voren vallen. Mijn maag trok samen. 'O jezus,' zei ik hardop, en ik liet de hele stapel terugvallen.

Oliedoeken. Aquarellen. Schetsen. Acryl op hout. Canvas. Papier. Kinderen. Peuters. Tieners. Jongens en meisjes. Sommigen hadden hun gezicht verlegen afgewend, anderen keken me grijnzend aan. Monden die het uitschreeuwden van pijn, klauwende vingers, volwassenen zonder gezicht. Allemaal naakt. Het was de meest afschuwelijke verzameling die ik ooit van mijn leven had gezien.

Sommige gezichten herkende ik: Jimmy, Marcus, Heather, Kayleigh... Ik was misselijk. Toch zette ik mezelf ertoe om er nog meer te bekijken.

Met ingehouden adem maakte ik een doos open. Er zaten kleinere portretten in, met erbovenop een stapel foto's, die kennelijk als geheugensteuntje hadden gediend. Ze waren even choquerend als de schilderijen.

Ik wist het. De stijl van het landschap dat ik mee had genomen naar mijn kamer was me meteen bekend voorgekomen. Ik was met de gedachte in slaap gevallen, had ervan gedroomd, had er nachtmerries van gehad. Maar de werken waren niet gesigneerd; er was geen bevestiging voor het besef dat tot mijn ongelovige brein begon door te dringen. 'De sjaal,' zei ik hardop, en de misselijkheid werd erger.

Op bijna elk werk was de afgebeelde persoon – het slachtoffer – vastgebonden met een lange sjaal van mooie stof – schoonheid en pijn. 'Dezelfde sjaal die hij voor het portret van mij heeft gebruikt,' fluisterde ik, denkend aan het naakt dat ik zo flatterend had gevonden. Paars met rode chiffon golfde over elk werk op de zolder, een weerzinwekkende poging om de afbeelding te verzachten: vastgebonden kinderen van alle leeftijden die aan de smeerlapperij van groteske volwassenen waren onderworpen. De sjaal was zijn handelsmerk.

Op diverse doeken zaten plakkertjes: 150 POND. Hij had ze verkocht, had er geld aan verdiend. Maar erger dan al het andere was het feit dat hij in Roecliffe Hall was geweest.

Ik had het grootste deel van mijn jeugd in het tehuis doorgebracht, in de schaduw van pedofielen, terwijl mijn toekomstige echtgenoot profiteerde van weerzinwekkende schilderijen van kinderen die ik kende, kinderen met wie ik was opgegroeid, kinderen die waren verdwenen. Ik twijfelde er geen moment aan dat dit Micks werk was.

Verblind door ongeloof vluchtte ik weg van de zolder. Ik rende naar de badkamer en schepte water in mijn gezicht. Ik moest het allemaal van me af wassen. Ik moest rustig blijven, nadenken, ik moest naar Josie toe voordat haar iets vreselijks overkwam. Ik bad dat ik niet te laat zou komen. Ik bad dat ik me in alle opzichten vergiste.

Ik stoof naar Adams kamer, hamerde op zijn deur. Hij stond naar me te kijken in het holst van de nacht, verbaasd, verward, verbluft. Ik wist zeker dat hij alles op mijn gezicht zou kunnen lezen, al wist ik zelf niet eens of ik het allemaal begreep.

'Hoe heeft Mick me destijds gevonden? En hoe is Burnett achter mijn nieuwe identiteit gekomen?' Er zijn zo veel dingen die ik niet kan bevatten, ik heb zo veel vragen. Ik weet niet of ik op alle vragen het antwoord wil weten. Ik denk aan mijn trouwdag. Aan Mick, die me vertelde dat hij zo veel van me hield, die een roos in mijn haar stak. 'We hebben elkaar toevallig leren kennen.'

'Ik kan er in beide gevallen alleen maar naar raden,' antwoordt Mark McCormack, 'maar ik denk dat een informant bij de politie daar verantwoordelijk voor was. Waarschijnlijk hebben ze allebei een tip gekregen van iemand binnen onze organisatie, triest maar waar. Dat soort mannen houden elkaar altijd de hand boven het hoofd. Het was een handige zet van Mick om naar Bristol te komen.'

Ik denk aan onze eerste ontmoeting – de verf, mijn broek, de wind. Het leek allemaal volmaakt natuurlijk, een speling van het lot. Maar hij had het van tevoren beraamd. Hij moet me zijn gevolgd, moet me hebben gestalkt, moet hebben uitgedokterd wat de beste manier was om mij voor zich te winnen. Nergens was hij zo veilig als bij mij.

'Hoe komt het dat die schilderijen nooit zijn ontdekt?' Boos sla ik met een vuist op tafel. De waterglazen rinkelen. 'Als de politie destijds grondig te werk was gegaan en het hele gebouw had doorzocht, zouden de schilderijen zijn gevonden. Dan hadden ze misschien zelfs de "kunstenaar" kunnen opsporen.'

Dat zeg ik nou wel, maar ik weet best dat het vrijwel onmogelijk zou zijn geweest om de dader op te sporen, zelfs al waren de schilderijen wél ontdekt. Ze waren immers niet gesigneerd. Ik probeer

gewoon te bedenken hoe ik met terugwerkende kracht kan voorkomen te trouwen met Mick.

'Het was een hecht netwerk, zegt McCormack. De rechercheur
die de leiding over het onderzoek heeft zit aan de ene kant naast
hem, een agente aan de andere kant. 'We hebben destijds van Tulloch een paar namen gekregen, maar toen hing hij zich op. Leaby is
vijf jaar geleden in de gevangenis aan kanker overleden. Er is wel ar-
chiefmateriaal, maar het kost tijd om dat allemaal door te spitten.
Ik weet dat er grote fouten zijn gemaakt. Dat ze het pand niet goed
hebben doorzocht is daarbij vergeleken een kleinigheid.' Hij strijkt
met zijn handen over zijn gezicht. Hij ziet eruit alsof hij de hele
nacht niet heeft geslapen. Net als ik, doordat ik over Josie heb gewaakt.

'Een jaar of drie geleden heb ik aan een vergelijkbare zaak gewerkt. Het maakte me razend dat veel mensen die bij de instelling
betrokken waren wisten wat er aan de hand was.'

Dus Roecliffe was niet uniek. Ik neem een grote slok water.

'Waarom hebben ze dan niet aan de bel getrokken?'

'Daar waren diverse redenen voor. Voornamelijk omdat mensen
de waarheid niet onder ogen willen zien en geen schandaal willen
veroorzaken. Ze willen hun baan niet kwijtraken. Het personeel van
Roecliffe zou werkloos zijn geworden als het tehuis dicht was gegaan. En de banen lagen destijds niet bepaald voor het oprapen.' Hij
slaakt een diepe zucht. 'Of ze maakten er zelf deel van uit.'

'Er zijn zo veel kinderen omgekomen. Ze hebben de meest afschuwelijke dingen meegemaakt.' Ik probeer er op een afstandelijke
manier over te praten, alsof ik het niet zelf heb meegemaakt. Ze
hebben me professionele hulp beloofd, maar ik weet nog niet of ik
die wil. Ik moet in de eerste plaats aan Josie denken. 'Word ik straks
in de rechtszaal met Burnett geconfronteerd?'

'Dat hangt ervan af,' zegt Mark. Hij blijft vriendelijk en hoffelijk,
maar nu zie ik dat hij ook een harde kant heeft – het moet zwaar
werk zijn om pedofielen te ontmaskeren. 'Alleen als je tegen hem
wilt getuigen.' Hij kijkt me doordringend aan. Ik besef hoe belangrijk het voor hem is om betrouwbare getuigen te hebben.

Ik knik. 'Uiteraard.' Nu al denk ik aan de verre toekomst, aan het moment dat zijn straf erop zit en hij weer vrijkomt. Zo veel andere levens heb ik niet meer.

'O, dat wilde ik je nog vertellen. Ik ben weer Ava, Ava Atwood. We gaan Josies achternaam officieel veranderen.' Ik wil nooit meer iemand anders zijn. Er valt nu al zo veel te ontdekken; Josie en ik moeten nog ervaren wie we werkelijk zijn en wat we kunnen worden.

'Ik begrijp het,' antwoordt McCormack. 'Ik waardeer het dat je wilt meewerken.'

'Zijn er nog veel van die kerels in Roecliffe?'

Hij knikt al voordat ik mijn zin af heb. 'We hebben ze in de gaten gehouden. Nu dit is gebeurd, heb ik er een team op af gestuurd. In het dorp zijn diverse arrestaties verricht en ook nog een flink aantal in de regio. Kunst, als je het tenminste zo kunt noemen, en ander beeldmateriaal is in beslag genomen. Websites zijn opgeheven. Ik verwacht dat er nog veel meer aan het licht zal komen.'

'Dus zo wisten Mick en Burnett dat ik nog leefde,' concludeer ik. 'Iemand uit Roecliffe moet me hebben herkend en hen hebben getipt. Daarna hebben ze zelf bedacht dat ik de persoon moest zijn die met Josie praatte op Afterlife.'

'Ik had toch gezegd dat je niet terug moest gaan,' zegt hij hoofdschuddend.

'Vertrouw niemand en ga niet terug,' zeg ik.

McCormack bekijkt een lijst die zijn collega hem heeft aangegeven. 'Brimley? Zegt die naam je iets?'

Ik schud mijn hoofd.

'Hij kreeg foto's van Burnett en verkocht ze door.' Zijn blik gaat omlaag. 'Verder een Barnard. Frazer Barnard. Hij ligt onder politiebewaking in het ziekenhuis. Probeerde er een eind aan te maken toen hij in hechtenis werd genomen. Zijn zakken zaten vol met valium.'

'Aha,' zeg ik, 'hij moet het zijn geweest. Hij zal me wel hebben herkend toen hij Adam en mij de kapel liet zien.' Ik tril weer nu ik besef dat ik náást een van die kerels heb gestaan. Dat ik een groot deel van mijn leven met die kerels onder hetzelfde dak heb gewoond. 'Op een avond was er een gluurder bij de school...' Mijn stem sterft weg. McCormack kan me niet volgen. Dit verhaal heb ik nog niet verteld. Er is nog zo veel te vertellen.

'Morgen gaan we verder,' zegt Mark. 'Ga maar lekker naar huis.' Hij legt een troostende hand op mijn rug als ik zeg dat ik geen huis meer heb.

Adam wacht op me bij Laura thuis. 'Ik moet terug,' zegt hij. 'Ze hebben me nodig op school.'

'Terug?' zeg ik met een stem die een beetje hysterisch klinkt. Hij is mijn vriend. Ik vertrouw hem en dat voelt goed. Het is verbijsterend, maar Josie is nu al weer op de computer met Nat. Ze zitten op de bank, met hun hoofden vlak bij elkaar. Ik zie het vertrouwde roze en groen van Afterlife gloeien in de donkere kamer. 'Natuurlijk,' zeg ik met een gelaten zucht. Ik wil niet dat hij weggaat.

'Ik heb Mr. Palmer gesproken. De politie heeft hem op de hoogte gebracht, en er is een forensisch team aan het werk in een deel van de school. Hij doet alles wat hij kan om te helpen en hij probeert de meisjes zo veel mogelijk te ontzien. Hij is een goed mens.'

'Typisch Mr. Palmer,' zeg ik met een flauw glimlachje. '*Non scholae sed...* of wat het dan ook is.'

'*The show must go on.*' Hij trekt zijn jasje aan, rammelt met zijn sleutels.

Ik denk aan mijn eigen show, aan de films waar ik aan zou gaan werken, aan de plannen die ik had om Chameleon groot te maken, aan Josies musical. 'Heb je Sylvia ook gesproken?' Ik bedenk dat ze waarschijnlijk de pest in heeft dat zij nu in haar eentje alle verdwaalde sokken moet opruimen.

'Je krijgt liefs van haar,' verzekert Adam me. Hij legt zijn hand op mijn schouder en trekt me naar zich toe voor een laatste omhelzing.

Opeens lig ik in Adams armen, met mijn gezicht tegen zijn borst. Ik snuif zijn geur op, denk aan alle mogelijkheden die er eerst niet waren – niet voor een getrouwde vrouw – en de raakpunten in ons verleden.

'Ik leef in het verleden...' zei hij toen we aan elkaar werden voorgesteld.

We gaan naar buiten. Hij staat naast zijn auto. 'Ik hoop dat je ouwe barrel het haalt.' Ik geef een klopje op het dak, maar ik bedoel precies het tegenovergestelde. Ik hoop dat het ding niet eens wil starten. Laura staat in het licht van de deuropening, naast Josie en Nat. Ze zwaaien.

Adam slaat zijn armen nogmaals om me heen. 'We bellen snel, oké?'

Nu komen de tranen. Ik snik. Glimlach zo goed en zo kwaad als het gaat.

Hij stapt in en start de motor. De uitlaat braakt een zwarte rookwolk uit. Hij draait het raampje open, doet alsof hij moet hoesten. 'Nou, tot snel.'

De auto begint te rijden, en dan spring ik ervoor, zonder erbij na te denken. Ik beland op de motorkap. 'Wacht!'

Met een schok komt de auto tot stilstand, en ik glijd van de motorkap op straat. Vier gezichten kijken op me neer.

'Mam, je had wel dood kunnen zijn!' Josie laat zich naast me op haar knieën vallen.

Ik ga staan. 'Ik mankeer niets,' zeg ik. 'Josie, ga je spullen pakken.'

'Welke spullen?'

'Gewoon. Je jas. De dingen die je nodig hebt om aan de rest van je leven te beginnen.' Ik draai me om naar Adam. Hij is bleek en geschrokken. 'We gaan met je mee.'

'Wat?'

'Vertrouw niemand en ga niet terug,' zeg ik. Josie staat naast me. Ze heeft razendsnel haar jas en schoenen aangetrokken, want ze wil niet het risico lopen dat ze nog een keer achterblijft. 'Ik vertrouw jóú, Adam Kingsley, en we gaan terug naar Roecliffe.' Ik help Josie in de auto. 'Ik moet weer aan het werk en Josie moet naar school.' Ik omhels een sprakeloze Laura, dan Nat. 'Jullie kunnen elkaar spreken op Afterlife,' zeg ik tegen het geschrokken meisje. 'En je kunt komen logeren in de vakanties.' Het is allemaal zo eenvoudig.

'Josie?' Nat loopt om de auto heen en kijkt door het raampje. 'Ga je echt weg?'

Heel even kijkt Josie verdrietig. 'Ik wil bij mijn moeder zijn. Als zij weggaat, ga ik mee.' De meisjes houden elkaars hand vast. Dan doet Nat het portier open en ze geeft Josie een knuffel. Ze omhelzen elkaar lang en teder – de belofte van een blijvende vriendschap, van logeerpartijen, chatsessies, telefoontjes en brieven.

'Pas goed op Griff,' zegt Josie. 'Doe het voor mij.'

'Ik zal elke dag naast hem gaan zitten in de pauze en zorgen dat niemand anders met hem praat.' De meisjes lachen. 'Heb je gezien dat hij zijn kamer op Afterlife weer helemaal heeft veranderd? Alles is roze. Vorige week zei hij tegen me dat hij op zoek is naar zijn vrouwelijke kant.'

Josie rolt met haar ogen en Nat gaat weer staan. Ze geeft haar een kushandje.

Even later zit ik naast Adam. 'Kom op. Breng ons alsjeblieft naar huis.'

Hij kijkt me met gefronste wenkbrauwen aan. 'En het onderzoek dan? Heeft de politie je niet meer nodig?'

'Ik sta niet onder arrest. Ik blijf ze helpen. Dan komen ze maar naar mij. Laura zal ze vertellen waar ik ben. Ga nou maar gewoon, Adam.' Ik sla mijn handen voor mijn gezicht. Als ik een verkeerde beslissing neem, waarom voelt het dan zo goed? 'Alsjeblieft.'

Adam blijft me nog even aankijken, knikt en rijdt weg. We tuffen over de snelweg naar het noorden – tijdenlang zeggen we niets, kijken we alleen maar naar de steden waar we langskomen of naar het landschap, en op andere momenten zitten we met z'n drieën opgewonden te praten, struikelend over onze woorden, totdat we eindelijk over de lange oprijlaan naar de school rijden.

Van achteren voel ik de vingers van mijn dochter aarzelend naar mijn schouders schuiven. Ik leg mijn hand op de hare, voel dat ze me steviger beetpakt als we de eerste glimp van Roecliffe Hall opvangen. Ze kijkt naar meisjes in uniform terwijl Adam de auto parkeert. Ze spert haar ogen wijd open en likt haar lippen.

'Wees maar niet bang,' zeg ik tegen haar. Wees maar niet bang, zeg ik tegen mezelf.

Zeven maanden later

Onderweg naar het kantoor van Mr. Palmer kom ik langs het computerlokaal. Meisjes zitten met hun hoofd omlaag over computers gebogen. Een ervan is mijn dochter. 'Hoi.'

Ze draait zich om bij het horen van mijn stem. Haar wangen beginnen te gloeien. Het groene uniform – ruitjes, een gesteven blouse, een jadekleurige blazer – staat haar goed. Josie hoort erbij alsof ze altijd op deze school heeft gezeten. Ze tilt haar hand op om traag naar me te zwaaien en gaat dan verder met het maken van aantekeningen.

'Hij is er morgen pas weer,' zegt Bernice. Ze plukt de brief uit mijn vingers en steekt hem in het postvakje van de rector achter haar bureau. 'Ik zorg dat hij hem krijgt.' Er ligt al een andere brief in het vakje, die van Adam.

'Bedankt,' zeg ik, en ik struin weg door de gang om verder te gaan met het uitzoeken van sportspullen.

Adam wacht me op, geleund tegen de muur met een opengeslagen krant in zijn handen. 'Er staat vandaag weer een stuk in,' zegt hij, en hij wil me de pagina laten zien. Ik draai mijn hoofd weg. Ik kan er niet naar kijken. 'Ze staan weer voor het hek.'

Ik schud mijn hoofd. 'Het is niet goed voor de meisjes.' Er zijn al veertien meisjes door bezorgde ouders van school gehaald. Toen het verhaal maanden geleden in het nieuws kwam, zette de politie agenten bij het hek om de pers en toeristen op afstand te houden. Er werden nog acht andere mannen gearresteerd wegens het bezit van kinderporno. Burnett is bovendien beschuldigd van ontvoering en het verkopen van naaktfoto's van kinderen. Geen van de beklaagden is op borgtocht vrijgelaten.

'Verschrikkingen in kindertehuis.'

'Monster dat kinderen misbruikte gearresteerd.'

'Pedovader dood.'

Sommige verhalen klopten van geen kant, andere waren pijnlijk waar, zoals het stuk met de kop: 'Vrouw valt voor perverse charmeur'.

'Heb je het gedaan?' vraagt Adam. Mijn nieuwsgierigheid krijgt de overhand en ik bekijk het stuk dat Adam me wilde laten zien. Er staat een foto van Burnett bij, die naar een gewapende politieauto wordt geleid nadat hij gisteren op alle punten schuldig is bevonden.

'Wat zei je?'

'Heb je de brief geschreven?'

'O. Ja.'

Adam legt een hand rond mijn middel en ik laat me door hem omhelzen. De krant valt op de vloer.

'Hoe snel?' vraagt Sylvia. Ze ziet er moe uit. Elke dag krijgt ze telefoontjes van bezorgde ouders, en moet ze hun verzekeren dat hun dochters volkomen veilig zijn, dat het kindertehuis van vroeger niets te maken heeft met de huidige school. 'Je bent de beste assistente die ik ooit heb gehad.'

Ik geef haar een knuffel. Ze ruikt naar waspoeder en sigaretten. 'Volgende week,' zeg ik. 'Als Mr. Palmer tenminste bereid is om ons voor het eind van het schooljaar te laten gaan.'

'Ons?' herhaalt ze.

'Adam en ik. We gaan weg. Met ons drieën.' Ik buig mijn hoofd alsof ik het daarmee makkelijker voor haar maak.

'Zijn jullie tweeën...'

'Nee, hoor, helemaal niet.' Nou, en of! zegt een stemmetje in mijn hoofd. 'We zijn gewoon vrienden. We willen toevallig hetzelfde.' Een rustig leven hier ver vandaan.

'Waar gaan jullie naartoe?' Sylvia plant haar handen in haar zij en kijkt me met opgetrokken wenkbrauwen aan.

'Naar Australië.' Er gaat een warm gevoel door me heen. Het is goed voor Josie. Ze vindt het spannend. We willen naar de andere kant van de wereld. 'Daar is het lekker warm.'

Sinds ik terug ben op Roecliffe heb ik met Sylvia gepraat over alles wat er is gebeurd, maar ze weet dat ik geen details wil geven. Ze heeft over me gewaakt, telefoontjes afgehouden. Ze heeft de receptioniste opdracht gegeven om geen onverwachte bezoekers toe te laten. Ze heeft me als een moederkloek beschermd. Ze begrijpt het.

'Er is geen reden voor paranoia, Sylvia,' heb ik tegen haar gezegd, en ik gaf een kneepje in haar magere hand. 'Ik moet leven. Ik kan me niet blijven verbergen.' Ik zuchtte. 'Ze zitten nu allemaal achter de tralies.'

'Ik zorg ervoor dat niemand je kwaad zal doen,' zei ze. 'Bovendien kan niemand zo goed strijken als jij.' Ze lachte en wist waarschijnlijk toen al dat ik niet zou blijven, dat Roecliffe me 's nachts nare dromen bezorgde.

Josie heeft de draad van haar leven gelukkig enthousiast weer opgepikt, maar ik zag haar door de gangen rennen, ik zag haar 's avonds onder de dekens kruipen in de slaapzaal, ik zag haar zigzaggend over het sportveld koersen, en dat riep bij mij te veel herinneringen op.

Toen Adam me vertelde dat hij terug zou gaan naar Australië, dat hem een baan was aangeboden op een school in Brisbane, liet ik hem impulsief weten dat ik mee zou gaan. Daarna sloeg ik meteen een hand voor mijn mond.

'Het is heel ver weg,' zei hij glimlachend, en ook nieuwsgierig, alsof hij nog steeds geen snars van me begreep. 'En er zitten grote spinnen en het is er bloedheet. Bovendien heb je geen visum.' Hij deelde een gespeelde vuistslag uit.

'Ik meen het, Adam.' Ik keek hem aan. Ik rilde. Het was ijskoud in de eetzaal. 'Ik dacht dat teruggaan naar Roecliffe de oplossing zou zijn.'

'Dat moest je zelf ervaren.' Toen pakte hij zijn Rizla-vloeitjes en begon hij zonder tabak te draaien. Hij boog er een cirkel van en gaf die aan mij. 'Trouw met me,' zei hij, op een toon alsof hij vroeg of ik het zout wilde aangeven. 'Ik wil voor je zorgen... en voor Josie.'

'Oké,' zei ik terwijl ik de papieren ring aan mijn vinger schoof.

Toen lachten we allebei, en daarna legde ik mijn hoofd tegen zijn schouder en bleef ik wel een uur lang huilen.

'Deze waren van haar.' Ik geef hem de haarspeldjes aan. Toen ons huis vorige week eindelijk werd verkocht, ging ik erheen om de laatste spullen weg te halen, waaronder make-up en schmink ter waarde van duizenden ponden. Die zal ik nodig hebben voor mijn nieuwe bedrijf in Australië.

Adam pakt de speldjes van me aan en draait ze om in zijn vingers. 'De enige dingen die ik van haar heb,' zegt hij. 'Ik meen me te herinneren dat Betsy ze droeg.' Hij stopt ze diep weg in zijn zak. Hij heeft tegen me gezegd dat hij nooit meer terug zal gaan naar Engeland. Niet nu hij het weet.

We planten een nieuwe boom op de plaats waar ze zo kort begraven is geweest en hopen dat het een forse berk zal worden, in de schaduw van de eik. Dit is Betsy's enige graf. Ze werd anoniem gecremeerd toen de politie met haar klaar was.

'Ze hield van bloemen,' vertel ik hem. Overal om ons heen groeien grasklokjes. De zomerzon piept tussen het bladerdak door. Het is alsof we over een meer peddelen. Ik pluk een handvol bloemen en leg die aan de voet van het jonge boompje. 'Voor Betsy,' zeg ik, en Adam knikt instemmend.

Mr. Palmer wacht ons op bij de receptie als we gehaast de school weer binnenkomen. Adam heeft het regenwoud in Queensland beschreven, de prachtige vogels. Hij kreunt als hij de klok ziet. 'Ik ben te laat voor mijn les,' zegt hij. Hij wil wegrennen, maar Mr. Palmer verspert hem de weg en neemt ons allebei mee naar de kamer waar het kopieerapparaat staat.

'Ik wil jullie even spreken,' zegt hij terwijl hij het licht aandoet. Adam is nerveus, vindt het vervelend dat hij te laat is.

'Vanzelfsprekend, Mr. Palmer,' zeg ik, in het volle besef dat het over onze brieven gaat.

'Ik wil jullie laten weten dat ik jullie ontslag aanvaard.' Hij ziet er bleek en moe uit. 'Ik begrijp het volkomen.'

De arme man heeft het de laatste paar maanden flink voor z'n kiezen gehad. In plaats van leiding te geven aan de school, heeft hij zich de pers van het lijf moeten houden, en forensische experts van de politie hebben delen van het gebouw tijdelijk afgesloten. Toen de journalisten eenmaal doorhadden dat hij zelf uit het dorp komt, probeerden ze tevergeefs een link te leggen tussen hem en Tulloch. Dat zou een geweldig schandaal zijn geweest. Intussen deed Mr. Palmer zijn best om de school zo normaal mogelijk te laten functioneren. Sommige klaslokalen werden voorlopig naar noodgebouwen op het terrein verplaatst.

'Ik wens jullie heel veel succes voor de toekomst. Jullie krijgen allebei een officiële bevestiging. Mr. Kingsley, ik ben bereid uw contract voor twee jaar vroegtijdig te beëindigen. Miss Gerrard, we zullen u allemaal missen. De meisjes zijn dol op u.' Hij knikt en laat zijn over elkaar geslagen armen zakken.

'Bedankt, Mr. Palmer,' zegt Adam, en hij verontschuldigt zich.

'Het zijn moeilijke maanden geweest,' zeg ik.

Mr. Palmer doet het licht uit. 'Jullie kunnen gaan wanneer jullie willen,' zegt hij vanuit het donker.

Ik kijk naar buiten door het raam naast de oude voordeur, wachtend op de taxi.

Josie zit op de vensterbank, met haar handen tegen het glas gedrukt. 'Het is niet eerlijk,' moppert ze. 'Daar begint de winter weer van voren af aan.' Onwillekeurig denk ik aan alle keren dat ik zelf op die vensterbank heb gezeten, dat ik mijn ogen dichtdeed in de hoop dat ik mijn vaders Granada aan zou zien komen als ik ze weer opendeed.

'Alleen is de winter in Queensland niet te vergelijken met de winter hier, gekkie.'

'De taxi heeft oponthoud.' Adam komt eraan met de laatste bagage. 'Hij is er over een kwartier.'

Josie kreunt en laat zich van de vensterbank glijden. 'Ik verveel me dood,' mompelt ze terwijl ze wegloopt.

'Ga niet te ver weg,' waarschuw ik haar. Ik pak Adams arm beet.

'Doe ik er wel goed aan?' vraag ik aan hem, maar in feite aan mezelf. 'Dat hele Australië-gedoe.'

Adam lacht. 'Het leven is er veel leuker dan hier. En met de opbrengst van je huis kun je daar iets heel moois kopen.'

'Wé,' corrigeer ik hem, en ik haal de papieren ring uit mijn zak. Ik ben stapelgek op die man.

'Mal mens.' Hij geeft me een zoen.

'Betsy zat hier altijd op me te wachten als ik thuiskwam uit school,' vertel ik hem. Snel kijk ik op mijn horloge. 'Ik ga Josie zoeken. Waarschijnlijk neemt ze nog een keer afscheid van haar vriendinnen.' Ik heb al afscheid genomen en Sylvia laten beloven dat ze me niet zal uitzwaaien.

Ik loop een gang in en roep zacht haar naam: 'Josie.' Ik ga naar links en loop langs de glas-in-loodramen die uitkijken op de binnenplaats. 'Josie Atwood, waar ben je gebleven?' Er is nergens een spoor van haar te bekennen.

Ik tuur door het glas van de deur van een klaslokaal en hoor de leerlingen Franse werkwoorden opdreunen. Daar is ze dus niet. Misschien, redeneer ik, is ze naar het computerlokaal gegaan om nog snel even een mailtje te schrijven. Ik kijk nog een keer op mijn horloge; de taxi kan er nu elk moment zijn. Ik geef het op, maak rechtsomkeert en besluit een andere gang te proberen.

'Jósie!' roep ik. Geen antwoord. De meeste kamers aan deze gang zijn opslagruimtes of kantoren die door de diverse afdelingshoofden worden gebruikt. Ik gooi een deur open en een bos hockeysticks valt om. Ik raap ze op en zet ze weer achter de deur. 'Waar ben je, Josie Atwood?' Haar nieuwe naam klinkt nog steeds onwennig. De volgende twee deuren zitten op slot en dan loop ik zonder te kloppen een kantoor binnen. Mr. Dixie staat voor zijn bureau en houdt een mobiele telefoon voor zich uit.

Maar hij is niet aan het bellen.

'O, pardon,' zeg ik. Ik wil net weer weggaan, maar dan zie ik het meisje. Een meisje uit de eerste. Haar gezicht is rood. Mr. Dixie klapt de telefoon dicht en gaat achter zijn bureau zitten. Het meisje stopt haar blouse in haar rok.

'Sorry,' fluister ik. Ik struikel bijna en heb het opeens ijskoud. 'S... sorry.'

'Het geeft niet. Harriet wilde net weggaan. Ja, toch?' Hij kijkt naar haar en ze vlucht de kamer uit.

'Ik ga ook weg,' hakkel ik. Ik ben compleet van streek nu mijn oude angst plotseling de kop weer opsteekt. 'Ik ga.'

De muren komen op me af. De bel gaat en het volgende moment klinken er overal voetstappen en meisjesstemmen om me heen. Ik ren zo snel mogelijk terug naar de hal.

'Josie!' roep ik. Mijn gezicht gloeit en er prikken tranen in mijn ogen. Ik moet hier weg.

'Ze is hier, Frankie. Rustig. Ze is alleen even naar de wc geweest.' Adam heeft zijn arm om haar heen geslagen. 'De taxi is er. Hebben we alles?'

Ik probeer mijn hijgende ademhaling onder controle te krijgen. Ik pak zo veel tassen als ik kan dragen, en met z'n drieën brengen we alles naar de taxi. 'Het station van Skipton, graag,' zegt Adam als we allemaal zitten. 'Frankie?' vraagt hij. Grijnzend draait hij zich naar me om, maar zijn gezicht verstrakt als hij ziet dat ik over mijn toeren ben. 'Wat is er?'

'Niets,' zeg ik. Ik kijk door het achterraam en zie Roecliffe Hall voor de allerlaatste keer uit het zicht verdwijnen. 'Ze zijn net kankergezwellen,' fluister ik hardop, denkend aan mijn moeder, de levertumor met uitzaaiingen in de botten en de lymfeklieren. 'Je kunt ze nooit allemaal uitroeien.'

'Waar heb je het over, mam?' Zij en Adam spelen een spelletje; ze moet zo veel mogelijk Australische dieren opsommen. 'Mierenegel!' roept ze er enthousiast achteraan.

'Wie heeft kanker?' vraagt Adam. Hij gooit een rolletje pepermunt naar Josie. 'Je bent de koala vergeten.'

Te midden van hun opgewonden gebabbel haal ik een blocnote uit mijn tas en ik begin te schrijven. Mijn hand maakt schuivers over het papier als de taxi hobbelt of bochten neemt. Ik heb geen envelop. Als het station in zicht komt, verscheur ik het briefje. Bij het uitstappen laat ik de snippers in de goot vallen. Ik weet me geen raad.

Het regent en Adam stuurt ons alvast naar binnen terwijl hij een bagagekar haalt. 'Mam, wat is er toch? Je doet de hele tijd zo raar.' Josie geeft me een arm. 'Vind je het dan niet spannend?'

'Ik probeer alles te vergeten.'

'Je hoeft er niet meer aan te denken als we eenmaal in Australië zijn. Het is goed voor ons allebei, mam.'

Ik geef haar een kneepje.

'Ik weet het nog steeds niet,' fluister ik tegen Adam als we op het perron staan te wachten op de trein. 'Ik weet niet of het verstandig was om alles te vertellen.'

Hij geeft geen antwoord – houdt mijn hand vast terwijl we naar King's Cross boemelen; speelt spelletjes kaart met Josie; haalt warme chocolademelk en broodjes in de restauratiewagen.

Vier uur later zijn we op Heathrow en checken we onze bagage in voor de nachtvlucht. Josie gaapt. 'Nog even,' zegt Adam. 'Het is een avontuur.'

De man die naast me zit bij de gate kijkt naar foto's op zijn laptop – kinderen op het strand, bij een feestje, in een park. Hij blijft heel lang kijken naar een foto van een meisje van een jaar of vier, vijf, dat poedelnaakt in een pierenbadje staat. Iemand spat haar nat met een tuinslang en je kunt zien dat ze kraait van pret. De man staart naar het kind, klapt de laptop dan glimlachend dicht. Hij pakt zijn telefoon en houdt een heel verhaal met een kinderlijk stemmetje, grijnst een paar keer, blaast kushandjes door de telefoon en zegt welterusten, dat hij veel van haar houdt.

'Adam, ik ben zo terug,' zeg ik. Josies ogen zijn dichtgevallen en ze merkt niet eens dat ik wegloop.

Ik gooi muntstukken in de openbare telefoon, haal het kaartje uit mijn tas en toets het nummer in. Zo laat op de avond is hij niet meer op zijn werk, maar ik weet dat hij zijn voicemail regelmatig afluistert.

'Dit is een bericht voor Mark McCormack,' zeg ik duidelijk, zonder mijn naam te noemen, en ik leg uit wat ik in het kantoor van Mr. Dixie heb gezien. Misschien had het niets te betekenen, maar ik durf het risico niet te nemen.

'Klaar,' zeg ik als Adam vraagt waar ik ben geweest. 'Alles is gedaan. Meer kan ik niet doen.' Ik kijk om me heen naar de andere passagiers.

'Onze vlucht is net omgeroepen,' zegt hij. 'We kunnen instappen.'

Ik leun tegen Adam aan en druk een kus op het hoofd van mijn gapende dochter. We schuifelen in de rij naar de gate en geven onze instapkaart. Voordat ik de slurf in loop, kijk ik nog een laatste keer over mijn schouder en zeg ik een schietgebedje. Achter ons staat een jong gezinnetje, met een bejaard echtpaar daar weer achter. Ik zucht en laat mijn ogen even dichtvallen. Niemand kijkt ons na.

Dankwoord

Heel veel dank aan Anne en Sherise; hun input, vriendschap en steun zijn van onschatbare waarde voor mijn boeken. En natuurlijk gaat mijn dank zoals altijd uit naar het hele team van Headline, aan beide kanten van de planeet.

Mijn beeldschone nicht uit Brisbane, Emma Dean (dotcom), maakt muziek die me zowel inspireert als kalmeert wanneer ik er behoefte aan heb. Hartstikke bedankt, Emma, en Tony en de rest van de band ook.

Terry, Ben, Polly en Lucy... heel veel liefs. Graag noem ik ook nog de meisjes uit Southfield, en tot slot, zoals altijd, Sandra, een magisch mens.